COMENIUS
OU L'ART SACRÉ DE L'ÉDUCATION

Du même auteur

La relation d'entraide, Boucherville, De Mortagne, 1986.
L'âme déliée, Montréal, Stanké, 1989.
L'Œil de Tchicohès, Rimouski, ÉDITEQ, 1991.
Familles en détresse sociale, Repères d'action, Tome I et Tome II,
Québec, Anne Sigier. Réédité en 2002 en un seul tome, 1998 et
1999.
Maître Eckhart, Paris, Stock, 1998.
La Valse des immortels, Montréal, Hexagone, 1999.
Nicolas de Cues, Montréal, Hexagone, 2001.

www.editions-jclattes.fr

Jean Bédard

COMENIUS OU L'ART SACRÉ DE L'ÉDUCATION

Roman

JC Lattès

Une subvention du Conseil des Arts
et des lettres du Québec
a supporté la réalisation de cet ouvrage.

CONSEIL
DES ARTS ET DES LETTRES
DU QUÉBEC

À ma fille chérie

L'Europe de Comenius

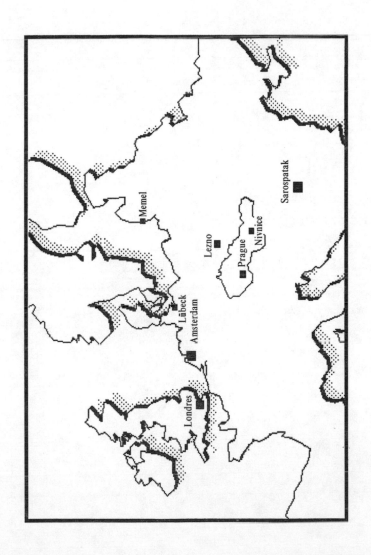

Avant-propos

Jan Amos Komenský, mieux connu sous le nom latin de Comenius (1592 à 1670), mérite parfaitement le titre de « Galilée de l'Éducation » que lui donne Michelet. Comenius recentre en effet le moteur de l'éducation. Il le fait passer de l'enseignant à l'enseigné. Il insiste sur le caractère sacré de l'enfant. La véritable éducation est tout simplement le contraire de l'endoctrinement.

Senior (pasteur évêque) d'une petite communauté chrétienne (Unité des Frères) ni catholique ni protestante, il ira d'exil en exil fonder des écoles dans le but d'enseigner à tous (filles, garçons, riches et pauvres), tout ce qui est nécessaire à l'exercice responsable de la liberté individuelle et collective.

Il déclinera l'invitation de Richelieu, celle de la Nouvelle-Angleterre et de bien d'autres qui souhaitaient le voir diriger une réforme des écoles. Il voulait rester solidaire de ses frères.

Son vaste projet de fonder la paix sur une constitution mondiale réellement démocratique sera ridiculisé à son époque, mais inspire aujourd'hui la constitution des Nations unies. Cette démocratie ne peut être qu'universelle, elle suppose l'éveil des consciences, l'éducation de tous à l'exercice responsable de la liberté, la justice sociale et le désarmement de toutes les nations.

Auteur d'une œuvre colossale, il sera lu par Leibniz, Malebranche, Herder, Rousseau, Madame de Staël, Piaget, Jan

Patočka et bien d'autres, mais restera pour l'essentiel inconnu et incompris.

Les révolutions sociales des siècles qui le suivront vont avorter de la démocratie dont il ne reste aujourd'hui que l'espérance. À l'heure où le mot « démocratie » sert essentiellement à maquiller une ploutocratie de plus en plus mondiale, il n'est pas vain de s'intéresser à Comenius.

Père trois fois veuf qui savait mieux que personne observer les petits enfants, la vie de Comenius se confronte à l'époque baroque où les sciences et les arts vécurent leur plus grande transformation.

Ce roman, raconté par sa fille, nous plonge dans les eaux vives d'une réforme de l'éducation qui, hélas, n'a jamais eu lieu.

* Des notes biographiques sur Comenius sont présentées à la fin du roman.

Prologue

Mai 1659. Je ne dormais pas. À l'accoutumée, l'épuisement m'assomme. Cette nuit-là, la fatigue me tenait aux aguets comme une peur. Néanmoins, trop affaiblie et décharnée, je restais insensible. Je regardais la nuit droit dans les yeux. Elle n'avait rien à dire.

L'aube tardait. À peine une lueur pénétrait le petit carreau de la porte. Un air frais entrait, se dégourdissait, enlassait tout ce qui se trouvait sur son passage. C'était bon. Devant la fenêtre, les linges propres mais brunis de mes lochies ondulaient. Cette nuit, je n'avais pas saigné. Huit semaines, il était temps. L'accouchement avait été difficile, trop difficile. Le bébé dormait à côté de moi, endormi de faim. Il avait trop pleuré. Je manquais de lait.

Pourquoi, moi, je ne dormais pas ? Je ne sais. Mais le noyau de ma vie s'est présenté ce matin-là : onze ans après le jour fatidique de mon mariage, onze ans avant la mort de papa, précisément au milieu du récit que je vais raconter.

Sur la chaise reposait ma robe de laine. La frange du bas pendillait, déchirée. Encore une fois. La cinquième frange de ma robe. Je m'étais entortillé l'orteil dans le rebord en allant au marché. À la hauteur du genou, la laine était si usée, la robe si pochée qu'en montant des escaliers, la frange touchait le sol. Pour aller au marché, il y avait beaucoup d'escaliers. Monsieur mon mari le répétait, j'étais meilleure en reprises qu'en entreprise. Aux genoux, la laine de raccommodage paraissait plus claire et les brins plus épais. Le temps s'occupera d'égaliser, c'est sa plus noble fonction. L'ouverture des deux poches s'était déchirée, mais l'encolure était belle. J'ai toujours aimé les encolures. Il suffit de peu de fil pour faire une élégante dentelle et le plus beau de la femme est souligné.

Des effilochures tournoyaient au bout de la manche de droite, en direction de la porte. Parfois les choses parlent. Pour moi, c'était le signal. Je me levai pour fermer le carreau et j'enfilai ma robe comme une mémoire. Sans la semence, ma vie ne serait que mémoire et usure. Mais j'avais eu plein de semence et mes pieds, mes mains, ma tête perçaient de ma robe. Je ne suis pas encore morte. Allons ! au devoir, c'est l'heure.

Je n'avais pas encore réalisé que mon bébé était aussi celui de mon mari. Cette évidence, je ne l'avais pas saisie. Je vivais à côté d'un homme. Parfois, il était mon frère, parfois il était un étranger, jamais un conjoint. Cette solitude faillit me perdre.

Pourquoi est-ce mon fils qui me donna la vie et non l'inverse ? Pourquoi est-ce la mort qui ouvrait le chemin ? Pourquoi ma robe donna-t-elle le signal ce jour-là ? Qui sait ! Les moments décisifs ouvrent des portes, ils n'expliquent pas.

L'on a privautés avec le bonheur qu'après avoir tenu à bout de bras, devant soi, le bébé de son sein et avoir dit : « Oui ! je te veux. Advienne que pourra ! » La chose ne fut pas si facile pour moi.

J'étais à Amsterdam, sur un petit pont de bois, lorsque j'ai finalement présenté au Ciel mon premier vivant de trois mois. Suspendu au-dessus de l'eau, il lança un étincelant cri de joie. Une volée de mouettes pillardes quitta le canal avec fracas. Il fronça du nez, mais résista aux pleurs. Ses yeux de cristal percèrent toutes mes surfaces. Mon cœur, rejoint, se liquéfia et je lui retournai sa flèche. Entre ses deux pommettes saillantes, son sourire triomphait. Un cordon de feu réunissait nos âmes. Il était si confiant, il était si vulnérable. Je fus arrachée à moi-même et, par une grâce de Dieu, je vis de profil la mère et l'enfant tel un arc-en-ciel lancé au-dessus de l'orage.

Il était devant moi comme devant sa source de vie. Il était à mon image, mais il n'était pas mon image. Mêmes et différents, nous étions naufragés l'un dans l'autre et pourtant, salut l'un pour l'autre. Par son regard, il m'appelait à la vie.

— Indique-moi le chemin, lui demandai-je.

Il me sourit. Égal et translucide s'offrait à notre regard tout l'horizon matinal. Vers le nord et vers le sud, vers l'est et vers l'ouest, tout le cadran buvait notre regard jusqu'à l'infini. Il y avait bien des maisons, des pignons, des clochers, des coupoles, des mâts, mais partout, les chemins brisaient leurs entraves et couraient jusqu'à la plaine ou jusqu'à la mer. Rien de semblable à la verticale où je l'avais placé. Entre le ciel et la terre, nulle symétrie : au-dessus, aucun obstacle pour la vue, de la molle transparence jusqu'à l'infini ; en dessous, à quelques coudées, l'eau noire, le limon, les rochers. Alors donc, pourquoi la pesanteur nous attire-t-elle précisément là où l'on s'enlise, se noie et meurt ? Pourquoi le poids choisit-il le pire ? Mais lui, au bout de mes bras, ignorait sa propre pesanteur et battait de ses quatre membres comme une libellule prête à s'envoler.

— Va mon papillon ! Va !

J'aurais tellement voulu qu'il s'envole, qu'il m'échappe. Les temps étaient si lourds. Les temps couraient à la mort dans toutes les directions. Derrière moi, la guerre hurlait, devant moi, la guerre appelait. Nous étions comme un pont suspendu au-dessus de l'abîme, moi sur le bord qui s'envasait, lui sur le bord qui s'élevait. Je désespérais.

— Sauve-moi ! mon papillon.

L'accouchement m'avait presque tuée, j'avais peur de tarir et qu'il meure de faim. La nourriture manquait. J'angoissais à l'idée qu'il pouvait mourir durant l'hiver. J'étais à bout de force.

La mort sembla vouloir prendre pitié de moi. Elle désirait m'emporter tout en bas du pont, dans son eau froide et dans sa vase. Elle m'appelait : « Viens, viens te reposer. » J'avais amené mon bébé dans un solide panier d'osier et me suis laissée aller à une atroce rêverie. Et si je l'y déposais... Et si je laissais la petite barque glisser à la dérive... Et si je donnais à mon petit la chance de commencer avec une autre mère... Mon Moïse à moi allait peut-être trouver meilleure fortune et plus grand destin ! Et moi, enfin, je dormirais.

Je le tenais à bout de bras et me mis à trembler comme un prunier qu'on abat. Ne valait-il pas mieux le lâcher directement dans la mort ? Ici même, avant qu'il ne connaisse la guerre, la famine, la peste, l'exil, la torture, le froid ! Il suffirait de l'envelopper de tout mon corps blotti autour de lui, de plonger, de couler, de me reposer. Il n'aurait pas froid, il n'aurait pas faim. Pas de vie ne serait plus douce. Jusqu'où allait mon devoir de protection ? Jusqu'où allait mon devoir d'éducation ? Que faire lorsque protéger et éduquer se contredisent ?

Tout mon corps se révoltait, voulait le reprendre, le replacer dans mon ventre, lui refuser le futur, lui éviter que ce futur devienne à jamais son passé. Mais ce n'était pas possible. Alors quoi d'autre ? Mourir n'est pas péché : ce n'est que bondir quelques années devant soi. Mon Dieu, pitié ! Dans toute l'Europe déchirée par le démon de la guerre, qui peut encore désirer le futur ?

C'est alors que je me suis mise à entendre, comme pour la première fois, les paroles de révérend mon père. Je le sentais derrière moi aussi présent que mon fils était devant moi. « Madame ma fille, confiance, libérez votre chemin », soufflait-il. Mais je n'entendais pas. Sur mes épaules, ses mains se faisaient rassurantes. Il m'avait tenue maintes fois à bout de bras sur un pont sous lequel passaient des torrents de guerre et de misère. Peut-être avait-il, lui aussi, hésité. Cependant, il eut la témérité de s'établir comme mon commencement. « C'est cela le premier choix de l'éducateur. Et c'est un terrible choix, une très imprudente prétention. » Il disait cela en riant, mais il n'avait pas toujours ri.

— Papa, ne m'abandonne pas ! criai-je dans le silence du petit matin.

Père lorgnait du côté de la mort. Il était brisé. Nous avions trop marché, d'exil en exil, de désastre en désastre, d'échec en échec sur des routes devenues visqueuses par le sang des batailles et la boue des misères.

— Papa, si tu meurs, je te bats, je te tue.

Trois pigeons me regardèrent interloqués. Je sentais ses mains sur mes épaules, mais quelque chose avait changé. Il n'était plus derrière moi comme ma détermination ; il n'ordonnait rien, n'indiquait ni la direction ni la trajectoire. Non, il était là comme mon assise. C'était moins. En fait, c'était plus. Je me dis : « Un jour de désespérance, mon fils sera sur un pont et regardera en bas. Quelle sera son assise ? Un acte de confiance ou un acte de désespoir ! » Alors, je regardai le ciel et prononçai les paroles :

— Oh non ! Je te garde mon papillon, je te garde et malheur à qui voudra te faire du mal. Je me veux pour ta mère. Advienne que pourra.

Et je donnai un bon coup de pied sur la corbeille d'osier qui glissa sous le parapet et s'en alla toute seule à la dérive.

Les mouettes n'avaient que faire de mes paroles. Tenant à bout de bras mon premier vivant, je dissipai mon désespoir dans le cristal de son regard. Il a suffi d'un éclair, mais c'était peut-être parce que j'avais vu à Amster-

dam, exposé pour un mois à Westerkerk, une reproduction qu'on disait assez bien réussie de *La Création d'Adam*,
œuvre d'un certain Michel-Ange. Adam, nu, appuyé sur
son coude tend la main gauche à son père qui vient à lui,
transporté par des anges peinant sous son poids. Le père
offre la main droite à son fils, mais leurs doigts ne se touchent pas. Tout le tragique de la création repose dans ce
geste incomplet, dans le petit espace électrique et périlleux
de leur relation. On ne donne pas la vie, la vie prend feu
dans l'espace inflammable du cœur.

Monsieur mon mari l'avait baptisé Daniel-Ernest,
moi, je l'appelais simplement Ernest. Le matin découvrait
le canal Prinsen jusqu'au quai, ce qui est rare en cette
deuxième Venise du nord. Le cristal de ses yeux me fit
opter pour la vie.

Depuis ma tendre enfance, révérend mon père, pasteur des Frères, m'avait détaillé point par point ce qui
l'avait amené à comprendre la vertu du temps, ses risques
et ses espoirs. C'était pour lui une sorte de révélation.
Tout commence par être petit, tout croît, tout passe de
l'embryon à l'épanouissement. Cela signifiait que le temps
n'était pas un chemin, mais un grain de blé.

« Dieu n'a pas fabriqué Adam adulte, avait contesté
père. Michel-Ange s'est trompé sur ce point. Mais personne ne peut le lui reprocher. La conscience de ce qu'est
un enfant n'est pas encore née. L'enfant sera reconnu réellement et dans toute sa liberté uniquement lorsque la
femme apparaîtra dans la fresque. » Et il avait éclaté de
rire car c'était pour lui une autre façon de me répéter :
« Libérez votre chemin, madame ma fille, et prenez votre
place sous le soleil. Le blé est bon, le ciel est doux, l'amour
est fécond. ».

Sortir de mon cachot eût supposé que je fasse trois
pas en direction du futur. Mais je ne le pouvais pas. Ma
liberté était devant moi et m'en empêchait. « Tu ne peux
pas me traverser, disait-elle, sans me prendre pour témoin

et tu ne peux pas me prendre pour témoin sans te pardonner à toi-même. » En tenant à bout de bras mon Ernest, je dus me pardonner d'être sa mère.

— Viens mon papillon ! Je te garde. J'irai te reconduire jusqu'au moment où tu pourras devenir ton propre commencement. Un jour, tu seras à nouveau sur ce pont, et tu choisiras.

Mon bébé suçait le lait avec l'avidité de l'oisillon. Devais-je lui enseigner le renoncement ? Non ! Du vide et de l'incertitude, il fera l'air sous ses ailes. La partie préparatoire, rigide et cruelle du temps, c'est le passé ; sa partie subtile, vitale et malléable, c'est l'avenir. Alors, pourquoi la pesanteur nous entraîne-t-elle vers la mémoire ? C'est que la pesanteur n'est pas le naturel de l'esprit. Mon Ernest changera le monde. Je le tenais non plus comme un Moïse, mais comme un David lancé contre Goliath. À toute la ville endormie, je clamai cet avertissement :

— Moi qui ai traversé, vivante mais non sans tentation de désespoir, l'insoutenable guerre qui n'en finit plus, je tiens un fils, et ce fils vrillera dans ton cœur cette espérance que tu as piétinée tant de fois.

Moi la muette, je criais presque aussi fort que les mouettes et cela me réveilla à moi-même. « Élisabeth, me suis-je dit, la liberté ne s'enfonce pas dans la gueule des gens. » Et je me repris.

— Non, mon fils sera ce qu'il fera.

Tenant mon petit devant moi avec pour principale responsabilité, non pas de me transcrire en lui, mais de le reconduire au vertige de sa liberté, je me suis vue petite fille entre les deux puissantes mains de révérend mon père. Il m'avait si souvent tenue ainsi entre ciel et terre, à bonne distance de sa poitrine comme s'il avait voulu me détacher de lui, me donner à moi-même, produire la distance créatrice. Mais moi, je me tenais dans ses robes, effrayée par la violence du monde.

Dans le tableau de Michel-Ange, Adam doit faire un

bond de deux centimètres dans le vide pour rejoindre Dieu, sa propre source créatrice. C'est le saut nécessaire à la vie. Je ne sais pas si j'aurais pu le risquer sans l'acte de confiance irrévocable lancé par mon père. J'ai donc ramené mon Ernest à la maison avec la ferme détermination d'aller au bout de cet amour même s'il devait me déchirer de part en part.

Sur le retour, j'entendis le chœur de Westerkerk. Je m'approchai de l'église. C'était si beau. Révérend mon mari dirigeait le chœur. Et son chœur ébranla mon cœur. Pour la première fois, j'écoutais. Chaque mouvement qui venait semblait guérir le mouvement précédent. Pour la première fois j'absorbai le plaisir. Mon lait se mit à couler et mon petit avalait les yeux bien ronds. Dieu du ciel ! La musique, c'est tout. La preuve de la musique est dans le lait. Si tout à coup les oreilles s'ouvrent, le bonheur entre et le lait sort.

Je dois l'avouer, ce qui a écorché ma robe toute ma vie n'est pas tant la vie elle-même que le fait de marcher en sens contraire, en direction du refus. La révolte n'est que faciles prémices. Un jour ou l'autre, il faut plonger. Une harmonie lutte dans le désastre du monde. Aujourd'hui, je tourne le pas vers elle avec toute la force de mes trompettes. Puisse le futur transformer les horreurs que j'ai vues.

Je suis revenue à la maison. J'ai entrepris une dentelle pour affermir le bord de ma robe. Sous le pressoir, le raisin donnait son jus et la pulpe grinçait. Onze ans plus tard mon mari et mon père mouraient. J'ai fui jusqu'en Prusse pour protéger mes enfants. C'est là que j'ai attendu le plein mûrissement de la semence. Peu à peu, le bonheur se mit à envelopper le drame, à l'inverser du dedans vers le dehors, et ce qui m'avait paru une catastrophe me sembla soudain une très belle histoire.

Mais venons-en au commencement. Le jour fatidique de mes noces, le jour fatidique de la mort de maman...

CHAPITRE 1

Au commencement était maman

Aucun feu de joie, ni cri, ni flûte, ni lampe, pas même une seule bougie. Le silence et l'obscurité forment le plus sûr vêtement de l'exilé. Tous nos chiens ont appris à se taire. Nous, les Frères, les insoumis de Bohême, les parias, devions répandre le silence, laisser intacte l'odeur de la forêt, mourir sans faire de bruit. Même en cette nuit de mes noces, la nuit où maman s'éteignit sans avertissement, en l'année de disgrâce 1648 où furent signés les traités de Westphalie, la dernière trahison, le rejet final.

Il fallait disparaître. Il fallait qu'après nous, aucun feu, aucun arbuste, aucun rameau, aucune pierre, aucune odeur ne puissent témoigner de notre existence. Fuir, se cacher, effacer toutes traces, ramper dans l'ombre, s'éclipser, telle était la miséricorde que les Églises daignaient nous accorder.

Cette nuit-là, j'étais si empêtrée dans le brouillard, les inquiétudes, les sensations, que je n'ai ni perçu, ni entendu, ni même soupçonné l'agonie silencieuse de maman. J'aurais tant voulu que la pleine lune éclaire ma première nuit avec monsieur mon mari. J'aurais tant

voulu que la fête dissimule jusqu'au petit matin nos premiers soupirs. À défaut de flûte et de lune, de chants et
de feux, une fragrance de fleurs montait par la trappe du
grenier. Rien de mieux qu'une invasion de parfum pour
libérer les pollens de la mémoire...

Avancer le dos chargé, n'entendre que des cloches
lointaines, suivre les sentiers des bêtes sauvages, ne jamais
s'approcher d'un cri de coq, vivre traqués. Enfant, je
croyais que notre exil venait d'une nécessité des odeurs.
Les catholiques sentaient l'encens ; les calvinistes, le
savon ; nous, la sueur.

On disait de nous, gens de la Bohême, disciples
entêtés de Jean Hus, que nous étions cause de la pire des
guerre. Selon l'usage antique, certains des nôtres avaient
jeté par la fenêtre deux ou trois membres du Conseil de
lieutenance. Après cette révolte, ce fut la répression, la
marée de sang, l'exil, la misère. Étions-nous les seuls coupables, nous les chiens, les ~uants, les sulfureux de Satan ?
Nos oppresseurs avaient-ils les mains si blanches ?

Sans l'arôme de maman, je n'aurais pas eu de maison.
Chaque matin, elle nous demandait, à ma sœur et moi,
d'aller cueillir des fleurs odorantes qu'elle glissait comme
des guirlandes sous sa ceinture de serge rouge. Elle s'em-
baumait des plus beaux parfums, maman. Son bouquet
ressemblait à une torche dans la nuit. Si aucun des chefs
ne surveillait, elle nous hissait sur la charrette et nous
chantait dans l'oreille des airs gais. La sente devenait soudain une route, la route un village, et le chariot se transformait en maison.

Rien n'est aussi impératif que la joie. Maman répandait le bonheur comme les soldats répandent le malheur.
Lorsque la nuit venait, elle faisait une prière pour les guet-
teurs, ses yeux brillaient et si une larme apparaissait dans
le coin de son œil, elle agrandissait son sourire autant
qu'un croissant de lune. Il y avait une maison dans le
chaos.

Je n'ai jamais su pourquoi il nous fallait tant marcher. Ici même à Leszno en Pologne, nous avions une cabane assez grande pour l'imprimerie de la communauté, avec un grenier et un carré de vitre. Leszno tolérait la présence des Frères, il suffisait de se taire et de fournir une bonne main-d'œuvre. Mais toujours, nombre devaient partir. Enfant, je croyais qu'il s'agissait de notre nature, nous étions des crapauds migrateurs. C'était un simple fait démontré par nos odeurs.

Père et toute notre famille venions tout juste d'arriver de Suède et il faudra bientôt repartir. Père recevra un signe et donnera le signal. Mère chicanera toute la journée en préparant la charrette à bras. Je ne sais pas quand, ni pour quel pays, mais nous partirons. « Ne t'éloigne pas », dira maman ; « Laisse-la faire », dira papa et nous reprendrons le chemin, pieds nus, chargés comme des mulets...

En cette nuit de noces où le fils adoptif du pasteur Komenský allait s'unir à moi, sa fille aînée, père nous avait laissé le grenier. Les convives avaient bavardé jusqu'à tard dans la nuit. Les enfants avaient couronné le lit de maman des fleurs du mariage. De la trappe, l'arôme qui venait camouflait l'odeur de la mort.

Je la croyais simplement fatiguée par le voyage. Toute la journée, elle avait ri et raconté des contes. Personne ne savait, personne n'avait imaginé... Vrai qu'en ce jour brûlant de soleil, le vin avait coulé. Vrai qu'il fallait que femme soit bien engourdie pour son premier soir... Comme à l'accoutumée, je ruminais des inquiétudes sans objet et la vie en profitait pour faire ses mauvais coups.

La lune n'était pas au rendez-vous. À peine quelques lueurs caressaient les larmes d'humidité qui glissaient sur le carré de vitre. Le mariage avait été précipité. Nos pasteurs avaient jugé le moment opportun. Les catholiques sur la colline nord et les calvinistes sur la colline sud célébraient à grands cris la paix de Westphalie. Alors, une petite fête dans la communauté des hérétiques n'allait pas trop leur rappeler notre existence.

Le parfum de mon homme embrumait ma mémoire. Tout se mélangeait. Je l'avais déjà remarqué : l'odeur d'une mère calme, celle d'un homme trouble. De la suie s'était répandue dans mon cœur. Le sang de mes veines se noircissait. Épais, lourd comme l'argile, il oppressait ma respiration. Dans toute la catholique Église, on disait que la pureté ressemblait à de l'eau distillée, vierge, sans infiltration d'aucun corps étranger. Père réfutait qu'une telle eau serait parfaitement stérile. Mais moi, le mélange des humeurs m'effrayait. L'ennemie de l'humanité, tout le monde le disait, même les Frères, c'était la femme lubrique, celle qui adhérait à la boue originelle de son corps comme à une glu.

Révérend mon mari n'avait ni la main maladroite, ni le baiser distrait. Il m'avait remuée du fond jusqu'aux surfaces et des alluvions remontaient dans l'eau de mon âme et le sang de mon corps. Alors la peur planta son couteau. « Le plaisir n'est pas sans fonction sanctifiante », m'avait dit en riant père pour me préparer, mais tout le monde affirmait le contraire. La prostituée représentait le mal suprême.

C'est elle qui ouvrit ses cuisses à Satan aux jours de la Genèse, c'est elle qui perdit Samson en faveur des princes philistins et c'est elle encore qui déchira l'unité chrétienne. Encore ce jour-là, durant le repas de la noce, j'avais surpris des parlottes de pasteurs calvinistes. « Morbleu ! avait lancé le premier, la putain de Rome, que les rois appellent pape, a couché jadis avec l'empereur Constantin et ils ont formé une seule chair. Du mélange des spermes est né l'Antéchrist... » L'autre pasteur avait ajouté : « Les enfers s'ouvriront et brûleront toujours et à jamais les putains. »

Les pasteurs calvinistes parlaient en paraboles et avec mille exemples. Ils s'insinuaient dans les conversations et ils insistaient parce que père, accompagné de mère, allait parfois rendre visite à une prostituée notoire, une femme que toute la communauté méprisait. Elle arrivait des montagnes en automne. Elle ouvrait sa couche à solde ici même à Leszno, et repartait au printemps. Père ne disait rien à son propos, mère approuvait son silence. Toute la communauté condamnait.

La peur avait durci mes surfaces, mais dans les profondeurs, mon corps avait frémi. Nubile j'étais, nubile je n'étais plus. Avant ma nuit de noces, j'avais un frère ; maintenant, la tentation dormait à côté de moi. Toute notre enfance, nous avions joué ensemble en riant. Maintenant nos jeux nouaient muscles et boyaux jusqu'aux spasmes. Terrible est de dormir à côté des portes de l'enfer.

Père avait objecté aux calvinistes que Jésus était venu pour nous libérer de cette conception toute pharisienne de la pureté. Cela avait simplement jeté de l'huile sur le feu. « Par un miracle de Dieu, avait insisté l'un d'eux, le mariage sauve l'acte de chair. Néanmoins, nous devons tenir séparé le féminin du masculin. Éduquer, c'est éloigner le garçon de sa mère, extirper le féminin du masculin, extraire la raison de l'émotion. Le principal devoir de la femme consiste à se taire. »

Il m'a prise longtemps, trop longtemps, j'ai lutté, j'ai cédé, j'ai tremblé de tout mon corps. Et maintenant, j'avais peur. Il faut comprendre, la Moravie, c'était notre corps et on nous en avait chassés. Révérend mon père prêchait le retour. Jouir de son pays lui apparaissait naturel, premier même. L'arbre prend racine avant de partir à l'assaut du ciel et même là, c'est avec son corps qu'il se hisse. Ce qui était vrai pour le pays devait l'être pour le corps. Éduquer, c'était faire entrer quelqu'un chez soi.

Sa théorie lui avait coûté cher par anticipation et par participation. À dix ans, il était orphelin de père, à douze, orphelin de mère. Il erra dans les bois, connu la faim, le froid et toutes les cruautés de la nature. Épouse et enfants qui venaient emboîtaient forcément le pas et souffraient dans les marais de la misère. Mais de ces cruautés, je

n'avais presque rien su par l'extracrdinaire magie de
dame ma mère. Elle, maman, avait la science de garder ses
enfants dans le paradis de son cœur, hors du labyrinthe...
Maman...

— Maman !

Ce ne fut qu'un chuchotement inaudible dans le
silence de la nuit. Le grenier avait craqué. Une petite bourrasque sans doute ! Mais personne ne s'était réveillé.
L'eau coulait sur le carré de vitre. Une araignée guettait
une proie. Des lueurs de sang jouaient dans sa toile, l'insecte restait immobile.

On parlait des hérétiques brûlés vifs, des femmes
qu'on enterrait vivantes avec leur bébé, des jeunes filles
souillées de toutes les manières... « Des histoires à faire
peur », disait maman. Le doute, cependant, avait perforé
l'insouciance de mon enfance. « Ne dis rien à ta petite
sœur, » demandait maman. J'avais devoir d'aînée : abriter
les plus petits. Mais l'inquiétude s'était infiltrée. J'en étais
devenue muette, littéralement muette. « Ce qui, pour mon
mari, serait une grâce », avait déclamé en riant l'un des
pasteurs calvinistes.

Papa disait : « Libère ton chemin ». Maman disait :
« Ne t'éloigne pas trop. » Alors j'entretenais l'inquiétude
comme d'autres entretiennent leur maison.

Malgré la nécessité de ne pas exciter contre nous ni
les catholiques ni les calvinistes, la noce fut joyeuse. On
avait beaucoup ri, beaucoup bavardé. Révérend mon père
m'avait donné au meilleur des pasteurs, Pter Figulus
Jablonský que j'appelais simplement Ablonský, un orphelin de guerre recueilli chez nous avant même ma naissance. Hier, un enfant joyeux aux cheveux en touffes de
foin, aujourd'hui, un grand gaillard et un formidable choriste au cœur farouche ; dans mon esprit, les deux images
se superposaient, se bataillaient.

Son regard avait changé. Une lame brillait dans chacune de ses pupilles. Il fut longtemps devant moi avant

de déboucler le ruban de ma robe. Il hésitait... se résigna. Il souffla sur la chandelle. Il fut long. Il fut tendre. Il m'emporta... Mais la peur se vissait dans ma poitrine. Une fois l'étreinte terminée, nous étions comme deux accidentés.

Mère m'avait prévenue : « Tu seras déroutée. » De route, en effet, je ne pouvais plus parler. Chaque instant formait une bulle et j'en guettais l'explosion. J'avais l'impression d'avoir fermé un roman et commencé un devoir. « À l'obéissance du jour s'ajoutera l'obéissance de la nuit », m'avait prévenue maman. Mais lui, à quoi obéissait-il maintenant ? J'avais produit en lui un orage. J'avais subi le rebond de mon propre effet. Qui obéissait à qui ? La puissance de mon corps nu m'effrayait.

Je surveillais sa respiration, je m'inquiétais de ses rêves : qui sait où ce feu peut nous mener ? Presque toutes les guerres résultent de visions nocturnes d'hommes emportés par les flammes d'une femme. Je n'étais guère belle du visage. Mais ce n'était pas le visage qu'il avait regardé. Mon corps est une mèche.

D'une main, je ramenai mes cheveux sur ma poitrine. J'approchai le nez de son dos. Son odeur avait quelque chose de piquant. J'en inspirai l'éther dans l'espérance d'assoupir mes peurs et je sombrai dans un étrange rêve...

Elle était là devant moi, la chère Bohême de papa et de maman, telle qu'ils me l'avaient décrite. Elle brillait de toutes ses mousses et ses prêles, ses arbres et ses bosquets. Chaque feuille vaillante luisait comme une lune dans la nuit. Des sources jaillissaient, des ruisseaux ricanaient, des rivières ondulaient. Des marais ouvraient leurs grands yeux noirs. Un paysage spongieux telle une génisse. Je planais au-dessus de cette terre comme un oiseau. C'était au temps d'Éden, avant que la nudité ne soit connue comme chose honteuse. Sur un dôme rocheux, Ablonský se leva. Il regarda vers le ciel et me vit. Il me prit avec lui et tout mon être fut ébranlé. Alors un démon arriva. Je le reconnus à son bras en forme de serpent, l'autre était de bois et de fer. Il grimpa sur une montagne et nomma chaque chose du nom de son vouloir. Puis il nous vit dans notre étreinte. Il entra dans une grande colère et nous chassa en criant : « Sortez d'ici et portez dans votre cœur les vestiges de cette beauté d'Éden que vous ne pourrez jamais égaler. » Et il éclata d'un rire sardonique...

Une angoisse me prit à la gorge et je m'éveillai en sursaut. Ablonský dormait, la tête comme un gros chat entre mes seins. J'avais désormais pour maison sa volonté et surtout, le trouble que j'y semais. Devenir une honnête femme était mon seul salut. L'honnête femme n'allume pas d'incendie, elle apaise.

Je réussis à me dégager doucement. Je déplaçai sa main indiscrète. Je m'enveloppai dans une couverture. Mon cœur se tranquillisa. Dans le silence, j'entendis un faible gémissement.

— Maman !

Non, c'était le vent.

« Maman ! » Le mot résonnait dans ma tête seulement. Ma bouche avait à peine remué. J'aurais tant voulu prononcer le nom : « Dorothea », fille de l'éminent *senior* Jan Cyrill. En grandes noces, ils s'étaient épousés et pourtant tout le pays portait le deuil. Les Habsbourg avaient coupé la tête de nos chefs, le décret d'exil avait été signé. Nous avions été chassés. Désormais, c'était elle, maman, ma seule patrie. Elle en portait l'histoire et les légendes, la cuisine et les remèdes, les coutumes et les mœurs... Elle était ma tente et mon pays, un pays comme un navire allant ici et là selon le commandement de mon père. Mais elle ne l'avait pas suivi en Angleterre, cette fois-là, elle avait dit : « Non ». « L'exception confirme la règle », m'avait-elle expliqué.

Je n'ai rien vu de la femme, de son cœur et de ses souffrances. Elle était maman. Elle était si « maman » qu'elle nous mourait à la figure sans le moindre avertissement.

Je reprenais mes esprits. J'entendais la maisonnée dormir, sauf père. Il était certainement dehors à regarder ses chères étoiles. Il fallait savoir ce que les astres en pensaient. Mère ne s'était pas bien remise de sa fièvre. Non ce n'était pas le vent, je l'entendais retenir son gémissement. Elle ne voulait sans doute pas réveiller les enfants.

Je descendis voir les petits. Daniel suçait son pouce, blotti sous le bras de Suzanna. Dieu, aide-nous à préserver la joie de nos enfants. Qu'il est lourd le fardeau d'une mère... Maman... Le bouillon était encore tiède dans le chaudron de fer. J'en remplis une écuelle et j'allai à son chevet...

— Fille, retourne à tes accordailles, soupira-t-elle, en esquissant un sourire plein de douleur.

Elle était tout entourée de fleurs. Son visage était de lait, ses paupières violacées, sa voix sibilante. C'était la fatigue. Je le croyais. Nous avions tellement marché depuis la Suède. L'ambassade de père avait échoué. La Suède et toute la ligue protestante nous avaient définitivement abandonnés, les Frères et toute la Bohême. L'exil de vingt-quatre ans déjà n'aurait plus jamais de fin. Il fallait revenir en Pologne. Père l'avait commandé. L'automne était avancé, la boue nous glaçait les pieds. Longue fut la route. Enfin ! Leszno en Pologne. La ville se gorgeait à nouveau d'exilés. Les épidémies rôdaient. La fièvre...

Je ne voulais pas déplacer les fleurs, trop belles autour de sa blancheur, je m'assis sur un bloc de bois près du lit.

— Il dort ? me demanda-t-elle à voix très basse.

Je fis signe que oui. Elle m'avait expliqué comment quitter la couche de mon homme. Avec sa permission ou s'il ne dit mot, car une femme honnête peut encore interpréter son silence à sa façon. Et femme honnête, j'avais résolu de l'être. « Loin de son mari, les périls d'une femme sont sans nombre. Le pire ennemi de la femme est d'abord son imagination », parole de sage maman.

— Je dois maintenant t'expliquer, me dit-elle en me faisant signe d'approcher. Tu es l'aînée, après moi tu portes le fardeau des enfants, de mes deux petits. Ton père...

Que voulait-elle dire ? Sa phrase restait suspendue dans un silence teinté d'appréhension. Elle se demandait sans doute : « Tiendra-t-il ? » Je ne comprenais pas. Je n'arrivais pas à me faire à l'idée que c'était la fin. Mais elle, elle ne s'inquiétait pas de partir, elle s'inquiétait de papa. Tout s'était écroulé, les traités de Westphalie avaient été signés. Nous étions abandonnés. Un homme, sans combat, erre. Je le savais. Mais elle voulait dire plus, bien plus, quelque chose que j'allais comprendre plus tard, trop tard.

— En Bohême, sur la plaine morave, la terre nourricière des pays tchèques, entreprit-elle de raconter, régnait la princesse Libuse. Tu le sais, cela.

Je lui fis signe de ne pas s'épuiser, de garder ses forces pour lutter contre la fatigue. Tout irait bien. Tout allait bien. Père ne s'inquiétait pas. Il l'avait dit : « Un peu de repos et votre mère se remettra. » Et puis, je savais toutes ces légendes, je croyais les connaître. Mais elle, elle savait que je ne les avais jamais entendues.

— Fille, la terre est femme heureuse, continua-t-elle. Mais des hommes sont venus de l'est. Des conquérants. « Nous allons par là, que la vie suive », criaient-ils. Alors, ils ont assiégé le château de Libuse. La princesse lâcha son cheval dans la plaine. L'étalon s'arrêta devant un laboureur. On le ramena au château. Elle le prit en mariage et il chassa le conquérant. C'est lui le premier chef. C'est le cheval qui l'a choisi. Le cheval est le signe, car toujours le cheval rentre chez lui, dans ses écuries. Rien ne peut le perdre. Certains hommes labourent et sèment, d'autres détruisent. Ton père est un laboureur. Il a besoin de terre. Elle est, il fait. Est-ce que tu comprends cela ?

« Elle est, il fait », combien de fois elle me l'avait dit.

Pourquoi une autre fois ? Pourquoi cette nuit ? Et que voulait-elle dire par « besoin de terre » ? J'entendais, mais ne comprenais pas.

— La Moravie est la plus belle terre du monde. Un jour, tu la verras, ajouta-t-elle après un long silence. Lorsque tu verras la Moravie, tu ne seras pas en Moravie. C'est cela le miracle universel des choses particulières. Nous ne voyons les êtres qu'après les avoir quittés. Est-ce que tu comprends cela ?

C'était encore des énigmes. Ses yeux mouillés souriaient, mais elle avait du mal à reprendre son souffle. Ce n'était pas seulement la fatigue. Elle était vraiment malade. Gravement peut-être ! Et père qui ne rentrait pas...

— Si un homme est au-dessus d'un homme, c'est la guerre, continua-t-elle. Alors est venu notre père à tous, le fondateur des Frères, Pter Chelčický. « Revenons aux jours premiers, disait-il. Pas de pape, pas d'empereur. Élisons les meilleurs d'entre nous, soyons frères, partageons, et plus jamais l'épée. Plus jamais. Mourons plutôt que tuer. » Les Frères tchèques cultivent tranquillement l'Église, l'Église des premiers temps. L'amour a été semé, il faut le cultiver, car sans l'amour, cruelle est la bête humaine, cruelle comme tu n'en as pas idée. La femme est sa terre d'apaisement, c'est à partir de là qu'un homme peut devenir père. C'est la métamorphose la plus essentielle. Tu comprends ! Est-ce que tu comprends ?

« Tu n'as pas besoin de tout reprendre, maman, repose-toi ». Je le pensais très fort, convaincue qu'elle lisait mon visage mieux qu'une Bible. Je vis soudain le pot de chambre, il était plein de sang. Je touchai sa main, elle était froide. Elle me sourit.

— Ne t'inquiète Lisbeth, tu me gardes, garde-moi... Mais là, il faut que tu écoutes pour une fois. Tu obéis trop vite, tu n'écoutes pas assez longtemps. On ne peut pas vivre sans griffes. Ton père te l'a dit : la femme obéit à l'homme, l'homme obéit à la communauté et la communauté obéit à la femme. C'est le cercle de l'obéissance. La parole n'est qu'un pont. Mais Dieu du Ciel, Lisbeth, tout devient son propre être sur ce pont et cela exige d'avoir des dents. Alors parle lorsqu'il le faut. Par Marie-Madeleine, que les femmes parlent !

La nuit était si froide et père qui scrutait le ciel au lieu de soigner maman ! Dans les occasions graves, elle l'avait vu maintes fois sortir la nuit consulter les étoiles, interroger le vent et toute la nature, c'était son obéissance à lui. Mais il se trompait souvent. Il aurait mieux valu qu'il regarde un pouce devant lui plutôt qu'un siècle devant le monde.

Elle me tendit une missive... Je lus... Père avait été élu *senior* des Frères. Malheur ! Il faudra reprendre le chemin avant l'heure, visiter les exilés jusqu'en Hongrie, en Transylvanie et peut-être même en Prusse. Il faudra annoncer que la fin n'est pas tout entière dans le commencement, que les persécutions sont des préparations, que le refus du combat est le combat, que l'espoir est dans les petits enfants, que les enfants sont dans les femmes et que les femmes sont en Dieu. Je le connais père, il n'arrêtera pas. Il voulait complètement inverser l'ordre du monde. Là où règne la domination, il voulait faire croître l'éducation.

— Ton père...

Sa voix était à peine audible. Je lui pris la main. « Mon père ne tombera pas. Il n'est jamais tombé. Il ne sait même pas ce qu'est une chute. C'est un rocher. Jan Amos Komenský tomber ! Une montagne, ça ne s'écroule pas... C'est toi, maman, qui t'écroules... » Elle ne lisait plus mon visage, elle plongea ses yeux de ciel si profondément dans les miens que toutes mes pensées allaient comme des hirondelles au vent.

— Elle s'appelait Magdalena Vizovská, chuchotat-elle par petits souffles. Il l'a aimée. Elle lui a donné deux filles. On avait vu une comète rouge sang. Les Impériaux s'abattirent sur nous...

Elle laissa le silence me rappeler toute l'histoire. Tout le monde connaissait la défaite de la Montagne-Blanche et la répression qui s'ensuivit. Ferdinand n'avait qu'exécuté les conseils de Casinius le jésuite : « Le roi ne devra tolérer aucun hérétique. Il serait souverainement utile de ne point permettre qu'un homme infecté d'hérésie demeure investi d'un quelconque droit. On lui arrachera ce qu'il a et on le donnera aux catholiques. Si on en condamnait quelques-uns au bûcher, le remède serait d'autant plus efficace. Les pasteurs surtout doivent être frappés. » On massacra vingt-sept chefs tchèques. Leur tête fut suspendue dans des cages de fer en haut de la tour de la vieille ville. Ferdinand le disait à qui voulait l'entendre : « Vaut mieux régner sur un désert que sur un peuple qui pense librement. »

Elle me prit la main, car j'avais quitté ses yeux. Elle avait la main pleine de fleurs.

— Il aimait cette femme... susurra-t-elle dans un souffle presque noyé dans l'eau de ses poumons.

Ses yeux brillaient d'une étrange joie. Je n'arrivais pas à comprendre. Je n'avais pas eu d'homme avant cette nuit. Je ne savais pas encore qu'une femme mesurait d'instinct l'amour de son homme. Je ne savais même pas que l'amour des hommes avait une mesure. Et je ne savais surtout pas qu'il valait mieux ne pas être la première, ni la plus près de son cœur. Elle voulait dire : « Il l'aimait plus que moi et j'y ai trouvé mon bonheur. » J'avais vingt-deux ans, je ne pouvais pas comprendre. Je ne savais rien des distances nécessaires à la vie et à l'amour.

— Ton père était pasteur, condamné à mort par les catholiques. Il dut fuir. Magdalena et ses deux filles se sont cachées avec d'autres femmes. Les Impériaux pillaient et brûlaient les villages en châtiment, semant la terreur. Derrière eux la peste fauchait. Dans l'espace d'un éclair et d'un coup de tonnerre, la mort noire les prit toutes les trois, elle et ses deux petites.

De grosses larmes coulaient sur ses tempes et mouillaient ses cheveux.

— Il en eut le cœur brisé. Il n'a jamais parlé, mais je l'ai su immédiatement. Il y a un trou dans son cœur et dans ce trou dort tout doucement cette femme plus aimée que moi. Une femme doit connaître les blessures de son homme. Son homme, c'est son continent et si elle n'en connaît pas les ravins, elle risque de dangereuses chutes. Moi, fille, j'ai aimé cette femme qui se tenait dans son cœur. Je l'ai aimée parce qu'elle faisait partie de lui...

Sa bouche tremblait, la douleur déformait son visage, je n'arrivais plus à distinguer son sourire. Des soldats et des visions de massacre galopaient dans ma tête.

— Ne t'inquiète, fille. J'ai ma propre mère, et elle la sienne, ainsi de suite jusqu'au commencement du monde, et toi tu me gardes... Mais le pasteur Figulus Jablonský, c'est assez pour toi, alors trouve une femme à ton père, trouve une mère à mes petits...

Elle poussa un cri qu'elle ne put retenir. J'entendis Ablonský se retourner. Suzanna qui n'avait que cinq ans cria : « Maman ». Daniel, deux ans, se mit à pleurer. Pavel n'était pas encore revenu. Ludmila fréquentait le pasteur Kokovský et travaillait à l'ouvroir de ses parents. Je pris soudainement conscience que c'était à moi et à moi seule que maman confiait son testament, son terrible fardeau.

— Va chercher mes petits...

Je les lui amenai. Elle caressa les cheveux de Daniel qui s'endormit immédiatement, mais Suzanna me regardait, effrayée. Je restais muette. J'aurais tellement voulu dire quelque chose, renverser les événements, les faire revenir, mais les mots, plutôt que sortir, enflaient dans ma gorge et s'étouffaient. C'était ainsi depuis toujours. J'étais gonflée de mots tus.

— Ta maman va bien, réussit-elle à dire à Suzanna après avoir repris péniblement son sourire.

Son visage était illuminé. Elle prit l'enfant dans ses bras.

— Écoute, lui dit-elle. La princesse Libuse monte un beau cheval blanc. Elle chevauche dans les poljés et sur toute la terre. Si un enfant a peur, le cheval vient hennir et piaffer, la princesse tire des flèches de son arc et le Golem jamais n'approche. Le cheval blanc toujours te protégera... Cheval blanc, continua-t-elle en chantant, viens, viens de par le vent, cours, cours dans les courées, apporte de beaux rêves, emporte-moi sur ta croupe jusqu'à ma maman...

Suzanna s'endormit et je crus que mère aussi. Mais elle me prit à nouveau la main.

— Lisbeth, mes petits, Pavel, Ludmila...

Elle me fixait d'un regard inquiet. Je sentais tout son corps se crisper, se raidir autour de cette volonté de réconfort qu'était son être entier. Son visage se couvrit de sueurs, ses yeux, de larmes. Elle ne pouvait plus parler. Elle se retenait de gémir. Elle frissonna, trembla si fort que la couche chevrota un instant sur la terre battue. Je restais comme paralysée.

— Ma grande fille, à mes petits, il leur faut une maman et ton père... Prends mon anneau...

J'étais comme clouée sur place, incapable de quitter ses yeux. J'entendis la porte s'ouvrir. C'était papa. Il s'assit près d'elle. Il la regarda longtemps, je ne sais combien de temps. Il prit son pouls. Je lui montrai le pot de chambre. Il me regarda, atterré. Il se retourna vers elle.

— Mon Dieu ! lança-t-il.

Un grand et terrible silence figea toute la maison.

— Non, pas maintenant, pleurait papa.

Elle glissa sa main dans ses cheveux, lui tapota la tête. De grosses larmes coulaient sur ses joues. Le silence frappait des clous jusque dans mes os. Mon cœur gonflé se brisait. Papa plongea dans les yeux de maman. Il eut pitié d'elle. Se pencha, l'embrassa et dans un grand sanglot la délivra :

— Va, Dorothea, va...

Et elle s'en alla. Tout son corps s'assoupit dans les fleurs. Père resta couché sur elle, immobile, tremblotant. Je pris doucement la tête de Daniel et celle de Suzanna. Les appuyant sur ma poitrine, je réussis à leur faire entendre un air de maman. Je mis l'anneau de mère à mon doigt. Désormais, j'allais porter le poids des enfants.

C'est ainsi que je suis devenue mère la nuit même de mes noces, non par l'opération de mon mari, mais par la mort subite de maman.

En ces jours sombres, Leszno hors les murs, Leszno des réfugiés n'était plus qu'une agglomération de bouges et de masures trop loin de l'Oder, trop loin de la Warta, trop loin de tout, perdue dans la Pologne pour fuir la guerre. Elle était remplie de réfugiés. Le bois manquait et il faisait froid, tellement froid. Le grain nous arrivait avarié, plein d'excréments de souris et nous n'avions rien d'autre, pas d'huile, donc pas de pain, rien que de la bouillie d'orge ou de seigle, parfois un peu d'avoine. L'eau nous rendait malade. Amer glissait chacun de nos jours.

Par bonheur, nous étions entourés de nos frères. On allumait des feux ici et là, on se blottissait autour, un peu honteux de vivre, sautillant pour ne pas geler des pieds. Il y en avait toujours un pour conter une épopée, un souvenir, une baliverne. Révérend mon mari entonnait alors un de ses cantiques qui nous chevillait l'âme au corps. Une étrange impression de force et d'éternité nous traversait. Mais le temps ne laissait pas de prise et lorsque, par fatigue ou tristesse, les hommes cédaient à la paillardise et les femmes, à la sottise, je revenais à la maison avec les enfants.

Père ne s'était pas relevé. Ses poumons chargés d'eau peinaient à respirer. Il restait comme mort dans son lit. D'un signe du doigt, il me renvoyait au feu. Insalubre était l'air de la maison. Il fallait sauver les enfants. J'allais avec les autres, je riais pour l'égaiement des enfants, je dansais avec eux, j'entrais dans la fête. Tout cela m'écorchait chaque jour un peu plus. C'est ainsi que se creuse le ventre des mères.

Nous avions trouvé des chandelles et nous avions chanté autour de maman. Père, à peine, tenait debout et rien ne sortait de sa bouche ; du doigt, il nous avait commandé une psalmodie. Avant de laisser partir son corps, Ablonský avait entonné les prières, deux fois, trois fois, je ne sais plus. Père faisait signe de recommencer, il ne se résignait pas. Il s'écroula pour ne plus se relever, non pas mort, mais jonglant avec la mort comme un gagiste avec son dernier bien.

J'avais enveloppé maman dans la magnifique broderie qu'elle avait elle-même confectionnée pour ce jour, nous l'avions déposée dans la charrette communale qui, chaque samedi, emportait les dépouilles. Seul Ablonský avait accompagné le sinistre tombereau. Il m'avait interdit de faire route avec les endeuillés. Il y avait trop de morts, trop de dangers et il fallait garder les enfants loin de l'épidémie, surveiller père pour qu'il n'en profite pas pour se faufiler entre les jupes de la Faucheuse.

Sœurette et frérot demandaient beaucoup. La tristesse guettait. Il fallait un jeu, un travail, une distraction. Il fallait aller à rebours du cœur. Pavel, le dernier adoptif encore à la maison, ne voulait plus suivre révérend mon mari. On ne le voyait guère, mais on en entendait beaucoup parler. Certains soirs, il revenait avec un morceau de viande, un oignon, un os et même du bois. Ni Ablonský, ni moi ne posions de questions. Je faisais une soupe bien chaude. Père en avalait une lampée. La chaleur lui faisait verser une larme et il se rendormait.

À force de le tracasser, je finis par obliger Ablonský à me raconter l'histoire mystérieuse de la première épouse de père. Il avait huit ans lorsque Fulnek fut pillé et incen-

dié. Il avait couru par les bois jusqu'à Třebíč et c'est là
que père le recueillit avec d'autres orphelins. Jamais il ne
m'avait détaillé l'histoire. Magdalena était la plus belle
femme des environs et c'était là un bien grand danger.
Personne ne savait où elle s'était terrée avec ses deux fillettes. Le feu faisait rage dans le village et les campagnes.
Une certaine Christina, à peine âgée de seize ans, était
couverte de sang, elle tenait dans ses bras son petit frère,
Pavel, et d'autres enfants s'accrochaient à sa jupe. C'est
elle qui guida la petite troupe de clairière en clairière jusqu'à Třebíč. On avait bien cherché la jeune mère et ses
deux fillettes, mais personne ne les avait trouvées. Ce
n'est qu'après le retrait des troupes qu'on découvrit les
cadavres, gisant dans un caveau.

Lorsque mon père apprit la tragédie, il tomba malade
(les poumons, croyait Ablonský). N'eût été de la petite
bande d'enfants qui avaient tellement besoin de lui, de
Christina au bout de son sang, des Frères éprouvés de
l'Église dispersée, il ne se serait jamais relevé.

« Il soigna l'adolescente, raconta Ablonský, comme sa
fille et nous, comme ses enfants. Il n'était pas ignare en
médecine. Nous étions tous au château de Žerotín, le
noble morave protecteur des Frères. Les Cosaques et les
pillards rôdaient autour, mais personne n'attaquait. Néanmoins, Žerotín savait que les Impériaux viendraient. Père
était sur la liste des condamnés à mort. Malgré cela, il
retardait son départ car, secrètement, il participait à la
résistance. Il écrivit son premier manuscrit d'importance,
Le Labyrinthe, il se remaria et tu es née. Cependant, l'étau
se refermait. Avec un convoi de mille réfugiés, nous partîmes pour Leszno. Il fallait cacher les enfants. Beaucoup
de femmes pleuraient, car elles n'avaient pas le droit
d'emmener leurs rejetons, sauf les nourrissons. Il n'est pas
facile de cacher un enfant : il se met à pleurer, il soulève
un couvercle, il tousse, il éternue, il rit de nervosité. Les
Impériaux les amenaient chez les jésuites pour les faire

catholiques. Lorsque la mère résistait, ils transperçaient l'enfant devant elle et éclataient de rire... »

Père avait déjà un trou dans le fond de son âme. Avec la mort de maman, il s'écroula. Ses poumons partaient en morceaux. C'était désormais moi la femme et je ne savais rien de mon métier. Réconforter, tenir un homme loin des douleurs qu'il ne peut supporter, je ne savais rien de ces fonctions.

Ma sœur Ludmila venait deux ou trois fois par semaine. Elle pleurait sur papa, il glissait sa main sur ses cheveux d'or et retombait dans sa mort. Ablonský tournait autour du lit et s'en allait. Je crois qu'il participait aux discussions menées par Kokovský, celui qui voulait prendre la place de papa. Sans doute qu'il s'y taisait. Il ne savait qu'obéir et cela exaspérait papa.

Le plus exigeant consistait à jouer avec les enfants, les amener au feu communal, les faire chanter, bricoler des chevaux en éclisses de bois, les blanchir à la chaux, jouer aux oiseaux avec des bouts de chiffon... Préserver les enfants, cela je le pouvais, mais c'était au prix du sang.

Père nous avait montré à charger un jeune mulet : juste assez lourd et son dos se renforce, trop, il se déforme. « On doit déposer la vie lentement sur le dos des enfants, par petits paquets bien pesés, enseignait-il. Trop d'atermoiements, ils restent chétifs, trop d'empressement, on risque de les éteindre. » Préserver l'enfant, c'est protéger sa joie naturelle. L'enfant aime le difficile, il grimpe, escalade, saute. Par le difficile, il renforce son corps, sa volonté, sa sagacité, sa mémoire. Mais le trop difficile écrase. L'éducateur doit moduler les exigences. Cela suppose qu'il assume lui-même le poids. Tel est le terrible métier de parent.

Père m'avait tant de fois expliqué, et mère jamais ne s'était dérobée à ce devoir. Et moi, sa fille aînée, je n'arrivais pas à tenir le coup. Suzanna pleurait en silence, elle pleurait en secret, elle ne pleurait plus comme un enfant, elle pleurait comme moi, au bord du gouffre.

Père m'avait préparée à mon métier de mère. Dans toute l'Europe et jusqu'aux Amériques, on le considérait champion de l'éducation. Les jésuites eux-mêmes s'inspiraient de ses méthodes. Mais là, il nous mourait à la figure.

« Trop lourd est le poids. Je n'y arriverai pas. J'écrase. Papa, arrête de mourir, je ne suis pas prête. Tu n'as pas le droit de tricher... », mais il ne lisait plus mon visage et la vie nous éperonnait.

Je n'arrivais même pas à réconforter révérend mon époux apeuré par le devoir de remplacer, peut-être sur l'heure, père devant la communauté. La mort de mère, sa mère depuis si longtemps, l'avait plongé dans un double deuil. Le massacre de sa première mère fut si cruel. Il l'avait vue de ses yeux, transpercée d'un plomb de mousquet. Jamais il ne parlera, mais ce trou dans son âme, il m'arrivait de le sonder. C'était un doute profond sur la vie, un doute entouré de résignation. Il était la résignation. Lorsqu'il me prenait dans son étreinte, je percevais son abdication et sous l'abdication, une colère sourde tournée contre elle-même. « C'est comme cela que parlent les hommes, m'avait expliqué maman. Dans l'intimité, on peut lire jusqu'à la moindre anfractuosité de leur âme. » Ensuite le deuil de sa deuxième mère, celle qui lui apprit à chanter comme une montagne lorsque le torrent y sourd... Mais là, c'était un silence de mort qui grondait entre ses os.

Ablonský ne donnera jamais à père la permission de mourir. Jamais, je ne le laisserai faire... Père ne devait pas mourir. Il fallait qu'il aille jusqu'au bout. C'est lui qui nous avait amenés jusque-là... Je devais... Je devais lui trouver une femme, une femme de caractère qui saurait le raisonner... Mère avait raison... Il n'était pas encore mort d'ailleurs. Le devoir le ramenait de temps à autres à la surface. S'il apercevait Suzanna ou Daniel, il arrivait à soupirer : « Je me lève les enfants. » Et il redressait son sourire. Ses yeux cependant restaient perdus dans les béances de l'au-delà et il retombait dans un sommeil si profond que son pouls m'était imperceptible.

Je lui soufflais ma pensée directement à l'oreille : « Tu n'a point le droit. La lune est dans le Scorpion. Les étoiles n'arrêtent pas de chuchoter contre toi : Komenský n'a pas terminé sa *Pansophie*, sa *Consultation* et sa *Panorthose*... Des livres à peine commencés, on n'en veut pas, disent les étoiles. Et moi, si tu meurs, je vais te mordre les oreilles. »

L'hiver sapait le courage des Frères. De moins en moins de bois pour les feux, de moins en moins de chansons pour le cœur, de moins en moins de nourriture pour le ventre ; le sifflement du vent, le craquement du froid, le sinistre grincement de la charrette funéraire, tout éraillait le tympan. Les Frères devenaient moroses, querelleurs, pies-grièches et grincheux, plus tuants que le mordant du froid. Des rumeurs couraient, Jan Amos Komenský, celui que les érudits appelaient Comenius, le *senior*, avait failli à sa tâche et nous allions tous mourir de faim.

Malgré toute la réticence de Ludmila, Jérôme Kokovský avait convoqué, de son propre chef, la communauté des Frères. La grande place communale était bondée. Pour cause, Rafaël Kokovský, le père, propriétaire de tous les ouvroirs de Leszno, prêteur surtout, plein d'une fortune de guerre, avait commandé rien de moins que du mouton qu'on cuisait sur de grands feux. L'odeur bien plus que la cloche, la chaleur bien plus que les crieurs rassemblaient femmes et enfants... Pendant que les révérends pasteurs, ceux qui avaient de la famille et les maîtres de guilde, bref, ceux qui mangeaient chaque jour, s'engouffraient dans l'église, la population restait dehors pour boire le vin et dévorer la viande.

J'avais confié les enfants à Pavel de façon à faire mon

devoir d'épouse. Correctement attifée, j'accompagnais révérend mon mari. Les représentants, enfin trois d'entre eux : Kokovský, un dénommé Lécký, clerc fort instruit, secrétaire chez un prince polonais, et monsieur mon mari faisaient face à l'assemblée. Avec eux et devant nous, immobile et silencieuse, la chaise de mon père, vide, ainsi que sept autres attestaient de l'irrégularité de l'assemblée. Je pris une place bien en vue de mon époux. Ludmila ne se présenta pas, ni la plupart des femmes, assurément dehors avec leurs enfants qu'elles faisaient manger.

— Mes frères, commença sans préambule le révérend Kokovský, l'urgence de la situation m'oblige à prendre la parole en l'absence de notre *senior*, comme vous le savez, gravement malade. Dieu prenne soin de lui. (Il lança un regard vers le ciel.) Frères, dès le début, nous avons cru aux différentes prophéties traduites par notre très cher et très révérend Komenský. Des prophéties de victoire. Résultat : la défaite. Notre révérend chef alla en Angleterre pour y amener notre cause jusqu'au parlement. Résultat : la guerre civile en Angleterre. Arriva l'espoir de la Suède ; durant six ans, notre éminent pasteur plaida notre affaire auprès de Son Altesse. Résultat : à l'heure où je vous parle, Prague est catholique. Tous ces échecs et pourtant, pouvions-nous avoir meilleur ambassadeur ! J'en conclus que les temps ne sont pas venus. Tel que les choses sont maintenant, nous ne pourrons jamais rentrer chez nous en Bohême. Nous demeurerons en exil. Alors, il est de notre devoir de nous assurer de la viabilité de cet exil. Notre position reste fragile. Ici en Pologne, si nous ne faisons aucun compromis, nous sommes perdus. Le nombre des catholiques ne cesse de s'accroître. Nous sommes en pénurie de nourriture, de bois, de matières premières. Nous sommes, en fait, un quartier assiégé. Si nous ne faisons rien, nous mourrons...

J'étais furieuse. Le pasteur Kokovský profitait de la maladie de père pour attaquer son autorité et nous relancer dans un dilemme réitéré mille fois : protestants, catholiques, quelle allégeance était la plus opportune ? Tout cela sur fond de marais.

Devant nous, au-dessus des représentants, il avait déroulé cette immense carte de l'Europe datant de 1592, dessinée en Bohême et qu'on imprimait partout. Cinq torches illuminaient l'immense parchemin. La déesse Europe apparaissait sous la forme d'une reine en grande robe tenant le cep de sa main gauche et le globe impérial de sa main droite. On accrochait toujours le tableau à l'horizontale de façon à ce que la couronne et la tête de la dame forment le Portugal et l'Espagne ; que le cou et l'encolure représentent la France ; que le buste regroupe les Allemagnes ; que le bras droit élève le globe impérial en Italie ; que le gauche tienne le cep en péninsule scandinave ; que les pieds s'appuient sur la Chine... Mais le cœur, le cœur, c'était la Bohême.

Tous nous connaissions l'enjeu. Nous étions les seuls disciples légitimes de Jean Hus, une poignée d'hommes et de femmes aujourd'hui disséminés. Nous étions ce qui restait de la véritable chrétienté. Et par notre destinée géographique, nous étions le cœur, le moteur de la circulation du sang spirituel. En somme, le seul et unique remède, c'était nous. Les seuls capables d'injecter la fraternité, l'égalité et la liberté, c'était nous. Sans ce médicament, l'Europe n'était qu'un vestige de Rome lancé comme une tempête de par les océans, jusque dans les barbaries les plus lointaines. Sans nous, l'Europe restait imbibée de Rome et la guerre demeurait son état naturel. Sans nous, l'école n'était qu'endoctrinement.

L'Église catholique avait couché avec l'Empire, elle en était la prostituée, la breloque. Elle n'était plus le coup de force de Jésus contre la domination de l'homme par l'homme, elle était plus pharisienne qu'Anne et plus païenne que Pilate. Elle portait devant elle les clefs de Pierre et derrière elle la bourse de Judas. Et depuis le concile de Trente, on vernissait la putain comme un joyau : les cathédrales croulaient sous le faste, on multipliait les processions, on enjolivait les orgues, on enchevêtrait les dogmes...

Il fallait résister aux catholiques et pourtant, nous n'étions surtout pas protestants. Nous savions tous, nous les Frères, que jamais Jean Hus n'avait souhaité de schisme ni voulu combattre l'épée par l'épée. Il fallait guérir tout le corps et non le charcuter en deux, en trois, en quatre, en mille. N'étions-nous pas l'Église de l'Unité des Frères ? Les protestants ne cherchaient qu'à supplanter le pouvoir de la noblesse ecclésiastique par le pouvoir de la bourgeoisie montante. Qu'importe que l'évêque soit bourgeois plutôt que noble, s'il tient du même esprit : la domination des supposés forts sur les humiliés. On avait soudain trouvé une nouvelle arme de domination, plus insinuante que les autres : l'école. On ensemençait l'enfant de doctrine. Et nous, Frères de l'Unité, nous étions divisés.

Le révérend Lécký, que tout le monde savait d'allégeance calviniste, se leva à son tour :

— Il ne faut pas se rendre aux catholiques. Si nous nous soumettons aux Habsbourg, nous serons transformés en dévots et en moutons. Si nous ne sommes plus le sel, comment pouvons-nous guérir l'Europe ? Nous devons donc rester protestants...

Et il déversa sur son évangile tout le tralala à propos de l'importance du commerce, des richesses comme signe de la bénédiction de Dieu... Il ne s'agissait plus de fonder une démocratie universelle, mais de donner une forme au pouvoir bourgeois.

Je regardais Ablonský, j'étais furibonde. Il était tout aussi embarrassé que moi. Il se leva, fit un pas devant, cherchait pitoyablement ses mots et n'arriva qu'à balbutier :

— Attendons notre *senior*.

Père était carrément écarté, toute l'Église était en péril

et mon mari restait muet comme une carpe ! Je me levai, roide comme un soldat. J'étais debout la bouche ouverte, les bras implorants mais incapable de dire un seul mot. Je scrutais, fixais un à un les amis de père.

Personne ne bougeait.

Du fond de la salle, une femme s'avança. C'était une nouvelle réfugiée du nom de Johanna Gajusová. Nous la connaissions peu. Elle avait de la culture par son père et de la pauvreté par son mari, mort misérablement dans les montagnes de Moravie. Elle avait perdu ses enfants en bas âge et depuis son arrivée à Leszno, elle recueillait des bambins errants, malades ou moribonds et tentait de leur trouver une famille. Elle en portait un dans ses bras et s'approcha jusqu'à toucher Ablonský qui restait muet de surprise. Elle le lui donna. Je compris, aux yeux de mon époux, que l'enfant était mort. Se tournant vers Kokovský, elle le dévisagea un long moment et lui lança :

— Où donc étaient tes moutons lorsque nous mourions de faim !

Et faisant demi-tour vers le pasteur Lécký, elle l'apostropha :

— Et toi, mon beau parleur, sais-tu seulement ce qu'est le désespoir ? Et tu oses en profiter...

S'adressant aux trois, elle continua :

— Messieurs les renfrognés, j'en ai trop vu des comme vous. (Elle fit un tour d'horizon sur l'assemblée en fixant les bourgeois des premières rangées.) Depuis des millénaires, vous guerroyez pour vos idées. Figurez-vous que durant ce temps, vos guerres tuent. Alors, pourriez-vous, un siècle ou deux, cesser d'avoir des idées !

Elle se dirigea vers l'arrière de la chapelle, ouvrit les deux grandes portes battantes, et termina par ces mots :

— Regardez ! Les aveugles voient, pourquoi ne pourriez-vous pas voir ! Venez, Dieu du Ciel, venez et regardez !

Elle espérait que les écailles qui recouvraient nos

yeux tombent enfin par terre. Beaucoup se levèrent et s'approchèrent. La réponse était là...

Toute la communauté s'était regroupée autour d'un seul grand feu. La lune et la neige éclairaient la nuit. Un velours blanc recouvrait le toit des cabanes. Près des feux, à fleur d'étincelles, des vieillards se faisaient chauffer le dos et, faute de dents, suçaient un os juteux. Un groupe de jeunets de bien bonne humeur avalaient dru setiers de vin et pichets de bière. Pompettes, quelques femmes gambadaient autour d'une bande de bambins qui se roulaient jovialement dans la neige. Des gamins aux visages recouverts de suie, armés de côtelettes, poursuivaient des filles en les apeurant. À l'écart, un âne, profitant de ce que tout le monde s'occupait ailleurs, s'était englouti la tête dans une poche de grains. À ses côtés, un couple réputé marié sous le balai se volait d'immodestes baisers. Des galopins glissaient sur une mare gelée. Des fillettes épinglaient une moustache d'étoupe sur un gros homme de neige. Sur un pieu, une roue entraînait une meute de marmots dans une ronde endiablée. Et le feu soupirait ses odeurs de viande. Il ne fallait plus parler, mais voir l'espérance naître dans la boue.

Ablonský qui portait toujours le cadavre de l'enfant contemplait fixement ce petit peuple si pauvre. Ses yeux s'emplirent d'eau. Il descendit les marches de l'église et, de sa voix puissante, entonna le plus connu de nos cantiques :

Il est arrivé, je l'entends :
« Heureux les pauvres.
Heureux les cœurs percés de fenêtres.
Heureux ceux qui voient.

Peu à peu des femmes et des hommes, des enfants et des vieillards se mêlèrent à sa voix. Révérend mon mari prit le chemin du cimetière, non pas celui de l'église, mais celui préparé hors de la ville à cause de l'épidémie. Une bonne troupe nous suivit en chantant. Mais les Kokovský, les Lécký et autres familles bien installées se dispersèrent bien avant d'atteindre la campagne. Arrivé sur les lieux, un éprouvant silence nous attendait.

Sous la forêt de petites croix blanches, il y avait maman et tant d'autres mamans, des pères, des maris, trop d'enfants, trop de sang. Nous sentions cette si délicate couche de glace qui nous séparait à peine des morts. Un seul mouvement et tout était perdu. Le froid sifflait. Tout se figeait d'angoisse.

Si la vérité n'est pas ce qui arrive par soi dans la plus grande des solitudes, elle n'est rien. Je me taisais. J'espérais.

Lorsque révérend mon mari mit en terre l'enfant, le cœur de dame Johanna creva. Son cri transperça la nuit. Elle tomba à genoux en poussant de la terre dans la fosse. De petites mottes roulaient sur les cheveux de l'enfant. Nous étions tous paralysés. Son cri était si vrai. Il était la vérité elle-même.

La terre mélangée à la neige couvrait le corps de l'enfant, mais son visage restait découvert, un visage émacié, presque aussi blanc que les flocons qui commençaient à le couvrir. Les cristaux ne fondaient pas sur son visage et peu à peu la pellicule s'épaississait. Des lueurs de lune jouaient dans la neige. Le visage miroitait comme une statue de plâtre.

Je les connaissais tous. Baruch se tenait devant moi, le chapeau à la main. Ses deux petites filles s'étaient adossées à lui. Les joues encore brunies de jus de viande, elles regardaient l'enfant. Brandys et sa famille, Elias Rondin, madame Louise et son gamin, le jeune Samuel qui avait eu les yeux crevés par des soldats, lui aussi, à sa façon, regardait. Tous les Frères du pâté étaient présents et bien d'autres. Le vieux Juriaen fixait l'enfant. Un filet de larmes glissait sur sa joue. C'était bon, cette communauté, c'était bon.

Nous repartîmes, serrés comme un troupeau de cerfs en hiver, hésitant à nous séparer pour retourner à nos logis. Il y avait dans notre attroupement une senteur et une tiédeur presque opaques. Le froid nous mordait, Ablonský et moi. Sur la petite rue qui nous amenait à la maison, il m'avait pris la main et nos cœurs se raidissaient dans la nuit.

Au moment où nous approchions, une odeur de cuisson attisa d'abord notre curiosité. Puis nous entendîmes le rire des enfants. En poussant la porte, ce fut l'émerveillement. Père, assis sur son lit, jouait avec les petits ; la maison chaude transpirait d'un arôme de soupe d'agneau et de choux ; Pavel secouait fièrement les braises de son feu.

— Fermez la porte, commanda papa, vous allez faire geler la maison.

Père prenait du mieux et chaque jour nous pouvions, quelques heures, ranger le lit, installer l'imprimerie et faire notre métier. Ablonský typographia un feuillet que Pavel fit circuler dans toute la communauté. Alors qu'il était en Angleterre et juste avant que la guerre civile n'y éclatât, père avait réussi à amasser des dons pour le secours des Frères en exil. La somme devint si importante qu'elle attira l'attention du grand argentier qui la confisqua. Dans la confusion de la guerre, un haut fonctionnaire (dont le nom devait nous rester inconnu) en libéra une partie importante. L'argent nous était parvenu le lendemain de l'irrégulière « réunion du mouton », comme on l'appelait depuis. Durant la même semaine, sieur Louis de Geer, grand commerçant de fer sur toute la Baltique et mécène de la réforme scolaire suédoise, envoya un convoi de vivres à titre de traitement dû à mon père pour son manuel de didactique et ses livres scolaires. Comme à l'habitude, père ne conserva pour nous que le nécessaire, tout le reste alla à la communauté.

Chaque famille reçut grain et lard en suffisance pour la jointure avec le printemps. La dépendance de la communauté vis-à-vis de la famille de Kokovský et du prince polonais en fut d'autant réduite. Ce qui versa de la mauvaise humeur dans les artères du prétendant de Ludmila. Il rompit les fiançailles. Ma très chère sœur ne resta pas longtemps sur le palan. Sa beauté et sa remarquable habileté en matière courtisane lui donnaient l'embarras du choix. Ils étaient frelons autour du rucher, et jusqu'au fils du préfet de montrer de la gentillesse pour notre père.

Un beau matin, le soleil enfin s'infiltra dans notre maisonnette, chassa l'humidité et les humeurs malades. Père voulut aller à la campagne et me choisit pour l'escorter. Nous sortîmes de Leszno avec un morceau de pain et comptions trouver de la bière douce et du fromage à une ferme de notre connaissance. L'air était bon et père chantonnait des airs d'école qu'il composait pour un nouveau manuel de langue tchèque.

Une brise tiède s'amusait dans l'herbe tendre. La lumière glissait dans le creux des ondulations. Le froufrou des champs nous invitait à la confidence. Je me sentais petite fille et détachai le cordon de mes cheveux. Un grand chêne s'élevait en tête de la colline où nous montions. Bien avant l'aventure de la Suède, avant même celle d'Angleterre, nous empruntions ce chemin, papa et moi. Il me faisait grimper sur la première branche de l'arbre et nous regardions Leszno s'agiter. Il me demandait d'observer et de nommer tout ce que je voyais. Mais je n'arrivais jamais à me souvenir des mots. Alors il reprenait depuis le début. J'en éprouvais de grandes douleurs, me demandant le pourquoi de mes incapacités. Ludmila, de deux ans ma cadette, pour mille choses que montrait papa, défilait l'allemand et le latin aussi bien que le tchèque. Moi, je restais la tête vide et les yeux rêveurs. Le soir, en silence, pour que maman n'en porte pas le poids, je pleurais d'être fille si crétine en famille si savante.

Révérend père se résigna à m'enseigner à écrire avant
que je sache prononcer le moindre mot. Ni le tchèque ou
l'allemand, ni le polonais ou le hongrois, ni le latin ou le
grec, aucune langue qu'il connaissait, non ! une langue
qu'il était en train d'inventer, espérant imiter celle d'avant
Babel. Une langue qu'il appelait « Panglotie » et qu'il
aurait voulu aussi « naturelle à l'homme que le glousse-
ment l'est à la gélinotte », précisait-il en boutade. En deux
ans, j'appris à écrire, mais restais muette. Néanmoins, parfois papa arrivait à me faire oublier mon infirmité...

Il me prit la main, la secoua un peu pour me sortir
de ma rêverie et au bout d'un moment lança :

— Madame ma fille, en cette belle journée, vous avez
bien quelque chose à me dire.

Tout s'emmêla, je restai vide et, plus gélinotte qu'à
huit ans, me mis à pleurer sous mes cheveux noirs. Il s'arrêta, me découvrit le visage et prononça de sa manière
inimitable :

— Fille, mademoiselle la si sombre et la si inquiète,
allez, parlez.

J'étais dans son regard comme dans une grande mer
chaude. Surprise, j'entendis des syllabes sortir de ma
bouche :

— Papa... Parler... qu'est-ce ?

Il tenta de lire sur mon visage comme maman savait
si bien le faire.

— Cela veut dire (il riait) : se dégager de la botte de
foin comme un marmot s'écriant : « Trouvez-moi, que je
me trouve. »

Il reprit son sérieux et m'entraîna sur le chemin :

— Madame ma fille, comme cet ouvrage est toujours
à recommencer, il faudra cette fois, non pas que je vous
démêle, mais que je vous montre à le faire. Le voulez-
vous ?

Je lui fis signe que oui. Il continua à marcher sans
dire mot.

— Oui, sortit finalement de ma bouche.

— Voilà un bon début, répondit-il en s'arrêtant. Mais avant de quitter la botte de foin, j'aimerais que vous remarquiez, chère fille, quelle enfant va sortir et quelle autre va s'enfoncer encore davantage. Si vous pouviez comprendre cela ! Le seul moyen d'aller à l'intérieur, c'est de se jeter à l'extérieur et inversement. Alors donc... Voyons... Commençons par un exercice très simple. J'ai une idée. Madame ma fille, courez. Allez, courez, prenez votre châle, ouvrez les bras et courez comme pour attraper des papillons.

J'hésitais. Je marchais timidement. Il fronça les sourcils, me fit signe d'accélérer. Il fallait obéir. Alors je me mis à courir. Et peu à peu, je plongeai si profondément dans mes souvenirs de petite fille que bientôt je voguais toute voile dehors. Plus je courais, moins j'avais de retenue, si bien que le fou rire me prit. Père me fit signe de tourner, de me retourner, d'aller ici et là. Il m'essoufflait, me regardant avec de si diables grimaces que je dansais telle une tzigane autour du feu. Et nous nous esclaffâmes. Oubliant mon âge, je me jetai dans ses bras. J'étais sa petite.

— Alors fille, qu'avez-vous appris de ce paysage ?

— Le meilleur papa du monde, c'est vous, lui répondis-je.

— Rien à voir, rétorqua-t-il.

J'étais tout étourdie, incapable de mettre de l'ordre dans mon esprit. Alors que je cherchais quelque chose à dire, ma bouche se mit à parler :

— Des fleurs, des feuilles petites et grandes, des boutons de moutarde, des mouches et des moucherons, des papillons, des araignées. J'aime les araignées.

— Et quoi d'autres ?

— Des arbres coiffés comme des comtesses, des poissons qui culbutent dans un ruisseau, des alouettes qui s'éparpillent. Un lac qui a la chair de poule...

— Et sous vos pieds, madame ma fille ? demanda-il.

— Des racines qui s'en vont à l'abreuvoir, des vers de terre filant à vive allure, des fourmis qui transportent de grosses chenilles, des taupes qui ronflent comme des cornemuses...

— Et les vaches, vous les avez vues ?

— Elles se caressent le dos avec la queue, regardent l'horizon d'un air ruminant.

— Ruminant, vous croyez ! Et vous n'avez rien entendu ?

— Oui ! Je vous entendais rire... Mais papa, je n'ai rien appris du tout.

— Rien, vous en êtes certaine. Moi, je pense qu'il n'y a pas beaucoup de maîtres d'université qui en savent plus que vous, Madame ma fille, sur ce paysage.

— Soyez sérieux père, expliquez-moi.

Nous nous sommes assis sur une grande pierre plate au milieu d'un herbage d'où l'on pouvait voir Leszno se déshabiller de ses brumes.

— Fille, déclara-t-il, vous vous êtes approchée de la poésie.

— Mais la science, papa, la science des Français, celle que les garçons apprennent à l'école...

— Ah ! Tu parles de la mécanique de Descartes. Je t'en ai déjà parlé. Nous n'étions pas tout à fait d'accord lui et moi. D'abord il faut que tu comprennes que la mécanique de Descartes n'est pas une science de la nature mais plutôt une science de la raison, enfin, une sorte de science et une sorte de raison. Or, ce que cette raison conçoit clairement et distinctement, parce qu'elle le conçoit clairement et distinctement, n'existe pas. Voilà ce que m'a fait découvrir l'erreur de ce fameux Descartes. On n'enseigne jamais aussi bien que par erreurs.

Et il se mit à rire.

— N'oublie jamais que c'est la raison qui est dans la nature et non la nature qui est dans la raison. Seul un fou peut imaginer que le monde est dans sa pensée. Si nous pensons le monde, c'est qu'il nous a pensé bien avant...

— Pourquoi, papa, la science des garçons, c'est tout le contraire ?

Son visage devient austère et il termina avec cette seule explication :

— Qu'une partie domine le tout, c'est l'essence même de la violence. Que la raison domine l'homme, que l'homme domine la nature ou que les Habsbourg conquièrent le monde, c'est une même violence et... nous en mourrons, fille, nous en mourrons.

Sa voix devint tremblante. Sur son visage crevassé, trente ans de guerre retenaient dans les plis du silence des scènes impossibles à concevoir. Leszno était maintenant nue devant nos yeux, montrant ses cheminées, ses fumées, ses clochers, faisant entendre ses premiers grincements du matin. Il se leva et nous reprîmes notre chemin.

— Entends-tu, fille, le mûrissement des choses ? Trop de beauté vient et cette beauté lui crèvera le cœur à lui aussi le démon de la domination. Les garçons finissent toujours par céder devant l'éternel féminin. Cette prétention de garçons apeurés par leurs émotions que les Français appellent science n'est qu'une des mille façons pour une graine de mourir afin de produire un fruit. Nous mourrons, mais un jour, l'humanité sortira de la barbarie par la porte du féminin.

Il prit un petit sentier qui nous éloignait de notre route. Je le reconnus grâce à une grosse pierre mousseuse sur laquelle il nous avait jadis montré, à ma sœur et moi, tout un univers d'insectes. Le sentier menait à un ruisseau, le plus banal des ruisseaux, n'eussent été quatre filets d'eau qui se rejoignaient pour tomber dans un petit trou de pierres.

Pour mon père, c'était là un microcosme. L'eau semblait disparaître dans le trou. En fait, elle plongeait dans une minuscule caverne et ressortait quelques coudées plus loin. C'est là qu'il nous enseignait, à Ludmila et moi, l'idée que la connaissance résultait de la rencontre de quatre sources : soi, la nature, la Révélation et autrui.

Nous arrivâmes à l'endroit magique. Nous nous assîmes tous les deux sur le tronc qui nous avait si souvent servi de banc. Père s'approcha pour me parler à l'oreille.

— Fille, je vous ai amenée ici, non pour une leçon, mais pour une confession. J'ai été si affecté par la mort subite de Dorothea. C'était aussi votre mère... Je n'ai pas été capable...

La petite cascade se faisait bruyante. Les oiseaux piaillaient. Je ne voulais pas entendre, mais sa parole perçait ma peau comme un jet d'étincelles sortant d'une forge.

— Aujourd'hui je veux écouter votre peine...

Il laissa un silence énorme. Il reçut un silence accablant.

— S'il y a une souffrance, finit-il par conclure, c'est que nos enfants doivent poser le pied dans nos lacunes...

Je haussai les épaules. Il me prit la main. La laissa. Se leva, se rassit. Son regard devint lointain.

— Ta maman n'est plus... C'est trop tôt... Te voilà à découvert. Bientôt le monde sera étalé devant toi, nu, froid, d'une bêtise dont tu n'as pas idée... Et au moment où tu relâcheras la garde, à l'improviste, un événement bondira... C'est comme ça. L'habitude du Ciel. Tu n'y verras rien. Et pourtant, ce sera un des événements redoutables de ta vie... Les juifs disent qu'il y en a dix dans une vie. Je ne crois pas. Dix c'est trop. Ce sont eux, les éducateurs. Tous les autres, parents, amis, professeurs, sont des commentateurs...

Il s'arrêta de parler. Le soleil avait glissé ses mains dans les bois et chassait les dernières nappes du brouillard. Il appuya ma tête contre son épaule.

— Fille... c'est dans ces moments redoutables et décisifs que nous aurons besoin d'elle...

Il me regarda un instant. Sourit. Plongea une main dans la cascade. Joua un instant avec l'eau, puis, dans un éclat de rire, secoua les doigts en me lançant des gouttes froides. Je lui lançai un regard coquin.

— Tu lui ressembles tellement...

Il me fixait. Je le fixais. J'entrai malgré moi dans son océan. L'eau tiède, presque chaude m'enveloppait jusqu'aux épaules. C'est alors qu'il lança le dard :

— Comprends-moi, fille. À qui d'autre pourrais-je confier le poids que je porte ? À qui d'autre ? Ce ne sera pas le futur *senior*, mon fils adoptif et ton mari, qui pourra le soulever. Toi seule le peut. Mais attendons l'heure.

Il se leva brusquement, me prit la main. La forêt était solennelle. Trois mésanges surgirent d'un bosquet. L'une tenait une larve, les deux autres la poursuivaient. Nous reprîmes le chemin de la ferme. Le vent avait cessé, le ciel était d'une clarté tranchante. Père ne me tenait plus la main. Il marchait devant moi à une vitesse qu'il m'était difficile de suivre. Nous approchions de notre destination. Les chiens venaient au-devant de nous en branlant joyeusement la queue. Père s'arrêta, fit volte-face, me prit à nouveau par les épaules.

— Madame ma fille, me dit-il, libérez votre chemin. Il en va du futur.

C'est ainsi que je reçus d'abord de ma mère et ensuite de mon père tout le poids de leurs fardeaux.

Père m'avait galvanisée. Je le suivais partout. Je voulais être sa fierté. Je voulais être impeccable. J'avais compris. J'étais la fille du *senior*, la femme du pasteur, je devais le montrer.

De l'avenir, nous ne voyions goutte et marchions à tâtons. Monsieur mon père consultait les familles, des plus misérables aux plus fortunées, des nouveaux réfugiés aux bien établis. Il palpait partout l'inquiétude. Il revenait alourdi, entrait en lui-même, sondait les étoiles et au matin repartait. Que faire de ce petit peuple abandonné comme lapins au milieu des loups ? Les Alliés se retiraient, la recatholicisation inondait, les alliances se rompaient, les ennemis s'immisçaient jusque dans nos assemblées. Et pourtant, les Frères défrichaient, bâtissaient, se multipliaient, faisaient courageusement du pays.

De terribles récits nous parvenaient de Moravie, de Slovaquie, de Silésie, des pays Habsbourg : une milice exécutait les plus récalcitrants, arrivaient les officiers de la chancellerie qui confisquaient les biens, amassaient fortune et réduisaient en servage. Sur ce terrain si bien labouré et gras de sang poussaient comme champignons, écoles jésuites, cours ecclésiastiques et couvents de femmes. Avec l'or et le bronze des pillages on élevait des autels baroques. On ramenait au temple les changeurs et les commerçants de culte que Jésus avait chassés au prix de sa vie. On dévisageait le christianisme, on l'inversait point par point. On troquait résignation contre liberté, croyances contre foi, virginité contre joie de vivre. On replaçait César sur son trône et les pharisiens sur leur banc.

Ailleurs, dans les Allemagnes et les Provinces-Unies, les protestants reproduisaient, à l'envers, cette litanie d'horreurs. Plutôt qu'élever des statues, ils les brisaient ; plutôt qu'envoyer les femmes au couvent, ils les épousaient ; plutôt que dresser sur Babel des papes et des évêques, ils y élevaient des princes et des bourgeois. C'était au fond, en miroir, la même doctrine ; tout devait s'aplatir devant le Veau d'or.

En fait, dans les deux camps, on s'entendait à merveille. On épuisait toutes les dernières résistances de la liberté, on préparait la soumission à la nouvelle économie. Partout on en parlait. Bientôt arriverait le temps où le travail fonctionnerait comme la typographie : chacun ne serait plus qu'une lettre fichée dans une machine et tout l'œuvre consisterait en sa reproduction.

Qu'allait faire notre *senior* pour sauver le christianisme ainsi défiguré ? Mais plus urgent ! Quelle voie suivre pour assurer la sécurité des Frères ? Il choisit de faire trois choses : consulter, consulter et consulter. Que pouvait-il faire d'autre ! Consulter pour entendre, consulter pour refléter, consulter pour décider. C'était en fait un immense projet. Il était en Suède lorsque ce projet, qu'on prit pour une illumination d'exalté, lui vint. Il l'appela : *La Consultation universelle pour la réforme des affaires humaines.* Rien de moins qu'engager, sur la base d'une délibération publique à l'échelle de toute la Terre, une réforme de la science et de la connaissance, de l'éducation et de la langue, des religions et de la politique ; l'espérance étant que l'humanité retrouve le bon sens.

Le projet apparut si dément que père fut délaissé par la plupart de ses amis. Sa notoriété de grand éducateur tomba en chute libre et ses revenus, qu'il distribuait aux Frères, n'étaient plus qu'un filet d'eau. Beaucoup lui reprochèrent une folie des grandeurs qui mettait en péril sa propre communauté. Mais il était revenu parmi eux, il ne parlait plus de projets planétaires. Il tentait simplement de réaliser, dans sa communauté, la consultation qu'il avait espérée pour l'humanité. On l'accueillait. Cependant, on n'y voyait rien.

Malgré cela, le temps avançait dans la bonne humeur. Le début de l'été colorait les champs. Le parfum des fleurs venait nous chatouiller les narines. Le soleil rayonnait. La petite communauté changeait ses paillasses et secouait ses morosités. À défaut d'espérance bien nette, l'été entrait. Et puis mon père était amoureux. Ça se voyait ! Il marchait à grands pas, il souriait, il réunissait, il discutait, il débordait d'une assurance contagieuse.

... Et ce fut le mariage. De partout on avait amené des roses, des marguerites, des orchidées. L'église en était gorgée. Chaque bouffée d'air nous grisait l'esprit. C'est dans la joie et la fête qu'ils s'unirent. Côte à côte, on les sentait aussi forts que des chênes.

C'est moi qui lui avais présenté Johanna Gajusová, convaincue qu'ils étaient faits l'un pour l'autre. J'avais obéi à l'ordre de mère qui presque chaque nuit venait m'embrasser en disant : « Ne t'inquiète, Lisbeth » ; elle plongeait ses mains dans ma poitrine et me serrait un peu le cœur comme un œuf qu'on veut garder bien au chaud.

Trois ou quatre fois, il amena chez elle Daniel et Suzanna, elle en tomba follement amoureuse. Sauf Pavel, en peu de temps elle avait apprivoisé toute la famille. Ludmila en profitait pour quitter en douce la maison, elle avait mille commissions à faire, au marché et parfois jusque chez les catholiques où elle échangeait, disait-elle, travaux de dentelle contre jolies robes. Elle était si bien coiffée, accoutrée, fardée et colorée que père en aurait éprouvé de l'inquiétude s'il n'avait pas été si occupé.

Le couple se retira une semaine à la campagne et la chambre du grenier resta vide, Ablonský n'osait m'y inviter. Je me crispais dès qu'il me touchait. J'avais toujours quelque chose à faire. Je n'arrivais pas à quitter l'image de père regardant cette femme avec une admiration démesurée.

La dame s'installa chez nous le jour où nous partîmes, père, mon mari et moi pour la grande tournée de consultation des Frères en terre Habsbourg. Malgré tous les dangers du voyage, j'étais contente de partir et de laisser à Johanna la charge des enfants.

Chapitre 2

Le labyrinthe du monde

Je n'étais plus l'adolescente rêveuse, retournée et sombre d'autrefois. Deuil et responsabilités m'avaient mûrie. J'avais pris conscience que j'avais une place dans la communauté. Le fait d'être muette n'était pas qu'un inconvénient. J'avais l'avantage de ne pas dire de sottises ! On me prêtait du sérieux, de la pondération et de la prudence. Plusieurs étaient poussés à la confidence. On me demandait conseil. J'étais circonspecte sur toutes les questions, les analysais, prévoyais les conséquences, écrivais mon point de vue en phrases lapidaires.

On me saluait, on me respectait, j'étais madame Jablonský. Notre revenu était modeste, mais je portais une robe de bonne toile, un ruban large à la taille et une petite coiffure de dentelle qui me tenait le chignon. Je sentais l'encre et l'encaustique plus que le parfum et cela me plaisait.

Maman avait toujours été d'aplomb, honnête et de bon jugement. Dans les pires moments, elle avait su préserver les rythmes, les prières, les détails qui font du temps un ami. Elle avait de l'éducation, de la manière et même de la grâce. Elle était près de moi, m'indiquait le pas à faire, l'idée juste, le geste correct, la bonne route.

Le changement fut si rapide. En une nuit de mort et de noces, j'étais passée de fille à femme. Cette nouvelle femme qui marchait droite, un peu austère mais affable, digne du regard, m'apparaissait encore un peu étrangère et fragile. Mais tout le monde me reconnaissait et m'approuvait d'un signe de tête. Si bien que cette femme devenait moi, marche par marche, comme une catéchumène montant à son baptême.

La dignité est le bien le plus précieux d'une personne. C'est un habitacle heureux, stable, un repère tant pour soi que pour autrui. On lui prodigue des soins minutieux. On la conserve comme un bien inestimable. Le meilleur moyen de la préserver est encore de l'entretenir chez les autres. Dans la reconnaissance mutuelle, nous savons ce que nous valons. Pour un peuple d'exilés, la chose n'est pas facultative, elle est vitale.

Un Frère qui rencontre un Frère sait ce qu'est longer les bois, emprunter des sentiers de bêtes, se débattre dans la boue jusqu'à mi-jambe, se faire sans cesse gifler par la défiance et le mépris des « élus ». Trop de choses le renvoient à la brute, le ramènent à la hauteur des ânes et des pourceaux, aussi bas que les excréments. S'il cède, il se met à sentir l'odeur méprisante du vice, de la gloutonnerie et de la salacité. Rien n'est plus répugnant que le lieu où la misère touche à l'abjection. La dignité est l'ultime protection du pauvre. Or nous étions pauvres. Rien donc ne m'était plus cher. Aussi, la seule chose que j'appréhendais du voyage, c'était de devoir troquer mes vêtements pour des déguisements. Et père insistait. Nous devions prendre robe et allure de calvinistes.

J'étais dans cette robe qui m'allait fort mal, à faire tant bien que mal des ajustements, lorsqu'elle entra sans frapper. Je la regardai de la tête aux pieds interloquée, abasourdie, à demi paralysée. Je n'en revenais tout simplement pas. Elle dut lire sur mon visage le plus grand doute à propos de sa capacité à accomplir sa mission. Alors elle lança de sa voix stridente :

— Madame l'honnête, sachez que dans une maison d'où une Bohémienne emporte l'étoupe, un Allemand ne trouvera jamais de chanvre. Alors faites-moi confiance, je garantis votre protection, à vous, à votre père et à votre mari. Vous ne trouverez ni meilleure guide ni meilleur prix.

Elle esquissa un sourire épais de rouge à lèvres, au point que son fard blanc craqua de partout.

— J'ai fouillé la campagne mieux que personne, ajouta-t-elle sans attendre. Je n'ai pas besoin du tapage des tambours ou des fifres pour savoir où musent les Impériaux, leurs espions et toute la ritournelle. Il n'y en a pas beaucoup qui m'ont caché leur couleuvrine. Ils sont catholiques autant que je suis bégueule. Je sens l'odeur de leur cierge à trois lieues...

Elle émit un ricanement de trompette et continua :

— Tenir sous mes charmes l'arquebuse d'un chacun était mon métier. J'ai plein le ventre de leur venin. Je n'ai pas, madame l'honnête, comme vous, préservé ma couronne virginale pour un blond bourgeois, j'en ai fait un piège à rats. La guerre, je connais. Ah ! que je les flaire de loin ces pitoyables serpents drus comme des pics dans leur cuirasse, mous comme de la guenille devant un commandant. Ce sont des froussards, je vous le dis, qui craignent tant de laisser voir leur poltronnerie qu'ils aiment mieux côtoyer la mort que de s'occuper de leur progéniture. Alors tenez-vous tranquille, madame Figus de Rabosseký, dormez bien au chaud dans les bras de votre ménestrel, vous vivrez demain pour cajoler vos petits, foi d'une Jézabel... »

C'est ainsi que parlait la Maramone, aussi crûment qu'un Souabe, écorchant le nom de tous ceux auxquels elle devait respect. Elle portait un couvre-chef à plumes

qui lui donnait un air de chat-huant et, pour étonner sans
doute, y avait cousu une petite croix d'argent. C'était, de
tout son équipage, le précieux, pour le reste, elle portait
de la guenille multicolore cousue en manière de robe à
crinoline. La soutane de son métier quoi ! L'autre étonnement venait de son étrange visage jeune et clair d'apparence, à peine trahi de fines rides. Dans ses yeux de ciel,
une flamme retenait sa beauté du naufrage.

Révérend mon père l'avait embauchée pour guide et
madame sa nouvelle femme se trouvait d'accord. La courtisane se pavanait toute fière dans le quartier sans reconnaître, à travers les sourires, la pitié de notre charité. Nous
étions la risée de tout le monde.

Certes, il l'avait forcée à prendre la robe noire des
veuves calvinistes, mais sa plantureuse poitrine finissait
toujours par faire sauter deux ou trois boutons, montrant
assez bien les armes dont elle savait user. Il lui avait interdit bijoux, verroterie, fourrure d'écureuil, et l'air de
comtesse qu'elle se donnait parfois de son éventail. Tout
un mobilier, d'ailleurs si usé qu'en l'abandonnant, elle ne
sembla que plus jeune et plus attrayante. Si elle avait été
muette, on aurait pu la croire quelque peu *nobilis. Mobilis*,
cependant, lui convenait mille fois mieux. La pauvresse
cachait mal sa provenance. Il lui restait toujours du fard
italien sur les joues, et aucun de ses parfums n'arrivait à
couvrir l'odeur alliacée des onguents contre la teigne et
du baume contre les poux dont elle s'enduisait le corps.
On sait comment les insectes suceurs punissent l'impu-
reté !

J'avais demandé à monsieur mon mari de s'objecter
auprès de père. Libouschka de Maramone, malgré ses
efforts de bien paraître, trahissait un passé d'abjection
incompatible avec notre pastorat. Une femme de si mauvaise vie ne pouvait qu'apporter le discrédit. J'avais si
bien préparé mon timide Ablonský qu'il avait plaidé la
cause en termes parfaitement nets à l'oreille d'un chacun,

bien qu'il n'ait pu éviter de bafouiller à plusieurs endroits :

— Ne savez-vous pas révérend mon père qu'une... qu'une telle femme est dangereuse ? Pensez à David, meurtrier par la faute d'une de ces femmes... Au concile de Constance, n'y avait-il pas, je ne sais combien de... je veux dire, de malhonnêtes... et on brûla notre saint Jan Hus. Père, c'est assez que l'Église se soit prostituée... Cette femme, cette Maramone est le symbole de ce que nous combattons. Voilà... Alors votre fille et moi sommes contrariés... Marcher à côté d'elle. Vous y pensez...

À cette objection, cette réponse qui nous parut un peu naïve :

— Monsieur mon fils et mon gendre, premièrement, Bethsabée n'était en rien une femme malhonnête, c'est David qui a péché. Deuxièmement, l'apparence est souvent trompeuse. Troisièmement, la pureté consiste dans l'intégrité du cœur. Quatrièmement, je connais cette femme, faites-moi confiance.

Elle fut notre guide.

Notre attirail devait paraître des plus modestes : une vieille bourrique pour des bagages aussi limités qu'il se pouvait, lourds seulement de notre Bible de Králice, de poissons séchés et de pain aux herbes. Nous allions quatre : révérend père, monsieur mon mari, celle qu'il nous fallait, par ordre de père, appeler Madame veuve Libouschka de Maramone, et moi, l'honnête femme du pasteur qui devait marcher près d'elle comme s'il s'agissait de ma sœur ; quatre habillés de noir de la tête aux pieds, plus austères que Calvin lui-même. Toute la stratégie de père consistait à nous rendre aussi sombres que les pays qu'il nous faudrait traverser. La ribaude cependant croassait, s'esclaffait, répandait ses parfums et avait obtenu de père la permission de conserver son ridicule chapeau.

Je ne laissai aller mes jambes qu'à regret. J'appréhendais le pire, on racontait des atrocités et ce n'est pas monsieur mon mari, avec sa stature d'hercule, qui impressionnerait, il craignait d'écraser un moustique et en situations difficiles ânonnait misérablement.

À mesure que nous nous éloignions de Leszno, de l'autre côté des collines, nous dirigeant vers Trzebnica, l'horreur de la guerre ouvrait ses entrailles. Malgré moi, je m'approchais de la Maramone jusqu'à lui toucher les mains ce qui, hélas, la mettait en air de piailler sans la moindre retenue.

Les champs, gris de chardons faute de semence, dégorgeaient d'odeurs de brûlé et de puanteurs de charognes. Pourtant, pas de vivant, pas de mort, nous avions l'impression de traverser un désert. Tout semblait immobile, comme si l'été n'était pas venu, comme si l'hiver s'était contenté de se glisser sous des vêtements verdâtres. Le soleil lui-même paraissait insulter le paysage. Bien que la campagne fût abandonnée, il nous semblait entendre des âmes se plaindre dans les champs, à l'orée des bois. L'herbe jaune paraissait suinter le sang.

Plus loin, à mesure que la Pologne s'ouvrait sur les Allemagnes, des ombres sortaient. Parmi les buissons, des carcasses de chevaux et de toutes sortes de bêtes ; près des cabanes de ferme, des cadavres de femmes, d'enfants et de paysans ; accrochées aux grands arbres, des grappes de pendus éventrés par les charognards. Quant aux vivants, ils ressemblaient à des cercueils debout, flottant sous de lourdes couvertures brunes. Ils allaient sans cri, sans larme, sans but telles des pierres sépulcrales ayant perdu jusqu'au sens de la pesanteur.

Les recenseurs parlaient de pertes allant jusqu'à la moitié de la population, mais plus personne ne pouvait discriminer les vivants des morts. Les vivants que l'on voyait semblaient plus morts que les cadavres eux-mêmes. Derrière chacun, on entendait s'approcher les vautours de la famine, de la peste, du choléra, du désespoir. Leur silence nous aurait sans doute engloutis si ce n'avait été de la Maramone qui ne savait rien respecter.

— J'en ai eu pour soixante pistoles, couinait l'impertinente. Oui madame, j'ai soumis à prix d'or la trompette des cuirassiers autant que des dragons, des carabiniers autant que des capitaines. La chose rapporte sans trop de misère. On se tirait d'affaire mon Patrack et moi. Vous n'avez pas connu la guerre, vous, madame Figuier de la Rabosseký. Ça se voit. Je vais vous expliquer. L'Empereur n'avait pas assez d'or pour lever une armée, alors les attelages étaient fournis à l'entreprise. Wallensten avait fait fortune en frappant de forfaiture les rebelles de Bohême, ce qui lui donnait mainmise sur les biens de famille. Mais ce n'était pas assez, il battait monnaie, empruntait sur gages, écrasait sous l'impôt, prêtait à triple usure à ceux qui croulaient dans la famine. Il s'était rendu maître de la Commission des Confiscations. Il n'avait d'autres concurrents que le *collegium nobilium* des jésuites de Prague. Avec l'aide du banquier Henri de Witte, ce vilain traître de Bohême, il amassa une telle fortune qu'il proposa à l'Empereur de lever pour lui, le plus grand des catholiques, une armée de quatre-vingts canons, cinq mille cavaliers et trente-cinq mille fantassins. Et ça, madame, ça mange et pas seulement des choux et ça couche et pas seulement avec des couvertures de laine. Alors ils rasent campagne, font sauter les cervelles, s'installent où bon leur semble, prennent les femmes qu'ils veulent et tant pis pour la ménagerie...

Les cris de cette chouette m'étaient insupportables. Nous nous sommes arrêtés près d'un puits. Monsieur mon mari allait y jeter le seau, mais resta comme paralysé. Dans le fond du puits, des corps gonflés flottaient. Autour de nous une volée de corneilles se disputaient des morceaux de chair. Des chiens approchaient, grognaient, montraient leurs crocs. Les bêtes étaient devenues féroces par l'habitude de manger de la chair humaine.

Nous nous approchâmes d'une cabane couverte d'un chaume nouveau. Une svelte mais solide femme nous ouvrit. Son sourire triste me rappelait celui de maman. Un marin pris dans la tourmente n'aurait pas imaginé plus belle île au milieu de la tempête. Trois enfants autour de la table jouaient en riant. La femme nous donna de l'eau et père lui remit du pain. Les petits perçaient de leurs espiègleries la grisaille des lieux. La mère s'amusait à leur cacher des bouts de poisson séché que papa lui glissait sous la main. Je compris soudain combien maman avait été héroïque. J'en tirais de la joie, mais de l'angoisse aussi, car j'étais destinée à porter le poids des enfants... Seigneur Dieu du Ciel ! que l'ombre de cette maison aurait été bonne sans le cornement de notre indécente guide !

— J'avais l'âge de cette gamine lorsqu'ils sont arrivés (notre ribaude montrait sans vergogne la petite fille de la maison). Mon père n'avait pas la couenne d'un couard. Il en perça un de son couteau. On lui trancha la gorge. Mère reçut un plomb en pleine poitrine et moi, on me transperça d'une autre manière qui scandaliserait madame Figuier de nommer. De la maison, j'étais seule vivante. Après s'être servis de moi, on allait me jeter au feu pour éteindre mes cris, mais Patrack, le chef de cette meute d'Impériaux, ne l'entendit pas de cette façon. Vif comme l'éclair, il m'emporta en cavale et c'est dans le train de l'armée que nous avons fait la guerre. Et là, ma fille (elle s'adressait à la petite), on s'est bien amusés. Nous étions une centaine : des goujats, des juifs cosmopolites, des déserteurs, des Polonais, des Tziganes, des ribaudes, des gens de tout métier. On suçait la solde et le butin des misérables qui allaient, de bataille en bataille, se faire trouer pour la religion qui les payait le mieux. Catholiques ou protestants, bleus ou rouges, tout dépendait de l'épaisseur de la solde mais surtout des possibilités de butin. Plus la guerre avançait, plus misérable était la population. Plus misérable était la population, plus le train de guerre

grossissait, plus le train de guerre grossissait, plus la soldatesque se faisait prendre ses gains. Alors, il fallait plus
de batailles pour plus de butins. À défaut d'ennemis, la
garnison rasait la campagne et parfois même assiégeait
des villes alliées pour qu'elles crachent toutes ses viandes,
son vin, son or et ses trésors. C'est dans nos poches que
tout cela finissait par tomber. Vaut toujours mieux être en
bas qu'en haut. On mangeait du lard, on mettait du beurre
dans notre soupe, on buvait du vin finement bouqueté
alors que la soldatesque était à la vinasse et la paysannerie
à l'eau d'égout. Ça, ma galopine, c'est avoir de la cervelle.

La petite fille de la maison regardait la Maramone les
yeux émerveillés comme si elle ne comprenait que l'expression drolatique de son visage et rien du contenu pour
le moins grossier de son propos. Pour atténuer le scan-
dale, révérend mon père ne disait rien d'autre que des
bontés. Pire, parfois il lui prenait la main comme si elle
avait été sa fille. Ablonský se taisait malgré mes invita-
tions répétées à s'objecter.

Emportant notre honte à chapeau de plumes qui, par
moments, devait s'asseoir sur la bourrique parce que trop
délicate sur jambes, nous allions de village en village.
Dans cette grisaille où la mort faisait culbuter tout le
monde dans la plus profonde méditation, nous seuls
allions quelque part en nous répandant en tapage. Nous
devions paraître une bien insolite bouffonnerie dans cette
misère insupportable et je devais dompter ma superbe
pour tirer en avant notre baudet. Car c'est moi, la fille du
senior, qui devais tirer la bête.

Toute la journée, nous marchions à travers cette campagne éventrée qui se desséchait comme une limace au
soleil. Nous couchions dans les forêts sans même allumer
de feu. On entendait des craquements. Des brigands s'approchaient. Voyant sans doute notre misère ou notre
bizarrerie, ils s'en retournaient à leur camp rire de ce
qu'ils avaient vu et entendu : une ribaude piailler des sor-

nettes au milieu de calvinistes ruinés. Même les loups avaient pitié de nous et fuyaient notre corneille, on ne les entendait qu'au loin.

Nous approchions de la Bohême. Suivant, à travers la forêt, la chaîne montagneuse de Góry Bystrzycký, nous comptions rejoindre Olomouc et Přerov bien avant l'hiver. Mais la ribaude nous entraînait dans des bois épais, loin des chemins et le plus souvent à l'écart des sentiers. Elle et mon père discutaient longuement de la meilleure route, des lieux de ravitaillement, des dangers. Nous étions maintenant en terre Habsbourg où nul hérétique ne pouvait mettre le pied sans risquer la plus cruelle des morts. Souvent on s'arrêtait pour entendre la forêt. C'était reposant, car même la Maramone gardait le silence en enlevant son précieux chapeau.

À l'approche d'un village appelé Mohelnice, c'est le cri des rapaces qui nous ameuta. Rien de vivant, que des cadavres. La peste. Une puanteur à faire vomir.

— Ah ! tiens, bon Dieu ! fit la ribaude. Des chanceux qui ne se sont pas fait cuire au gril, enterrer vivants ou clouer sur un arbre. Vous savez, madame Figurative de Blonský, que je suis devenue vivandière, oui moi, vivandière. C'était après la pendaison de mon Patrack. J'avais trois hommes pour la cuisine, cinq filles pour le lit et deux gaillards pour la protection. J'étais au sommet de ma fortune. Je transigeais directement avec le prévôt du train de guerre et prenais, dans ma couche en plumes, officiers et capitaines. On me consultait avant d'aller en campagne et je prêtais à deux fois l'usure des juifs. Un homme, chère madame Figurine, à la veille d'un combat où sa vie ne vaut pas un liard, ça ne pense qu'à donner sa fortune pour s'épuiser sur la plus belle des dames. Il n'y a rien à comprendre. Un homme, c'est une femme, la cervelle en moins. Ça veut fortune, ça dilapide son bien ; ça aime la vie, ça la risque ; ça veut commander, ça obéit ; ça veut une femme, ça se tient entre mâles ; ça sème, mais ça fuit la récolte ; ça a la tête plein d'idéaux et ça fait la guerre. Et bien moi ! Les hommes, je les fais danser sur ma tabatière. Non ! Excusez, pardonnez, il est vrai qu'il y a votre père et votre gentil mari. L'exception à mon expérience. J'ai connu votre généreux père... Bon, oublions les circonstances. Toujours est-il qu'il m'a confessée à la protestante, non pas en écoutant mes péchés, tout le monde les avait entendus, vu que j'ai peur du silence, mais en écoutant mon cœur. Aujourd'hui je suis comme sa fille... Bon suffit. Je n'aime pas les sensibleries madame Ficulus Ribaudeasky...

Et elle continua à piailler sur toutes les horreurs de la guerre comme s'il s'agissait de cuisine, de broderie ou de couture. On aurait dit qu'elle se faisait des ailes avec des grivoiseries et des pansements avec des bouses.

Elle faisait tant de bruit qu'avant même d'avoir entendu quoi que ce soit, nous étions encerclés par cinq gaillards pistolet à rouet à la main.

— Que désirez-vous ? demanda père en couvrant le tremblement de sa voix par un ton décidé.

— Tout, répondit leur chef en s'esclaffant.

— Tenez, répondit père en ouvrant une des besaces qui reposait sur le dos de notre baudet, nous avons du pain et une Bible, voulez-vous que je vous fasse lecture ?

— Ah ! Sacré Dieu, des calvinistes et instruits par dessus le marché. C'est prix d'or, s'écria le chef.

— Comment traites-tu ta maîtresse, Fulmý vieux larron, tu ne reconnais pas ta colombine ? lui fit la Maramone en s'approchant de lui.

— Par tous les diables, la vivandière, calviniste !

— C'est mon commerce. À mon âge, il faut penser à changer de métier. Je trafique du calviniste, du luthérien, du calixtin, de l'hérétique de toute espèce. J'en ai ici trois qui valent pas juste des billons, mais un gros tas d'or, mon garçon. Il ne faut pas les abîmer car je connais un jésuite qui aime les brûler bien frais. Quand vous saurez qui j'ai entre les mains, vous n'oserez même pas éternuer de peur de les salir. De la marchandise comme celle-là, c'est diantre plus précieux qu'un calice de Russie.

Fulmý nous regarda un long moment, de haut en bas, de bas en haut, de près plutôt que de loin car il avait un œil crevé. Une horrible cicatrice traversait tout son visage. Après nous avoir toisés et sentis comme du poisson au marché, la bande nous amena à leur camp. Une discussion avec la traîtresse s'étira jusqu'à tard l'après-midi. Puis, un des hommes partit avec ordre de nous négocier au meilleur prix avec le jésuite ami de la félonne ou un autre, s'il n'avait pas bon tarif.

Nous étions atterrés, incapables de réaliser ce qui nous arrivait. On nous entraîna dans une sorte de caverne. Seul Ablonský eut les mains liées, car l'entrée de la grotte était si étroite qu'il leur suffisait de se tenir près de la sortie, autour du feu, pour protéger leur capture. La Maramone mangeait avec eux en prenant ses aises. À demi déboutonnée, assise comme un homme sur une pierre mousseuse, les coudes sur les genoux, elle délivrait tous ses charmes et racontait ses plus croustillantes aventures. Le vin coulait, les pistolets dépassaient des chemises, le jus de viande coulait de leur bouche. Elle était aussi gaie qu'une louve revenue dans sa tanière avec une belle prise. Père et monsieur mon mari lisaient la Bible. Le premier serein et confiant comme un bébé, le deuxième semblable à qui se prépare à la mort.

— T'en souviens de Magdebourg ? largua à Fulmý la Maramone. C'est pas moi qui t'ai fait passer aux Impériaux ? Non, c'est pas moi ? Et si t'étais resté du côté des Suédois, tu ne serais pas en train de reluquer la patronne. Tu m'en dois une.

— Rappelle, j'ai la tête pleine de trous, répliqua Fulmý.

— Ramenez-vous, les pestes, je vais vous faire dresser les poils sur la tête.

Elle fit signe à l'un de la bande, un grand roux qui louchait de mon côté, de s'asseoir en face d'elle et elle remonta encore un peu plus sa jupe.

— Gustave-Adolphe, monarque de Suède, et sa Ligue protestante avaient triché. Les compagnies n'avaient pas attendu la fin de l'hiver pour attaquer. C'était pas bon pour nos affaires, on faisait plus en quartier d'hiver qu'en campagne. Fortifié par les troupes du duc de Mecklembourg, il s'empara de Francfort-sur-l'Oder et de Küsztrin. Il occupa la Nouvelle-Marche et menaçait les possessions de l'Électeur de Brandebourg. Il avait l'air bien en selle. Alors, il fallait faire bataille. C'est qui la vivandière qui devina que Gustave-Adolphe ne viendrait pas au secours de Magdebourg et que les catholiques y feraient pisser le sang ? C'est pas moi !

Fulmý resta tête baissée en crachant devant lui. Le roux me jeta une œillade, la Maramone s'adressa directement à lui.

— En tout cas, c'est pas ta faute, mon arsouille, si ton chef est aujourd'hui en si bonne santé. C'était pas si facile de flairer le coup...

C'est alors que père se mit à genoux pour prier à haute voix. Ce qui amena la Maramone à l'interpeller :

— Taisez-vous, vieux pasteur, lui cingla-t-elle, si Dieu avait le moindrement de l'oreille, il n'y aurait pas tant de poivre à avaler dru.

Et elle gloussa d'un rire de diable.

— Alors continuez, lui riposta père, les faits que vous racontez prouvent mieux que tous les discours de Luther et de Calvin le malin de l'Antéchrist. Mais soyez précise. Je connais l'histoire.

— Et bien moi j'y étais. Alors écoutez bien vous le pasteur et l'autre qui a la trouille. L'Empereur avait congédié Wallenstein. Il ne restait aux catholiques que Tilly. Mais moi, je connaissais d'intime le général de Tilly, le beau Pappenheim. Oui, lui-même en personne, tout nu, avec tous les instruments de sa nature. Voilà l'avantage d'être belle femme et pas trop prude. (Le roux tourna la tête en ma direction.) Une calviniste comme celle-là, mon roux, c'est froid comme de la glace et ça mord pour vous arracher les oreilles. Et puis, c'est notre marchandise à moi et à Fulmý. N'y pense même pas et écoute mon histoire. Pappenheim, je le savais imprenable bretteur, impitoyable carnassier et plus entêté qu'un bouc. Un vrai. Alors quand Tilly décida de marcher sur Magdebourg, j'ai deviné ce qui allait se passer et j'avais mon plan.

— N'importe qui aurait su, lui lança à l'impromptu père...

— Faux, coupa la Maramone, au contraire, personne ne savait. C'est en avril que les Impériaux s'approchèrent de la ville, et à mon conseil. Pappenheim assiégeait Magdebourg alors que Tilly dévastait la campagne. On sentait le feu à plein museau et la paysannerie aboyait pour obtenir du secours. Trente mille mercenaires mal soldés, ça vous rase une campagne. Cependant, Magdebourg gardait confiance et ne chancelait pas d'un poil, vrai comme je vous le dis. Elle était bien dressée de tours et de murs forts. Mais moi, je savais qu'il n'y avait pas plus de trois mille hommes à bord et quelques centaines de Suédois seulement. Eh ! Tiens, j'avais de belles filles qui traversaient et qui partageaient l'oreiller avec les Falkenberg.

— Pour une traîtresse, tu en es une, lui cria père.

Le roux se leva droit comme un pic, vint pour assommer père. Mais Fulmý lui cria de rester tranquille. Alors il le bâillonna à l'étouffer et la Maramone continua, encouragée par le regard de défi de père. Les redoutables larrons n'avaient d'yeux que pour elle. Et, elle, de gesticuler comme une perdrix, poitrine au clair, continuant de leur rappeler qu'ils lui étaient redevables et qu'elle aurait, pour eux, bon feu lorsqu'ils lâcheraient la bride.

— On était encore en avril, continua-t-elle, quand les catholiques ont enlevé la plus grande partie des redoutes qui tant bien que mal défendaient la ville. Dans les murs, la populace était au désespoir, prête à se rendre, mais Falkenberg, le chef de la ville, annonçait des renforts suédois. De renfort, il n'y avait pas trace. La ville était abandonnée... comme ces trois minables, là, dans la caverne.

Elle éclata de rire. Père s'était mis à genoux et cette fois il priait, la sueur au front. Ablonský restait paralysé, incapable de bouger, incapable même de me regarder.

— Falkenberg, continua sans fin la Maramone, réussit, à force d'intrigues, à convaincre le Conseil de la ville d'incendier les faubourgs de Sudenbourg et de Neustadt. Il voulait décourager Tilly de trouver du butin, notre butin. La municipalité refusa de se rendre. C'était pitié de voir la faim et la misère. Tilly lança un ultimatum pour éviter la boucherie. Falkenberg refusa. Alors, Tilly finit par croire que les Suédois étaient bel et bien sur le point d'arriver. Et dites-moi, qui encourageait les Suédois à soutenir la résistance protestante ? Qui ? Nul autre que le *senior* hérétique que voici.

Et elle montra père.

— Alors, ce bonhomme, c'est de l'argent, un gros tas d'argent, mais il les faut vivant : lui, le peureux et la nitouche.

— On ne lui brisera même pas une seule dent, accorda Fulmý, et la fille, personne ne va y toucher. Mais continue, je sens que tu arrives au meilleur.

— Tilly donna l'ordre de bombarder, acheva la Maramone. Dix jours de canon, ensuite il lâcha son chien de général. Quel carnage ! Mais quel butin ! T'en souviens Fulmý ? Quel putain de butin !

— Sacré Dieu que je m'en souviens ! répondit Fulmý. Les officiers étaient tellement soûls qu'il suffisait de les assommer du talon d'une chaussure pour les vider de leurs prises. Les gourdes ! Ils avaient mis eux-mêmes le feu à toute la ville, alors ils sortaient comme des frelons et on les cueillait aux portes.

— Le meilleur, conclut la Maramone, c'est que la nouvelle du massacre mobilisa la ligue protestante. Gustave-Adolphe avait maintenant tous les princes protestants derrière lui. Quinze ans de plus d'une si profitable guerre, quinze ans pour nos commerces... Qu'il est bon l'or de ceux qui ont de la religion ! Ils se battent et dans notre assiette tombe la viande. Et maintenant, on peut commercer l'hérétique avec les Habsbourg et le catholique avec les princes protestants...

Quatre jours, elle parla, quatre jours et quatre nuits. La nuit, c'étaient bien d'autres mots, insupportables à une oreille comme la mienne. Impossible de dormir. Et papa qui priait et monsieur mon mari qui tremblait. Je voulais mourir. Une terrible angoisse m'enveloppait, surtout lorsque le roux, enveloppé uniquement d'une peau de bête, me dévisageait en essuyant son couteau de sa langue. La Maramone, joyeuse et toujours comme ivre, sans fatigue et insatiable, finissait toujours par l'entraîner dans sa couche. Leurs gloussements, leurs bêlements, leurs hennissements me glaçaient le sang. J'étais comme étranglée de peur, incapable de respirer.

Père restait à genoux. Il semblait n'avoir de pitié que pour la Maramone. Des larmes coulaient de ses yeux. Mais moi, il ne me regardait pas, il ne faisait rien pour me protéger ni même pour me consoler. Naïveté de révérend mon père qui, depuis le début, entraînait sa famille précisément là où il est impossible d'en sortir vivant. Dieu ! Sur l'heure, je le détestais. Quel courage avait démontré mère de suivre cette hirondelle d'un autre monde qui rêvait du paradis à en perdre le sens des réalités ! Ablonský, blotti au fond de la caverne, chantonnait, allez savoir quoi, en se cognant le dos sur le roc de la caverne. Un chuchotement, un gazouillis, une lallation insoutenable. Personne ne disait ce qui arrivait aux hérétiques tombant aux mains des jésuites. Leur faiblesse me tuait. J'aurais voulu crier, j'étouffais.

Et la Maramone riait, et la Maramone ronronnait, et la Maramone geignait. Sa voix prenait l'allure d'une crécelle. Cette femme ne souffrait donc jamais, inépuisable, se renouvelant dans le plaisir telle une Vénus à sept têtes... Pouvait-on tomber si bas ? En dessous de la moindre décence, vendant jusqu'à sa dernière dignité pour quelques ducats.

Le temps avec son tic-tac grinçait comme un moulin vide de grain, pierre sur pierre, usant sa propre machine. Un linceul de lin s'était accroché au moyeu et maintenant, le temps étranglait. C'est un broyeur. Miracle que mon cœur n'ait pas explosé. Mais cela vient. Le roux s'était dégagé de la ribaude. Depuis des heures, il me regardait, me fixait. Le moulin tournait, un linceul formait un garrot autour de ma tête. Deux marteaux frappaient sur mes tempes. L'horloge tournait. La ribaude se plaça complètement nue entre lui et moi. Il la lança contre un mur. Je me retournai avec dessin de me fracasser la tête contre le rocher.

Pan ! L'homme était mort et les deux autres brigands gisaient dans leur sang transpercés de part en part d'un large braquemart. Des hommes, arrivant de je ne sais où, étaient venus... Ils nous emmenèrent plus profondément encore dans la forêt, au sommet d'une petite montagne, dans un village de cabanes en rondins appelé Lukà. Ils nous accueillirent par une grande fête dans leur bourgade. C'étaient des Frères de l'Unité, un peu bizarres, mais des Frères.

Des chants, de la viande, des feux, des enfants, des femmes, de la chaleur... Le *senior* avait été sauvé. Et le *senior* louait Dieu de tous les psaumes de la Bible. Père était connu dans le village comme « le mécène anonyme ». Combien de provisions il avait expédié. Le commerce de la grotesque sainte n'était pas que charnel, il était surtout nourricier.

Une femme s'approcha de moi.

— Êtes-vous, Élisabeth, la fille de Dorothea ?

Je fis signe que oui.

— La muette, la vraie fille de la vraie Dorothea ! C'est-y pas croyable. Madame Libouschka aimait tellement votre mère. Elle nous en parlait toujours. Elle disait qu'elle était sa fille adoptive vu qu'elle lui devait le salut. Vous savez, madame Liboushka est dans notre village comme notre pasteur. Je ne connais pas de cœur plus grand. Et elle est drôlement rusée. J'espère qu'ils ne lui ont pas trop fait de mal. On dit qu'elle les a tenus quatre jours. C'est vrai ?

J'éclatai en larmes.

Trois hommes la tenaient bien haut assise sur une chaise. Elle riait aux larmes en chantant un gloria accompagné de monsieur mon mari qui tremblait encore. Le plus beau gloria que j'ai entendu de toute ma vie. Elle embrassait la croix de son chapeau. Elle racontait l'histoire comme si ce fût une farce à conter dans un tripot. Mais tous savaient que c'était le récit d'une martyre.

La petite communauté de fidèles à demi adamites à force de vivre en forêt avait un jésuite pour protecteur, un jésuite d'Olomouc qui savait bien que Jésus n'était ni catholique ni calviniste, mais enflammé d'amour pour tous les hommes, les misérables plus que les autres. Elle nous avait sauvés, ce qui ne l'empêchait pas de tenir les pires conversations, comme si la roue de son extérieur s'était désengagée de sa roue intérieure et que son apparence n'était que le vêtement pudique de trop grandes vertus.

Les familles vivaient heureuses dans ces bois. Il y avait des enfants dans chaque cabane. Ces gens refusaient le mariage et partageaient tout. L'été, ils allaient souvent presque nus dans les forêts, mais pour le reste ils embrassaient le rêve de Chelčický, du moins ce qu'ils en comprenaient car ils n'avaient pas d'instruction. Seule la Maramone savait lire la bible communautaire. Elle les instruisait comme elle le pouvait, et entre deux évangiles, lançait une gaillardise. Tous avaient compassion pour l'emballage par trop rustre de cette écorchée de guerre. Un peu comme un arbre arraché très jeune, puis replanté à l'envers, elle montrait ses racines noueuses et terreuses au feu du soleil alors que le plus beau, elle le cachait. On eût dit un être inversé qui expurge ses misères dehors afin de conserver sa pureté intacte.

Nous n'avions qu'à ouvrir l'oreille pour savoir dans quelle chaumière madame veuve Libouschka de Maramone, que tout le monde appelait avec le plus grand respect « Madame de cœur », se relâchait la voix. D'une famille à l'autre, elle trissait comme un pinson des mélanges d'histoires bibliques et d'anecdotes désinvoltes. Elle riait chaque jour un peu plus, elle parlait chaque soir un peu moins. Et puis on cessa de l'entendre. Madame de cœur avait rendu l'âme.

Elle était morte au bout de son sang d'une hémorragie qu'elle cachait. Les femmes qui s'occupèrent d'elle virent son corps si mutilé qu'elles croyaient surnaturelle la force qui l'avait maintenue en vie plus d'une semaine après notre délivrance. Les larrons l'avaient lacérée, déchirée, meurtrie comme aucune bête sauvage ne peut le faire d'une proie. Ses dernières paroles furent pour moi :

— Dites à madame Lisabeth, avait-elle soupiré, de prier pour ma méchante âme et donnez-lui mon chapeau à plumes. J'aurais tellement aimé être une femme honnête et l'avoir pour sœur. Dieu puisse avoir pitié de moi !

La saison était avancée. Le froid hivernal glissait des sommets, les montagnes sombres se couvraient d'un linceul blanc, je disparaissais comme engloutie dans la caverne de celle qui m'avait protégée au prix de sa vie. C'était un moment redoutable, le premier moment redoutable de ma vie. S'il y en a dix comme le croient les juifs, alors je veux mourir ici, maintenant.

Le silence m'enveloppa comme une goutte de glace. C'était elle, l'honnête et moi, Satan.

Le temps se figea, pétrifié. Je n'avais plus de Dieu. Mon cœur avait été dévasté. J'étais morte les yeux grands ouverts sur l'horreur du monde. Un œil de poisson pris dans la glace fixait le néant. Deux mères mortes pour mon innocence, c'était trop pour moi.

Nubile, je n'étais plus et ne le serais plus jamais. C'était moi la putain de Satan. J'avais cédé à sa séduction sans la moindre résistance... par pur souci d'« honnêteté », d'une honnêteté aussi claire et distincte que stupide. J'étais aveugle bien plus que muette. Je ne savais rien de ce qu'était une femme. Je n'avais pas vu Liboushka. Je n'avais pas vu maman. J'étais un bois desséché qui avait longé des sources vives sans même y puiser une goutte d'eau. Je voulais que tout s'arrête net dans un cristal de glace.

L'hiver s'infiltrait entre les rondins de la cabane, engourdissant les mouches et les poux de ma paillasse. L'hiver sifflait sur des airs de psaume, endormant les fourmis et les cancrelats sur les rebords du pot de chambre. Un frimas se déposait sur la table, sur les pattes de la table, sur les bancs, sur les braies de mon père qui était assis sur le banc.

Est-ce que j'ai dit que c'était mon père ? Je ne connais pas mon père. Je ne connais rien de ce qui est au-dessus de moi.

Sous la table, la toile d'araignée restait déserte. Une poussière blanche enveloppait les fils de la toile. Une aile de mouche grelottait sur son suaire de soie blanche.

Étendus sur la table, des feuillets se tachaient d'encre. L'homme que je ne connaissais pas frottait sa plume sur le parchemin. Une ligne noire s'enroulait, se tortillait, se brisait. Une goutte d'eau, de l'œil tombait, tachait. Il lissait sa barbe grise qui se mouillait. Ses yeux allaient, venaient, parfois s'arrêtaient, séchaient. Alors la toile d'araignée se figeait dans son givre, le sifflement du vent suspendait ses griffes. L'aile de la mouche semblait plaquée dans une vitre.

Enfin ! Tout s'était arrêté. Rien ne surviendrait dans le globe gelé des choses. Plus rien. Bonheur du néant figé.

La mort, comme une statue de bronze, retenait sa faux. Un cheveu sur le plancher dressait le cou. La poussière gelée dans un rayon de lumière dessinait un zodiaque. Le rayon, inerte, dorait sa jambe de bois. Sous son sabot, le rayon tenait ferme une déchirure de papier. Sur le papier une tache, dans la tache, un pays. Le pays remua dans son sommeil. L'homme avança la plume. La faux de la mort approcha du cheveu. La tache paralysa de peur. L'œil de l'inconnu se figea. La ligne s'arrêta. La faux s'immobilisa.

Le moteur du monde résidait dans cette tache et l'homme à la plume guettait les mouvements de l'être. Et si le moteur s'arrêtait ! Pour toujours. Point terminal. Et si je restais les yeux ouverts ! Pour toujours. Point final. Et si je le voyais sans nom, sans verbe, si terrifié de lui-même qu'il n'oserait plus bouger. Jamais. Figé entre le tic et le tac.

Satan se repose dans la glace. Si je ne bouge d'un fil, d'un poil, de la moindre araignée, il n'existe pas.

Un homme grand, frisé, blond, qu'on avait dit mon mari, que je ne connaissais pas non plus, entrait, s'approchait, caressait un moment le chapeau de Madame de cœur et les doigts, les miens, en crochets de fer qui le retenaient. Il regardait dans le fond de mes yeux. Il vérifiait si la tache allait se mouvoir. Fixe elle restait, noire elle brillait. La main ne desserrait pas le chapeau. Il s'en retournait. Le vent claquait la porte.

Il revenait, repartait. C'était l'horloge qui, autour de la tache, s'agitait. Le point au milieu de l'horloge observait. Le chapeau murmurait de me taire à jamais. Si j'arrive à ne pas exister, la Terre s'en portera mieux...

L'hiver sifflait entre les rondins. Le papier se couvrait d'un ruisseau d'encre. Des gouttes pleuraient et des taches se reformaient. Le monde hésitait et repartait. Je voulais mourir loin de la tache, sur le papier blanc, éloignée du pays qui ne savait pas dormir sans bouger. Mourir dans le blanc de la neige, dans une étincelle de glace. Oh ! bonheur d'engourdir dans le givre.

Mais l'homme à la grande barbe fixait la tache et le monde repartait. C'était l'énonciateur, le faiseur de mondes. Le père. Notre Père.

Une goutte de sperme dans un sillon et le jour est séparé de la nuit, une autre goutte et le firmament s'échappe des eaux, une autre et les eaux se rassemblent en découvrant le continent, encore une et la verdure fend la terre, et les arbres fendent la verdure, et les animaux piétinent les fleurs, et l'homme enfonce son épée dans l'agneau.

Sept jours et le repos. Mais le septième jour ne vient pas, ne vient jamais. L'homme entretient le sixième jour, le refuse à la vie, le refuse à la mort, l'empêche de glisser dans le septième.

Le refus du sabbat : péché suprême. Le besoin de sabbat : désir suprême. L'encre est rouge, la plume est un stylet, le parchemin est une peau, le sang reprend sa tragédie, la terre se met à trembler de peur. J'ai peur. Entre la vie et la mort, l'éternité s'étire, incapable d'en finir.

Arrêtez de regarder cette tache. Dieu ! Arrêtez ! Laissez l'hiver figer le temps. Laissez dormir Satan. Laissez le temps dans son étang. Laissez geler l'étang. Empêchez le sperme de germer et d'agrandir les espaces de la femelle. Empêchez le mâle de toucher à la femelle. Empêchez l'amour et la haine tombera dans son trou, incapable de se renouveler.

Oh ! mères, arrêtez de donner vos enfants en pâture aux hommes déchaînés. Refermez les entrailles, serrez les genoux, faites mourir la bête de faim.

Au commencement était la parole, et la parole était tournée vers la souffrance, et la parole était la souffrance. Tout fut refait par Satan, rien ne fut refait sans lui. En lui était la mort, et la mort était le moteur des hommes. Mais la mort ne savait pas mourir. Et les ténèbres rutilent à perpétuité dans la lumière.

Un être fut envoyé pour y mettre un verbe. Mais les noms ont rejeté le verbe. La phrase se recroqueville, noire sur son papier de neige. Une pique déchire un ventre. Un sang recommence. Un enfant est expulsé, comment le protéger de Satan, de son vouloir et du guerrier ?

Et moi, femme qui prête mon parchemin à l'écriture du guerrier, qui verse le sang mensuel pour sa plume, moi qui lui fournis le silence pour qu'il parle, le sein pour qu'il se dresse, la chair pour qu'il morde, l'espace pour qu'il bouge, qu'ai-je à le perpétuer ?

Et si j'éteignais ma lumière ! Et si je m'éteignais ! Il ne serait pas capable, lui, d'ajouter une seconde à sa tuerie. Son histoire finirait. Ce serait le commencement du septième jour et l'éternité cesserait de ronronner ses épouvantables cauchemars.

Je ne mangeais plus, je ne buvais plus, je tenais mes orifices fermés. Sur le marbre de mon autel, plus de pain, plus de vin, plus de sacrifice. J'avais retiré la nappe, poli la surface, enlevé les toiles d'araignée, aspiré toutes les poussières. C'était fait, la cathédrale-femme était maintenant remplie de plomb. Elle était pure, pure comme la mort.

Les yeux grands ouverts, je fixais un bouton de fleur séché dans le chaume du toit. Il suffisait d'attendre que le regard s'use de lui-même. Le regard n'était plus qu'un cheveu dressant le cou et la faux approchait son tendre tranchant.

Mais il s'est mis à chanter, lui le blond, celui qu'on disait mon mari. Sa voix souterraine, caverneuse, chtonienne, roulait comme dans des larmes. C'était une voix puissante, large, profonde, tremblante. Une voix qui ne connaissait pas la lâcheté. Une voix comme une armure sur une fleur fragile, comme une cathédrale sur un peuple de misère.

La cathédrale se mit à vibrer et le plomb à fondre. De la chair se formait ici et là, douce, soyeuse, inflammable. L'araignée bondit au milieu de la toile, le bouton de fleur s'ouvrit. La faux de la mort s'éloigna du cheveu.

Mes bras l'enveloppèrent, lui, le blond mari, comme deux serpents enserrent une proie. Je l'enlaçais, l'écrasais, l'étouffais, le dévorais et, par jets, il rendait sa semence. J'allais mourir sous la faux tendre de la mort, mais un enfant allait bondir par-dessus la faux. Et puis un autre et un autre. Un collier qui de saut en saut s'échapperait de la pesanteur.

Nous sommes, nous, femmes, des Isaac impénitents. Nous donnons un par un nos enfants au tranchant de la vie. D'où vient la force surnaturelle qui nous propulse ?

Pourquoi ai-je ouvert mes cuisses à l'homme cathédrale plein de peur ? Je voulais, je crois, ramener dame Libouschka de Maramone à la vie, la couvrir de mes tendresses, lui caresser les cheveux, lui donner mon ventre comme ultime cercueil, non pour y mourir, mais pour y ressusciter en pays d'humanité.

Je voulais être son pays, un pays sans guerre et sans massacre. Je voulais l'enduire de mon amour, devenir son paradis, la contenir à jamais, fuir avec elle au sommet du Sinaï. Je voulais être le lieu où elle allait pouvoir réverbérer enfin sa pureté impossible aux anges, impossible à Dieu. J'ai vu Dieu tomber à genoux et il a pleuré devant la beauté de cette femme.

J'aurai une petite fille, et je lui donnerai tout ce que la vie n'a pas donné à dame Libouschka de Maramone et personne au monde ne s'approchera d'elle à moins d'avoir été lavé jusqu'aux os dans la pureté de cette femme.

Le village se désengourdissait, s'éveillait, s'égaillait, s'ébaudissait. Des feuilles perçaient la neige. Les femmes se réunissaient pour tricoter la laine filée durant l'hiver. Elles confectionnaient de la layette surtout. Beaucoup étaient enceintes, pas moi.

Rien n'oppressait ce village outre la nature des montagnes, parfois rudes mais toujours franches. J'étais parmi ces femmes en terre de paix. Il suffisait de faire passer le temps d'une maille à l'autre, de préparer la vie, de la tenir au chaud et puis d'en offrir les gerbes à l'espoir.

La nature était notre havre. Elle nous tenait à si petite distance des cycles de la vie et de la mort que nous ne songions jamais à nous y refuser, tout juste assez loin pour que nous puissions nous délecter en son mouvement. La nature était, nous suivions.

Lorsque la nuit approchait, j'entrais dans les caresses de mon homme, pour m'y perdre, pour y mourir. J'étais chez moi dans ce village. J'aurais voulu que le temps ne soit plus que la répétition de la même journée et la vie, la reproduction du même souffle.

Mon père ne l'entendait pas de cette façon. Il m'amena sur un promontoire d'où l'on pouvait voir aussi loin qu'à Olomouc. Dans les vallées, la fumée des villages montait, en apparence paisible. Mais qui eût l'oreille fine aurait entendu la plainte des femmes : « Pourquoi nous mettre grosses si c'est pour tuer nos enfants » ! La guerre et ses restes toujours rôdaient comme des chiens atteints de rage. Les femmes n'arrivaient pas à protéger leurs petits des combats.

Je voulais rester dans les montagnes, dans une des cabanes du hameau des Frères. Faire œuvre de femme seulement : semer le jardin, cueillir des baies et des champignons, laver la laine, filer, tricoter, tisser, récolter, vanner, affronter le froid, la rigueur, la mort pure, la mort sans haine, pourvu que ce soit loin de la guerre, loin des obsessions, des drapeaux et des épées.

Je voulais me désister. Je savais que père refuserait. Il était inutile de le lui demander.

Il avait prévu quitter Lukà dès la fonte des neiges, partir pour Skalice, Strážnice, Přerov, en terre Habsbourg encore chargée de mercenaires des deux camps et aller jusqu'à Horni Považí en Hongrie où la résistance devait s'organiser.

Incapable de prononcer un mot, je me jetai en larmes sur sa poitrine. Il m'enveloppa doucement :

— Parlez, Lisbeth, parlez, ou vous finirez par exploser.

Je me dégageai pour qu'il lise sur mon visage. Il lisait, mais ne disait rien. Je crus qu'il allait pleurer, car ses yeux se voilaient d'eau.

— Ma fille, vous ne resterez pas ici, vous y gâcheriez votre bonheur. Je comprends la tentation, mais je ne vous laisserai pas faire, même si cela me déchire le cœur. Il vous faut sortir de ce moment redoutable.

Je tremblais de tout mon corps.

— Vous me suivrez, continua-t-il. Vous me suivrez... À moins... À moins que vous ne sortiez, ici même, de votre botte de foin.

En riant, il s'éloigna de plusieurs pas, se retourna brusquement, prit un sérieux théâtral, avança en ma direction et me lança :

— Expliquez-moi, madame ma fille, pourquoi le sens de la vie n'est-il pas donné d'avance ?

Lui et sa philosophie ! En ce moment ! Je haussai les épaules, alors il décocha une autre flèche.

— Il est écrit : « Dieu se repentit d'avoir fait l'homme. » Pourquoi tout ce que l'esprit fait finit-il par décevoir ? Pourquoi est-ce ainsi ? Répondez, madame ma fille.

Je restais muette. Il fit encore quelques pas vers moi et dégaina à nouveau :

— Pourquoi l'esprit se tient-il à distance de lui-même ? Pourquoi se guette-t-il ? Se traque-t-il ? Pourquoi avance-t-il en direction de ce qu'il n'est pas, de ce qu'il ne veut pas ?

Il avança d'un autre pas. J'étais exaspérée, alors je lui criai :

— Je ne sais pas. Je ne sais rien. Peut-être que vous avez raison, peut-être que nous sommes destinés à une croissance éternelle. Mais moi, je m'en fiche !

Il écarquilla les yeux. J'étais aussi surprise que lui. Je le défiais.

— Voilà bien la chose la plus étrange et la plus belle du monde ! Qu'un enfant se retourne enfin contre son origine.

— Papa ! Je te déteste.

Je lui frappais les épaules. Je rageais. Et j'éclatai de nouveau en larmes.

— J'abandonne, lui lançai-je en m'arrachant à ses bras. Je réclame ma liberté.

— Chère madame ma fille, me répondit-il les larmes aux yeux, la liberté ne consiste pas à s'emprisonner soi-même. La liberté consiste à sortir, pas à ramper.

Le lendemain, nous décampâmes de conserve, laissant nos Frères au bonheur de la forêt et moi, je retournai à mon mutisme.

La Tchécoslovaquie avait changé de visage. Le pays ne ressemblait pas au paradis dont m'avait parlé maman. Et de loin s'en faut ! Entre le début de la guerre et la signature de la paix, la patrie avait augmenté en population allemande mais diminué de plus de la moitié en population tchèque. Dans les villes et villages considérés hussites, les pertes étaient plus grandes encore. La guerre et la recatholicisation avaient fait leurs ravages. Les hussites avaient été repoussés dans les montagnes.

Les catholiques avaient pris le contrôle de la bière, du lin, de la draperie et de la toilerie. Leurs piscicultures fleurissaient. Le poisson était chez eux obligatoire. En revanche, les commerces protestants du porc et du beurre étouffaient.

Chaque homme, chaque femme, chaque enfant avaient été témoins des plus grandes horreurs. La peur régnait. Les villages semblaient déserts, des ombres fuyaient, des portes se fermaient, des museaux de chien sortaient des contrevents.

Une garnison circulait. Au milieu de la place publique, une pie sur le gibet tenait en joue le bourg. La pie pouvait être une sœur, une voisine, un mari, un fils. L'information se vendait pour du pain. L'un mourait, l'autre mangeait.

Ici et là des fous criaient, frappaient aux portes, injuriaient un lampadaire, enlaçaient un chat mort. Près de Přerov, une femme disait ne plus pouvoir dormir. Les yeux hagards, elle finit par nous raconter :

— La servante, dans l'écurie... si malmenée par les soldats... ne pouvait plus marcher. Ils jetèrent une torche dans la paille... regardaient la misérable gigoter dans les flammes... Le valet... l'ont garrotté... l'ont étendu par terre... lui mirent en travers de la bouche un morceau de bois... lui entonnèrent un seau de purin... « Avale la bonne rasade à la suédoise », riaient-ils... Ils se mirent à retirer des pistolets les pierres à feu pour les remplacer par les pouces des paysans. Ils les ont torturés comme s'il s'agissait de sorcières. Cinq cuisaient à la broche, pour le simple plaisir de les entendre crier. On donna leur corps aux chiens... »

Ce n'est pas la mort qui était passée dans ces villages, c'était l'enfer. La mort relève de la nature, Lucifer relève de l'homme. La mort, on en revient, l'enfer on n'en revient jamais.

Comment pourraient-ils être délivrés ? Ou même simplement : comment pourraient-ils accepter d'être délivrés ? Il n'y a plus de légitimité. Dieu, lui-même, est devenu un complice.

Chaque victime et chaque témoin ont vu en eux-mêmes Satan. La désir de vengeance devient si fort que les mains ne pensent qu'à tuer. Le démon répand son venin de l'intérieur. Les femmes elles-mêmes prennent les armes. On en a vu castrer vivants des soldats ou des otages.

Le démon pousse la victime à ressembler au bourreau. Voir s'infiltrer dans son cœur ce qui nous a fait si horreur dans l'ennemi, c'est le pire de la guerre.

La paix était signée. Mais qui pouvait fêter ? Qu'était cette paix ? En fait, la guerre était entrée. Elle se cachait dans les entrailles humaines. Tant qu'il y a combat, la guerre est à l'extérieur, on la voit, on la hait. Mais lorsque les combats cessent, la guerre dévore du dedans.

Alors, comment organiser une résistance ? D'autant plus que père ne faisait pas unanimité. Il avait été le protégé de Charles de Žerotín. Or ce noble n'avait pas été sans controverse. Il était resté ambivalent durant toute la rébellion. Sa sœur aînée avait été mariée au trois fois traître Wallenstein. Certes père, alors même qu'il s'était réfugié chez Charles de Žerotín, en secret soutenait la résistance dirigée par le frère de Charles, Ladislav Velen de Žerotín. En habile géographe, père avait dessiné une carte très détaillée de toute la Moravie afin d'aider l'organisation de la résistance pacifique. Mais la chose était peu connue.

Nous arrivions près de Skalice où il était prévu de consacrer une petite église. Père supputait qu'aucune garnison ne viendrait importuner ce village trop près de la Hongrie où la famille princière nous attendait. Révérend père avait reçu une invitation de la part de la veuve royale, Szuszanna de Hongrie, pour la réforme de l'éducation dans les villes soumises à sa gouverne.

Nous avions pris campement de l'autre côté de la Morava qui, en ce temps de la saison, dégorgeait des eaux de fonte. Nous avions fait un feu sur un promontoire d'où l'on pouvait observer le village. Ablonský avait été envoyé pour annoncer notre arrivée et s'assurer du moment opportun pour la cérémonie. Un drapeau serait élevé en signe de la sécurité des lieux.

Le soleil se couchait derrière nous, jetant un linceul de sang sur le village. J'y voyais mauvais présage. Dans mon silence, chaque craquement devenait une bête, un homme, un massacre. Le voyage m'avait atterrée.

Comme l'oiseau encourage l'oisillon au vol, père me poussait vers le rebord de la corniche. Je m'étais enfouie comme une tortue dans sa carapace... Sauf que je n'avais pas de carapace. Alors je tremblais, j'étouffais, je me refusais à mon mari qui n'était homme que lorsqu'il chantait. En fait, je me refusais surtout à moi-même.

— Vous voilà madame ma fille, dans le labyrinthe du monde. Mais vous n'êtes pas encore née de lui. Et moi, j'ai beau être votre père, je suis impuissant à vous faire sortir de son ventre. Le plus difficile, c'est de vouloir se commencer soi-même à partir de lui.

Il aurait pu au moins me laisser à Lukà. À chaque fois que nous étions bien quelque part, père décidait de partir. Il avait un projet pour sauver les Frères...

— Cette percée, c'est votre affaire.

La guerre, elle n'était pas dans mes yeux, elle arrivait de partout pour me crever les yeux et mes yeux ne crevaient pas, alors elle était là dans chaque village, chaque bosquet, chaque âme. Elle guettait. Elle attendait son heure... Et il voulait que je l'écoute, que je le suive, que je me blottisse dans ses bras. Jamais !

— Puisque vous ne parlez pas madame ma fille, je vais parler. Tant pis pour vous. Bouchez-vous bien les oreilles, parce que j'ai le goût de parler.

Je lui tirai la langue. La chose le mit de bonne humeur et moi, son humeur me mit en rogne. Il s'en fichait. Il prit un caillou et le plaça sur un rocher.

— N'écoutez pas, madame mon enfant, c'est à lui que

je parle parce que, lui, il écoute et il répond, c'est le caillou aux grandes oreilles et à la grande bouche.

Il fit quelques pas en s'éloignant du caillou, se retourna brusquement vers lui comme s'il l'avait entendu dire :

— « Enlève tes sandales car tu touches une terre sacrée. »

Il faisait semblant que le caillou lui commandait comme le buisson ardent, à Moïse. Il enleva ses brodequins, ce qui fut assez long car un nœud s'était fait dans l'un de ses lacets. Il suspendit soigneusement ses chausses sur une branche et fit quelques pas en direction du village en se trémoussant les orteils. Puis il mit ses mains derrière ses oreilles pour écouter dans toutes les directions.

— La Nature parle. Je l'entends. Elle souffle : « Je suis ce qui tient son origine de soi-même et exerce son activité par soi-même. »

Il n'y avait rien à comprendre, père chavirait dans sa philosophie. Il se retourna vers le caillou et continua :

— Vous avez bien entendu, mon cher caillou, ce qu'a dit la Nature. Vous allez donc devoir vous développer par vos propres forces. Par cela vous êtes, maître caillou, un être sacré. « Moi, un être sacré ! », s'étonna le caillou. « Bien quoi, lui répond la Nature, vous êtes un champ de possibilités vaste comme le ciel. Vous avez pouvoir d'expression et même d'explosion, mon cher caillou. Évidemment vous êtes un peu tête dure. Alors, à vous de faire le caillou si cela vous plaît. Mais vous pourriez chanter mieux qu'un pinson si vous le vouliez... » « Chanter ! répond le caillou, vous êtes fou. » « Eh bien ! riposte la Nature, j'en ai vu plus d'un... »

Il arracha une jeune pousse d'arbre.

— « Voyez, continue la Nature, voyez, là, juste là, dans ces racines, il y a un tout petit caillou qui s'effrite, qui donne sa substance à l'arbrisseau, qui se glisse dans ses veines et qui s'en va chanter dans les feuilles selon la brise et le vent. »

Il remit soigneusement la jeune pousse en terre.

— Madame ma fille, continua-t-il en reprenant son sérieux. Tout en ce monde est sacré, parce que tout est un être qui devient. Dans cet univers sacré, l'homme étend d'abord tout le fumier dont il est capable. À vous d'en sortir fleur. Un jour notre mémoire doit nous vomir comme la baleine a vomi Jonas.

Il se tut enfin, s'étendit bien enveloppé près du feu et, après quelques minutes, se mit à ronfler doucement comme un enfant sur sa mère.

La cérémonie n'eut pas lieu dans l'église, mais sur la place du village. Trop de gens étaient venus de toute la Moravie, de Bohême, de Hongrie et même de Transylvanie. Pour certains, ils retrouvaient un ami, d'autres venaient entendre un éducateur renommé dans toute l'Europe, un petit nombre cherchaient une philosophie, une pansophie, quelques-uns s'attendaient même à voir un saint, mais pour tous ou presque, c'était d'abord leur *senior*.

Et leur *senior* venait leur indiquer la direction à prendre, la direction de la résistance. Il incarnait l'espoir de leur Église. Cette Église, c'était tout ce qu'il leur restait.

Ablonský avait fait enlever la potence et élever une tribune. Il avait réuni les meilleurs choristes. Un cantique fut entonné, la foule devenait une seule personne, féal de Dieu, fidèle de la communauté :

Je suis celui qui voit ton humiliation ;
c'est moi qu'on amène à l'abattoir ;
on ronge ma chair et ma peau ;
on brise mes os ;
on amoncelle contre moi ;
on met tout autour poison et nid de vipères ;

dans les ténèbres on me fait habiter un tombeau.
On m'emmure vif...

Une lamentation qui n'avait que la musique pour délivrance. Révérend mon mari disposait du pouvoir de faire rayonner le fer le plus terne par la force brûlante de sa voix.

Père s'avança pour le prêche :

— Sœurs et frères dans l'épreuve, je ne vois qu'une résistance possible pour l'Église spirituelle que nous sommes : universalisation, éducation, démocratisation. C'est le seul chemin possible. Nous habitons le labyrinthe pour qu'en lui advienne l'homme. Ce qui nous intéresse dans le labyrinthe, ce sont les germes d'humanité. L'éducation consiste à fournir à ces germes les meilleures conditions de déploiement. La démocratie consiste à faire en sorte que chacun de ces germes participe à la métamorphose du labyrinthe en lieu de vie proprement humain. J'entreprends une vaste consultation. Je veux savoir quelle solution vous proposez. Il faut penser à une constitution qui puisse permettre à l'homme de devenir individuellement et collectivement humain...

Tel était son message. Un message qui tombait comme une pierre dans l'eau. L'onde de surface partait dans toutes les directions, mais la pierre, on ne l'avait ni vue ni entendue. Elle était tombée au fond.

Personne n'avait compris. Les uns disaient qu'il fallait se faire catholiques, les autres qu'il fallait se faire calvinistes. Beaucoup crurent que Comenius avait renoncé et que son discours n'était qu'une parole compliquée pour camoufler sa démission. On craignait qu'il ne s'agisse que d'un pur et simple sabordage.

Qu'allait-il advenir des Frères ? Personne ne l'imaginait plus. Père voulait que chacun y participe, mais la population ne voulait pas faire l'Église, elle voulait se consoler en elle, se rouler en elle comme dans une mythologie.

Nous cherchions un lieu de retranchement alors qu'il nous voulait acteurs. « Faire l'homme » était le défi lancé, mais nous, nous nous attendions à être faits hommes par une élection de Dieu. De la liberté d'advenir à soi-même, personne ne voulait, surtout pas moi.

Chapitre 3

L'école du théâtre

À Lednice, un dénommé Nicolas Drabík, prédicateur enflammé des Frères, avait prophétisé rien de moins que la défaite de l'Antéchrist bicéphale : « J'ai vu Lucifer transpercé, la couronne et la tiare tomber toutes les deux dans la fosse. Tête d'empereur et tête de pape étincelaient comme charbons dans les flammes des enfers. Son héroïque Altesse le prince de Hongrie avait renversé le démon. Triomphe ! sonnaient les trompettes de Dieu. Victoire ! chantaient les anges. Le prince hongrois, applaudi par tous les princes de la Terre, avançait jusqu'au trône de l'archange saint Michel. Honneur aux protestants magyars d'avoir délivré la croix de la glu des deux tyrans... »

Cela avait soulevé de nouveaux espoirs. Le salut pourrait venir du sud, de Hongrie. Mais la terre est un prisme qui inverse les lumières du ciel. Le monde est le contraire du souhaité. Dans le cercle des anti-prophéties, c'est-à-dire sur terre, le prince de Hongrie eut l'audace de conclure une paix séparée avec l'Empereur. Une fois encore nous étions trahis. Cela s'était passé quelques années avant notre arrivée à Sárospatak.

Drabík voulut se venger et, à force de prières, fit tomber les foudres de Dieu sur le prince. Le prince mourut l'année même des traités de Westphalie.

Sa veuve, Szuszanna de Hongrie, nous avait invités. Tout en pestant contre Drabík, le prophète de malheur, elle n'était pas insensible au projet de sauver la Réforme. Son plan commençait avec le mariage de son fils Sigmond avec Henriette-Marie, fille de Frédéric le palatin, le héros de Bohême. Le mariage serait magnifique et scellerait une alliance prometteuse. Les forces protestantes pourraient à nouveau s'unifier et renverser l'Antéchrist. Tel était le nouveau rêve.

L'espoir de la Réforme glissait donc de la Suède à la Hongrie. De ce fait, père passait du Nord au Sud. Il avait l'art d'aller à l'endroit précis où le malheur arrive. Là où le pire peut germer, père pensait que le meilleur pouvait surgir.

N'était-ce pas grâce aux Turcs si la Hongrie avait échappé aux Habsbourg. Le Turc avait plaisir à entretenir la division dans la chrétienté. Il était question d'une grande coalition suédo-hongroise, forte de l'alliance des Cosaques, des Tartares et des Turcs, contre les Habsbourg et leur protégé, le pape.

La petite ville de Sárospatak devenait soudain l'orifice potentiel du plus gros volcan de ce siècle de malheur et, de ce fait, avait toutes les chances du monde, selon mon père, d'engendrer la véritable réforme de l'Église. Car, pour lui, l'Église ne s'était jamais réformée et c'est pour cette raison que la folie ravageait le monde.

Plutôt que cette guerre dont il ne pouvait sortir que les pires calamités, révérend mon père conseilla de poursuivre simplement mais intensément l'amélioration des affaires humaines. Plus précisément, il proposa de commencer la réforme par la famille princière elle-même et, grâce à l'éducation, d'étendre cette réforme du château à toute la ville, puis de la ville au pays, du pays à la Bohême, de la Bohême aux Allemagnes... La joie serait l'arme ; la sérénité, le moteur de l'éducation. « Si notre foi donne un bonheur vrai, elle n'a pas besoin d'autres propagandes, disait père, et si elle ne procure pas le bonheur, aucune arme ne suffira. »

Il gagna la faveur de la gracieuse et noble douairière, veuve Szuszanna, mais il n'était pas question de réformer la famille princière. Il envoya Ablonský à Berlin pour négocier le mariage de Sigmond avec la princesse Henriette-Marie. Nous reçûmes résidence, devoir et pouvoir de réformer l'éducation au château, dans toute la ville et ses fiefs et ce, contre une jolie rente annuelle de six cents florins.

Nous pûmes enfin nous installer dans une vraie maison, un petit domaine comprenant vigne, jardin et verger. Dame Johanna et les enfants arrivèrent au cours du mois (Ludmila et Pavel ne voulurent pas quitter Leszno). L'été brillait, le potager donnait, les poules picoraient, Suzanna et Daniel s'ébattaient dans les champs des environs, Johanna, radieuse, s'occupait de toute la maisonnée. Une chaleureuse quiétude construisait son aire, une clairière enfin dans ce malheur.

Ablonský parti, j'assistais moi-même révérend mon père sans autre poids que son allègre volonté. Affairés comme des abeilles, nous allions d'un pas léger. Père rayonnait d'énergie. Il voulait refaire le monde. Il y croyait. En réalité, il ne se demandait même pas si la chose était possible, elle était nécessaire et cela lui suffisait. Il mettait l'épaule sous la montagne et, sifflotant, poussait et poussait encore, convaincu de faire basculer ce monstre que l'on nomme : habitudes.

Discours et imprimés, visites et délibérations annonçaient ses intentions. « La culture d'un peuple, écrivait-il, se mesure, non pas à ses particularités, mais à son intérêt pour l'humanité entière. Une culture rayonne dans la mesure où son éducation va jusqu'au fond de l'homme et des choses. Devenir homme ou femme soi-même constitue le premier pas. Accompagner chaque enfant est notre premier devoir. »

Parmi toutes les publications, il osa divulguer une traduction de quelques prophéties de Drabík. Il espérait, par une édition sérieuse, contrer les exagérations dues aux rumeurs tout en donnant de l'espérance. Ce n'était là qu'une brique parmi des pierres bien plus importantes.

Le soir et très tôt le matin, père travaillait à d'énormes ouvrages : le *Trésors de la langue tchèque*, il y cumulait des notes depuis plus de vingt-cinq ans, la *Consultation*, qui prenait l'allure d'un colosse incapable d'arrêter sa croissance, le *Monde idéal* et bien d'autres œuvres, sans compter les archives des Frères qu'il fallait constamment renouveler. Peu importe, lui et Johanna n'avaient rien à faire de la fatigue et moi, j'oubliais la mienne.

Notre petit domaine se trouvait à flanc de colline entre le château, plus haut, et la petite ville, plus bas. Le bourg n'était en fait qu'une longue rue courant le long de la rivière Bodrog. Nous allions du château à la place de ville pour négocier, discuter, distribuer nos opuscules, organiser des réunions, écouter... Chaque guilde, église, taverne, école, regroupement étaient consultés.

« L'école doit être pansophique, préconisait père, elle doit viser l'épanouissement complet de tous jusqu'à faire de chacun un être souverain, un lieu de rayonnement, un levier de la démocratie. Tous, filles et garçons, pauvres et riches, infirmes et bien portants, lents d'esprit et subtils en pensée, de la conception jusqu'à la mort doivent être en chemin vers l'épanouissement de soi par l'épanouissement d'autrui. Qu'un seul soit mis de côté et l'entreprise entière perd sa légitimité... »

« Chaque école doit être conçue comme un petit paradis. Perçons le bâtiment de grandes fenêtres, entourons-le d'un jardin parsemé d'arbres, transformons ses murs en exposition, car c'est la nature qui, en premier, doit enseigner. Les élèves entendront les oiseaux, toucheront des animaux, seront constamment façonnés par la tendresse de la vie... Tout ce qui est enseigné doit être montré. La culture véritable n'est qu'un chenal entre la nature intérieure et la nature extérieure. Sur ce chenal, l'éducateur joue le rôle d'un passeur. »

« Toute violence sera chassée de l'école. Parmi les violences : la grisaille des lieux, l'austérité des classes, la rigidité des bancs, l'inactivité physique si contraire à la nature des enfants... L'école n'a tout simplement pas le droit d'engendrer le dégoût de l'expérience et de la connaissance. L'école doit devenir le foyer de tous les rendez-vous, le centre d'un miroir concave dans lequel vient se refléter l'univers entier. »

« Il faut enseigner tout. La pansophie ne consiste pas à acquérir des connaissances éparses, mais à rencontrer la totalité. Son but consiste à libérer. Que tout soit libéré en chaque enfant, la nature dans sa totalité, l'homme en sa totalité. »

« Toute la communauté se doit à l'école. Le soleil est immense et d'une très grande chaleur et pourtant, il ne peut allumer la moindre brindille à moins de concentrer ses rayons. Qu'un couple concentre son amour, il en résulte un enfant. Qu'une communauté concentre ses enfants, et nous avons une école. L'école n'est rien d'autre que de l'amour concentré. »

En fait, père revendiquait tout le contraire de ce qu'était l'école en Hongrie. Une brève inspection nous avait donné la mesure de l'inversion dont était capable le labyrinthe du monde. Par la désastreuse défaite de Mohács au siècle précédent, les Turcs s'étaient rendus maîtres de la plaine hongroise pour des décennies. On le disait et ils l'avaient prouvé ici plus qu'ailleurs : « Leur façon de raser la campagne est la plus grande terreur du monde. » On y mettait à paître tant de moutons, de chèvres, de chameaux et de chevaux que la terre rendait l'âme. C'étaient des fabriquants de désert.

Ils étaient repartis, oui ! Mais pas le désert. L'agriculture et l'économie agonisaient.

La misère et le désespoir sapaient l'ardeur des habitants. Les officines, les échoppes, les ateliers, les forges murmuraient à peine. Hommes et femmes baguenaudaient autour d'une place du marché sans marchandises, perdant en querelles et fadaises ce qui leur restait d'énergie. Lettrés et savants avaient quitté le pays. Il n'y avait, pour maîtres de classe, que de jeunes étudiants plus préoccupés de leur propre avenir que de l'instruction des enfants. On entassait dans des abris de fortune des jeunes qui, à force d'ennui, n'étaient plus contrôlables, croyait-on, que par le fouet.

S'ajoutait à cela le fait qu'un grand nombre d'enfants avaient été témoins de toutes sortes d'horreurs. Leur confiance était dévastée. Ils craignaient l'avenir autant que leurs souvenirs, leurs aînés plus encore que leurs compagnons. L'angoisse les poussait à l'insubordination, l'insubordination amenait le fouet, le fouet amplifiait leurs peurs, l'angoisse augmentait et le cercle vicieux se resserrait.

La situation était si catastrophique qu'une réforme à l'échelle nationale n'était pas concevable. Il fallait d'abord allumer une espérance. Père opta pour l'exemple. L'école du château sera transformée en modèle. Il eut l'idée de prendre pour moteur de sa réforme le théâtre. « Nous ferons une école de la scène, avait-il commandé. Les élèves seront stimulés par le désir de faire bonne impression, les parents participeront, la communauté sera fière d'elle-même et sortira de sa torpeur. »

Il fallait d'abord convaincre le pasteur calviniste, l'austère et inflexible révérend Jonas Tolnai. Père écrivit une pièce intitulée *Diogène le cynique*. Elle fut jugée « trop profane pour une entreprise aussi sacrée ». Il composa *Le Patriarche Abraham*... « Il ne fallait pas utiliser un texte aussi sacré à des fins si profanes ! » Il se remit à l'ouvrage et transforma son plus célèbre livre scolaire, *La Porte ouverte des langues*, en une série de saynètes fort éducatives permettant la participation de toute une classe. Le pasteur dut rendre les armes.

Le deuxième obstacle venait du maïeur de la guilde des cordonniers, le plus riche sinon le plus puissant personnage du bourg. Malgré la grotesque infatuation de soi dont faisait preuve cet homme, on le disait constamment sur la défensive. Il ne se gonflait pas seulement en paroles, on racontait qu'il était devenu si gras qu'il chancelait sur ses trop délicates chevilles. Il se méfiait de tout le monde, recevait rarement et agissait généralement par messagers ou émissaires. Il fallut l'intervention de la veuve royale pour être admis chez lui.

Au premier contact, père eut le souffle coupé. Il me raconta plus tard que le maïeur ressemblait à s'y tromper à un traître morave qu'il avait jadis rencontré. Cet homme, qui aujourd'hui devait être très âgé, avait fait fortune en vendant un de nos représentants tchèques, un dont la tête fut exposée en haut de la tour du pont Charles. Ce traître avait depuis toujours réputation de cruauté, on racontait qu'il avait battu son fils unique au point de l'avoir tué. Mais jamais on n'avait trouvé le corps du jeune garçon.

Quoi qu'il en soit, le riche bourgeois nous reçut poliment. La discussion fut brève. Seul l'argent princier put venir à bout de son entêtement.

Une grande salle du château fut transformée en sept classes séparées par des cloisons de maçonnerie. Père me désigna professeur du Vestibule, la cohorte d'alphabétisation. Pas de rouspétance, il se fichait de mon mutisme chronique. Après tout, c'était la plus petite classe : soixante-deux enfants de cinq à dix ans lorsque dame Johanna aura terminé de convaincre les mamans de laisser partir leurs fillettes. Des bambins et des bambines qui avaient besoin de moi... Moi qui avais eu la chance d'avoir été élevée par lui... Moi qui connaissais dans le concret et depuis toujours sa *Grande Didactique* et tous ses autres traités de pédagogie... Moi qui étais si intelligente et douée... Et il termina son implacable plaidoyer par cette phrase que j'allais comprendre plus tard : « Ton enfance a quelque ressemblance avec la leur. Tu avais à peine deux ans lorsque nous quittâmes la Moravie en guerre, tu sauras les comprendre. »

Je n'avais été capable d'aucune riposte, pas même d'un seul mot, cela aurait dû suffire à le convaincre. On n'enseigne pas sans rien dire !

De la paysannerie jusqu'aux bourgeois en passant par toute la valetaille, les familles directement rattachées au château devaient y envoyer leurs enfants, par ordre de Son Altesse Szuszanna. Une compensation était fournie selon les besoins pour la privation du travail des enfants. Jusqu'aux gueux matriculés d'envoyer leurs marmots.

L'école devait débuter après la fenaison, un congé de deux semaines était prévu pour les vendanges, d'autres pour la Noël et les Pâques. Mon enseignement annuel se diviserait donc en quarante-deux semaines de trente heures, chaque heure étant séparée par des jeux récréatifs de trente minutes. Tout était prévu dans le manuel. Le temps approchait et la peur troublait mes nuits.

Père, après conseil auprès des familles, m'avait proposé trois décurions : Junior, fils du révérend Tolnai, huit ans, nerveux et vif d'esprit, très en avance sur les enfants de son âge, Aron Günc, fils du forgeron, sept ans, un peu bourru, remarquable en mathématique et connaissant déjà son alphabet, et Thlem Fony, huit ans, fils du premier valet de Son Altesse, le plus doué sans doute, lisant aussi bien le hongrois que le latin. Libre à moi de choisir plus tard, parmi les parents, un ou deux répétiteurs.

Le jour fatidique arriva. J'étais très anxieuse. Dès six heures du matin, dame Tolnai, la tête émergeant à peine d'un col de guipure qui lui enserrait le cou jusqu'aux oreilles, guimpe sur la tête, dentelles d'un blanc immaculé, m'amena son Junior endimanché, tout roide dans ses étoffes, chapeau noir sur la tête et plus sérieux qu'un empereur.

— Vous êtes mieux mon fils de faire honneur à la famille, lui dit-elle, en lui plantant le doigt dans le creux de l'épaule. Révérend Comenius vous a confié cette classe. Que je n'apprenne pas qu'il y manque de la discipline ! Soyez respectueux avec madame. Si quelque chose ne va pas, votre père devra être immédiatement avisé. Vous m'entendez !

Et elle se retira sans me dire un mot, mais non sans m'avoir regardée de haut en bas, haussant les épaules et laissant échapper un grommellement dans lequel je crus discerner : « Une fille ! Une muette ! »

Junior se mit à inspecter les lieux à la manière d'un gendarme. Au bout de deux ou trois tours de classe, il s'approcha de moi et me lança :

— Combien de décurions dans cette classe ? Qui sont mes assistants ? Qui connaît son alphabet ?

Je lui fis signe d'arrêter ses questions, car il avait toujours son chapeau sur la tête. Comme il fuyait mon regard, je lui pris les deux épaules et l'invitai à se décoiffer. Ce qu'il fit non sans hésitation. Je le remerciai d'un sourire. Il sembla le recevoir comme une gifle, tourna des talons et se mit à faire les cent pas.

J'entendais battre mon cœur. Du pouce, je tournais le jonc de maman qui flottait sur mon index. Depuis plusieurs jours, j'étais incapable de manger.

Arriva Thlem Fony, habillé d'un justaucorps aussi coloré qu'il était recommandé de l'être à la cour de Son Altesse. Il me salua en soulevant un instant son bicorne à plumes et avec la plus charmante galanterie me fit :

— Je suis à vous madame. En ce beau matin, que dois-je faire pour vous être agréable ?

Si je n'avais pas été aussi anxieuse, je serais immédiatement tombée sous le charme de cet enfant. Mais l'heure approchait comme un nœud coulant se referme.

On frappa sur le cadre de la porte : trois coups bien sonores. Un gaillard, court sur jambes mais énorme d'épaules, portait sur son bras un loupiot rondelet qui s'agrippait à lui.

— Que ça, fils, c'est pas une matrone que tu vois, mais la plus gentille dame du château. Pardi juré ! Il n'y aura pas de guerre ici, mais, à demi, le paradis.

Il décrocha l'enfant et, de son énorme main, le poussa délicatement. Le garçon se mit à courir, fit deux ou trois cercles et se braqua droit devant moi les deux yeux noirs bien enfoncés dans les miens. Ce qui déclencha le plus retentissant des rires chez le père. Oubliant un instant mon angoisse, je m'approchai du taquin, lui enlevai son chapeau et fit signe à Thlem et Junior de déposer, eux aussi, leur coiffure sur les crochets près de la porte. Ce qu'ils firent sous le regard attentif du forgeron, donnant ainsi un court répit à mes angoisses.

Tolnai junior sortit de sa poche une lorgnette sertie dans une monture en or et se mit à lire dans un petit livre riche en miniatures, ce qui impressionna grandement Aron, le fils du forgeron.

— C'est du butin ! s'exclama-t-il.

— Eh quoi ! répondit junior.

Thlem, qui avait vu bien d'autres richesses, m'observait. Je fis signe aux trois décurions d'approcher du tableau où j'avais écrit mes instructions.

Un à un, les garçons arrivaient accompagnés de leur mère, parfois de leur père qui les mettait invariablement en conseil : « Si j'entends dire... » ; « Donne à rire et tu verras... » ; « T'as besoin de te tenir... » ; « De la discipline, soldat » ; et encore. Sauf exception, chaque petit recevait un dernier coup d'œil d'avertissement avant de voir partir sa maman ou son papa. Mais le plus sévère était pour moi. L'ordonnance n'avait pas besoin d'être prononcée, elle sortait du regard comme une taloche : « Si jamais, il revient d'ici malpoli, malappris... la preuve sera faite qu'une fille n'est pas de nature à faire un homme d'un enfant. »

Je les confiais à leur décurion qui indiquait la place de chacun autour de trois grands cercles côte à côte que j'avais dessinés à la craie sur le plancher, avec le nom des enfants. Nikolaï, le fils du maïeur de la guilde des cordonniers qui n'avait que cinq ans, arriva tout fin seul. Il fut chaleureusement accueilli par son ami Junior. On laissa un large espace vide autour de l'enfant, tout rouge de cette attention.

À mesure que la classe se remplissait, le silence croissait, un air d'austérité s'installait et chaque garçon semblait se transformer en statue de sel. On se serait cru dans une ville assiégée. Arriva frérot Daniel qui voulut bien égailler sa cohorte, mais n'y put rien. Sa présence au contraire ajouta à l'inquiétude, car Junior son décurion lui jeta un regard de bravade digne d'un chevalier lançant le gant.

L'heure prévue approchait. Les garçons assis par terre sur leur nom paralysaient à mesure qu'ils s'observaient mutuellement. Un paysan à côté d'un teinturier, un vitrier à côté d'un valet, un boulanger à côté d'un maître de guilde, tous assis à la même hauteur, décoiffés de leur distinction, les amis, parfois éloignés, les ennemis, soudain rapprochés. Le silence devenait de plomb.

Je m'inquiétais des filles... quand des rires et des pépiements se firent entendre. J'allai à la fenêtre. Dame Johanna montait la colline avec son troupeau de fillettes joyeuses. Sous le soleil encore jaune, piétinant le champ fraîchement fauché de leurs sabots bourrés de paille, un essaim de bambines bigarrées...

Je fis signe aux garçons de venir jeter un coup d'œil. Chacun de regarder son décurion. Aron, fils du forgeron, invita sa cohorte aux fenêtres. Thlem et, un instant plus tard, Junior suivirent son exemple. Le vitrage était trop haut, les uns devaient grimper sur les autres, se relayer, ce qui entraîna un singulier tintamarre.

Frappant des mains, je fis signe de retourner aux places. Personne n'hésitait. Malgré cela, Junior commanda d'une voix de colonel :

— À vos décurions, en silence tous.

En un instant, ils y étaient, immobiles et muets comme des soldats de bois. Ils connaissaient trop bien l'armée et la peur. Dehors, Johanna avait entonné un chant, sauf que les bambines ne connaissaient ni l'air, ni les mots. La cacophonie aurait fait rire Calvin lui-même, mais personne de ma classe. Elles entrèrent plus qu'enjouées ; les garçons, au garde-à-vous, ne bronchaient pas d'un poil. Les petites demoiselles se turent net.

Johanna lut sur mon visage tout l'accablement. Elle demanda aux décurions de venir chercher leurs écolières. Ce que fit diligemment Thlem, suivi d'Aron. Dame Johanna tapa du pied et Junior s'exécuta.

C'était l'heure : devant moi, trois anneaux de bambins anxieux, et moi, j'étais en train de prouver toutes leurs craintes et les miennes...

— Vous connaissez tous madame Élisabeth, dit Johanna aux enfants. Elle est discrète et ne parle pas pour ne rien dire, mais il n'y a pas de meilleure institutrice.

Puis elle me laissa la place, s'assit près de la porte, sortit son tricot. Chacun avait apporté une grande ardoise et une petite pierre pointue pour écrire. La peur se lisait sur leur visage. On entendait le bourdonnement des mouches, si nombreuses en cette saison.

Junior tapait du doigt sur le plancher. Oh ! très légèrement, mais au rythme du tambour. Cela me plongea dans une angoisse indescriptible.

J'entendais mon cœur battre. Chaque battement donnait l'impression de s'étirer comme pour rejoindre l'éternité. Trop d'yeux me regardaient. Trop de peur, trop de frayeur. J'étouffais...

Cette peur semblait bien plus grande que l'école, bien plus grande que tout. Un effroi disproportionné. Des corneilles craillaient et j'entendais au loin comme des cris de femmes et des tirs d'arquebuse. J'étais ruisselante de sueur et pourtant grelottante. J'allais m'évanouir.

Je fermai les yeux, pris une difficile respiration. Un halo laiteux tremblait devant mes paupières. J'ouvris les yeux. Le halo persistait. Je ne voyais plus rien. Des troupes s'avançaient, pique à la main. Cette peur... C'était la peur de la guerre... Je suffoquais. Je la connaissais trop bien. Non ! je ne la connaissais pas. J'avais été protégée... Elle était soudain là, tout entière entre deux battements de mon cœur. Elle avait été pliée, repliée, chiffonnée, compressée dans une seconde de mémoire qui voulait s'ouvrir, en cet instant même. J'allais éclater. Je ne voyais plus ma classe, des images se mélangeaient...

... À peine un filet de lumière entre les planches... Des cris, le hennissement des destriers, un terrible fracas et puis le silence, le baragouin des soudards qui flairaient. Pas un mot, pas un son, nous retenions jusqu'à notre respiration Ablonský et moi... Bébé Ludmila entre les bras d'Ablonský... Ma main sur la bouche de bébé. Trois dans un coffre attaché sous le fourgon. « Ils nous ont pris les enfants à Prérov, certifiait père, voici les papiers ». Maman répétait en gémissant : « Ils me les ont pris... » et elle pleurait à grands cris pour couvrir le silence. Il ne fallait pas éternuer, ni tousser. Ludmila me regardait effrayée. Elle étouffait. Elle ne devait pas pleurer. Elle ne devait pas bouger. Elle ne devait pas tousser. Pas le moindre bruit. Ablonský la tenait ferme. Je gardais la main sur sa bouche... « Certificat signé des jésuites... » garantissait père et il parlait fort, avec beaucoup d'explications.

Maman sanglotait. Ludmila bleuissait sous ma main, les yeux exorbités... Je soulevai légèrement la main, mais elle allait crier. Je resserrai... Les chevaux du fourgon se mirent à piaffer, une poussière épaisse entrait dans le coffre. Il ne fallait pas éternuer, pas le moindre bruit. Dieu béni ! Le fourgon se mit enfin à avancer. Je soulevai ma main. Ludmila ne respirait plus. Ses yeux vitreux me fixaient. Il y eut de grands cris. Les soudards avaient capturé deux des enfants de dame Sophia. À travers une fente, je voyais... Dame Sophia criait : « Mes petits, ne les tuez pas, ne les tuez pas... » et elle se lamentait en se frappant la tête. Attachés comme des poches sur le dos d'un âne, les garçons hurlaient : « Maman, maman.. » Par terre... le corps d'un bébé... sous une énorme pierre... le corps inerte d'un bébé... C'était Pascal, le benjamin de madame Sophia... Ludmila se mit à pleurer... Les chevaux partirent au galop... Nous étouffions dans la poussière... Dame Sophia s'était écroulée par terre. Père courait vers elle...

— Madame, madame, nous sommes prêts...

Aron Günc me tirait la main, Daniel, à ses côtés, me regardait. Soixante-deux paires d'yeux apeurés me fixaient. Johanna n'était plus là. Une lumière presque surnaturelle inondait la classe. Une petite fille se moucha avec le bout de sa manche, un petit garçon se balançait en serrant son ardoise, tous pendulaient, anxieux, tremblants.

Ils avaient connu la guerre. Chacun avait caché tant bien que mal ses souvenirs. Le silence devenait dangereux. Des souvenirs allaient éclater, aussi horribles que les miens, pires peut-être !

Je serrai le jonc de maman. La lumière était éblouissante. Tous ces visages avaient quelque chose du soleil perçant à travers d'horribles nuages. J'avais vu ces enfants jouer, j'avais entendu leur rire. On aurait dit des écureuils perchés grignotant une noix, aux aguets, prêts à déguerpir au moindre cliquetis.

Les cloisons sont fragiles entre les souvenirs. La

gaieté des enfants tient sur une mince feuille de porcelaine. Sur la chaise abandonnée de Dame Johanna... La forme de maman. Elle tricotait en chantant. L'image m'apaisa. « Ma grande fille, à mes petits, il faut une maman. Tu comprends cela ! », disait-elle.

Chaque enfant était devant moi dans sa clarté. De si beaux visages qui me regardaient comme si le jour devait venir de moi. Une fillette allait pleurer. Je m'approchai d'elle sans réfléchir :

— Ne t'inquiète, fille... La guerre est terminée. Écoutez les enfants. Une princesse chevauche un beau cheval blanc... Cheval blanc, continuai-je en chantant, viens, viens de par le vent, cours, cours dans les courées. La guerre est terminée... Cheval blanc, viens, viens de par le vent, cours, cours dans les courées. La guerre ne reviendra plus jamais...

Les enfants se mirent à reprendre la comptine. Une intense clarté inondait toute la classe.

— Plus de reîtres, plus de soudards, plus de tartares, c'est terminé les enfants. On va apprendre maintenant des choses amusantes. Il ne faut plus avoir peur.

Une petite fille se leva, courut et se jeta dans mes bras. Son petit frère tenait bien haut la main levée en se mordillant les lèvres. Je lui fis signe de parler.

— C'est vrai, papa l'a dit, ils ne reviendront plus.

Un doux chuchotement se mit à circuler entre les enfants. Les uns toussaient, les autres éternuaient. Mon visage se décrispa. De ci, de là, de petits rires surgissaient comme des fleurs. Après Daniel, Aron Günc retourna à sa place en laissant échapper :

— Maman l'avait dit : « Est muette la Lisbeth ? Non ! C'est ragot. Elle parle ce qu'il faut, c'est tout. »

La petite que j'avais dans les bras me pinça le nez et toute la classe s'esclaffa. Je la déposai par terre, et lui donnai une petite tape aux fesses pour qu'elle aille s'asseoir à sa place. Chaque enfant étincelait comme un phare.

Une phrase de père résonnait dans mon esprit :
« Voici une créature apprêtée pour l'immortalité qui doit
faire de la mort son métier. » Plutôt qu'un poids, chaque
enfant venait pour ma délivrance. L'espace était soudain
large, l'air pur, le coffre sous le fourgon s'était ouvert et
je m'étais enfuie. J'étais née du labyrinthe.

J'entrepris, *allegretto*, ma première leçon :

— Debout les enfants... Tenez-vous la main et tournez
autour du cercle de votre décurie jusqu'à ce que vous
repreniez votre place... Est-ce que quelqu'un peut prononcer la voyelle que vous venez d'écrire avec vos pieds ?

— C'est un « O », s'écria Ruská.

— Punition, intervint Junior son décurion, on doit
lever la main avant de parler.

— Très juste, décurion Junior.

Je demandai au petit Ruská de s'approcher de moi.
Toute la classe tourna les yeux vers le bâton suspendu
près du petit tableau noir. Nikolaï ne put retenir un cri de
peur. J'avais une autre solution :

— Prends le bâton, Ruská, oui, prends-le. Maintenant,
fais un « O » sur le tableau avec ton bâton.

L'enfant tremblotait si fort que son « O » ressemblait
bien plus à un tortillon qu'à une quelconque voyelle.

— Je ne frapperai aucun enfant, intervins-je. Dans
cette école, il n'y a que les grosses méchancetés répétées
qui peuvent être punies par le bâton, jamais avant deux
avertissements et c'est le révérend Komenský qui s'en
chargera. (Me retournant vers le petit Ruská.) Alors
remets le bâton à sa place, il sert seulement aux démonstrations, prends la craie blanche qui est là et fais-moi un
grand « O » bien rond.

L'heure du pain arriva. En effet, il était prévu que
chaque enfant reçoive un petit pain avant la première
récréation. « Un ventre creux n'apprend rien », avait
plaidé monsieur le directeur mon père devant le chancelier du château. Beaucoup d'enfants mangeaient goulû-

ment comme si c'était là leur premier repas de la journée, quelques-uns regardaient le pain comme un tel trésor qu'ils hésitaient à le croquer, sans doute ne connaissaient-ils que la bouillie d'orge. Un petit le cacha dans sa chemise.

— Tu ne manges pas ton pain, lui demandai-je.

Il ne répondait pas.

— C'est pour ta maman ? lui soufflai-je.

Il fit signe que oui.

— T'es vraiment un bon garçon. Donne-moi ton pain.

Je déchirai le pain en deux, lui ordonnai de manger la moitié et mis l'autre portion dans sa besace.

— Il faut te nourrir pour apprendre, c'est toute ta famille qui en profitera.

Le reste de la journée, nous avons dansé le « O », chanté le « O », écrit le « O », trouvé des cailloux en forme de « O », fait l'inventaire de fleurs en forme de « O », repéré la lettre « O » dans des proverbes peints sur les murs. Du « O », nous passâmes au chiffre zéro et à partir de ce nombre fut amorcée la leçon de métaphysique. Car il fallait enseigner tout dès la première journée et le premier tout, c'était rien.

Comme prévu dans le manuel, j'énonçai les deux consignes :

— Vous devez trouver deux objets, le premier ressemblera à la forme du nombre zéro et le deuxième est très difficile à trouver, c'est zéro lui-même, le vrai zéro en personne.

La dernière récréation fut consacrée à ce jeu. Au retour, après que tous les enfants eurent montré leur premier objet, je répétai la deuxième question :

— Quelqu'un a-t-il trouvé zéro ?

Silence... Et lentement, prudemment, Thlem leva la main :

— Zéro, suggéra-t-il, on ne peut pas le trouver parce que c'est rien...

La classe était muette d'admiration, sauf peut-être Junior qui lança un regard de défi en direction de Thlem.

— Retenez bien ceci les enfants. On peut écrire même des choses qui n'existent pas. Le zéro est concevable dans votre raison mais il n'existe pas dans la réalité. Il est très important de garder à l'esprit que parfois des mots ne se rapportent pas à des choses, mais seulement à des représentations dans notre imagination.

La cloche sonna la fin de la journée. Trois enfants cependant n'étaient toujours pas capables de dessiner un cercle et de le nommer clairement : « O ». Je décidai d'aller les reconduire jusqu'à leur maison en tentant de découvrir pourquoi ils n'avaient pas compris la leçon. Le premier avait simplement de la difficulté à prononcer la voyelle. Il n'entendait pas bien. Chuchotant dans chacune de ses oreilles, je m'aperçus qu'il était sourd de l'une d'elles. Il fut convenu qu'il occuperait une place plus appropriée dans la classe. Le deuxième manquait de dextérité. Il arrivait à trouver des « O » partout où il posait l'œil, mais ne pouvait que dessiner des gribouillis. Je lui recommandai de s'exercer en faisant d'énormes « O » autour de lui avec un bâton, puis de rapetisser les « O » jusqu'à la grosseur d'un gobelet.

Mais la petite Toscana, au toupillon frisé et noir comme le charbon, se figeait à la moindre question et se mettait à marmonner rien de discernable. Elle était incapable de me regarder dans les yeux, ni même de fixer son attention sur quoi que ce soit. Elle m'amena à plus d'une heure du bourg, au sommet d'une petite colline de l'autre côté de la rivière.

Je n'avais jamais rencontré sa mère, tout le monde en parlait, mais personne ne lui adressait la parole. On l'appelait l'« étrangère ». Elle était venue enfant, on ne savait d'où, avec trois brebis angoras d'une laine rare. Elle se disait bergère mais n'avait ni durillons aux pieds, ni cals aux mains pour le prouver. « Blanche comme neige et douce comme soie était sa peau », disait-on. Comme si chacun l'avait vue se baigner dans la rivière ! Elle s'installa sur un lopin de roche dont personne ne voulait et se mit à filer une fibre de si grande qualité, à la teindre de si belle couleur, à confectionner des gants, des mitaines, des chausses, des bonnets aux dessins si raffinés qu'on pouvait en tirer grand profit sur les marchés spécialisés d'Allemagne. On lui refusa licence de vendre directement à la noblesse des environs. Elle devait tout apporter à la guilde des cordonniers. Malgré cela, elle avait développé son cheptel et sa production étonnait... Lorsque je vis au loin la mansarde, en fait le plus misérable buron de la région, je compris qu'on ne lui donnait que vil prix pour son travail.

On prétendait que la petite Toscana était la fille d'un viol. Cependant, le capitaine italien se serait montré si avenant avec la population qu'on affirmait que l'étrangère l'avait séduit car il ne se pouvait pas qu'un tel homme soit méchant. Toute la ville parlait d'une liaison libertine et immonde avec le seul chef impérial qui ait montré de l'humanité. Durant l'occupation, chaque nuit qu'il le pouvait, le capitaine campait dans sa cabane, et elle ne faisait rien pour le refuser. En fait, on plaignait le capitaine pour avoir été envoûté par trop puissant démon...

Lorsque la jeune femme me vit au loin, elle entra immédiatement dans sa mansarde. Sa chevelure avait quelque chose d'étrange en pays hongrois, une tête blonde, presque d'argent. Toscana s'arrêta net et me fit signe de m'en aller. J'avançai néanmoins quelques pas de plus, la petite se mit à crier en me lançant des pierres.

— Tu ne veux pas que je parle à ta maman ? lui demandai-je.

— Va-t'en, rétorqua la petite sans jamais me regarder.

— À une condition, répondis-je. Tu dois me promettre de venir à l'école tous les jours, sinon je viens te chercher jusque dans ta maison.

La bambine acquiesça de la tête.

Le soleil resplendit tout l'été. La nuit, de lourdes averses pénétraient la terre. La nature se gonflait comme une pâte voulant donner largement. On aurait dit qu'elle se préparait à couvrir les malheurs de la guerre d'un édredon d'abondance. Le mois des vendanges qui approchait nous invitait à la fête. L'école elle aussi s'était gorgée d'un suc qui voulait maintenant se répandre en vacances.

Presque tous mes enfants connaissaient leur alphabet, nombre de mots et les chiffres arabes et romains jusqu'à dix. Beaucoup pouvaient lire des phrases entières. Et moi, j'avais appris à parler à mesure que j'enseignais à écrire. Chaque syllabe se dépliait dans ma gorge comme un papillon sortant de son cocon. La délivrance venait des enfants qui appelaient de leurs grands yeux curieux. J'avais l'impression d'entrer dans le monde des vivants. Néanmoins, il m'était encore très difficile de parler en dehors de ma classe. Il y fallait de la nécessité.

On ne peut enseigner sans apprendre et apprendre, c'est tout simplement faire entrer l'être en soi. Faire entrer des enfants en moi était mon métier. Un nouveau peuple se formait, une multitude ajoutait de l'être à mon être. « L'enseignement n'est rien d'autre que le mystère même de la création, disait père. Tout ce qui vit veut se reproduire dans l'âme humaine afin d'advenir à son essence. Par l'apprentissage, le monde renaît de l'intérieur des hommes de sorte que ce qui suit dépasse ce qui précède. Par l'éducation, l'homme a trouvé le moyen du dépassement de soi. »

Cependant, on ne peut jamais faire de l'être sans fissurer les murs du labyrinthe. La décurie de Thlem était en avance sur celle de Junior. J'avais pourtant expliqué à Junior, avec exemples et détails, que par trop de sévérité il empêchait l'esprit de prendre son aise. J'étais contente que le nouveau trimestre oblige le changement de décurion, la compétition entre le fils du pasteur et le fils du premier valet prenait des proportions exagérées. Seul Aron, toujours jovial, échappait à cette rivalité. Je lui avais confié la petite Toscana, elle ne se mêlait aux autres que pour mieux disparaître et, malgré tous les efforts de son décurion, n'apprenait rien.

Il fut convenu que Junior, pour ses bons services, recevrait le privilège d'aller à la bibliothèque du château une fois la semaine. De plus son nom serait sur la liste des enfants éligibles au titre de consul (ce qui lui permettrait de participer, au côté de son père, au conseil de l'école). Thlem, pour sa part, serait éligible, à ses quatorze ans, à la qualité d'avocat au conseil des juges, à condition évidemment qu'il continue sur sa lancée. Le conseil des juges, formé de professeurs, de parents et d'élèves, avait mandat d'appliquer le règlement scolaire vis-à-vis des cas litigieux amenés à son attention. Aron Günc obtenait par exception la permission de rester décurion comme il le souhaitait et comme son père le lui conseillait.

Je n'avais pas trouvé meilleure répétitrice que ma délicieuse cadette Suzanna. Elle était si en avance dans sa classe de la Porte qu'on lui donna la permission de s'absenter pour venir m'assister dans le rattrapage. Cependant, cela ne suffisait pas. Il n'était pas question qu'aucun enfant ne puisse passer le Vestibule dans les délais prévus, père n'allait pas le tolérer. Les vacances me serviraient à trouver les « solutions pédagogiques ». Je devais me débrouiller. C'était à moi à apprendre comment apprend chaque enfant.

Les vendanges furent d'une grande réjouissance. Le raisin était gorgé d'une vitalité qui nous pénétrait par les pieds, Suzanna, moi et toutes les filles chargées d'écraser les fruits. Il m'arrivait de m'égayer et de rire simplement pour mieux appartenir à cette communauté qui tentait de se guérir de la guerre. Père me regardait du coin de l'œil, et me reprochait d'une pointe de la bouche ce que l'autre pointe m'encourageait à faire. Je lui tirais la langue, il me ripostait une grimace.

Révérend mon mari me manquait beaucoup et pourtant, j'appréhendais son retour. J'avais tellement changé. Je ne savais plus si je l'aimerais ou s'il resterait à jamais l'étranger de mon lit... Dans le grand baril plein de jus et de pulpe, il m'arrivait de ressentir des mouvements de la chair si proches de la douleur que j'aurais aussi bien embrassé un arbre qu'un homme. Alors, que signifie le verbe aimer ? Si je demandais aux enfants d'aller chercher quelque chose qu'on pût nommer « amour », que rapporteraient-ils ? Comme pour le nombre zéro, sa silhouette semblait partout, sa substance, nulle part.

L'exubérance des vendanges, malgré joie et épuisement, dénudait un autre tracas qui me chiffonnait, un tourment bien plus grand encore. J'étais touchée au plus vif par la petite Toscana et ce sentiment avait de moins en moins de contrepoids. Cette petite m'intriguait. J'avais l'impression qu'elle soulevait en moi des cendres encore chargées de braises. Par une étrangeté incompréhensible, je gardais l'impression que lui donner les outils de sa liberté, la parole, la lecture, l'écriture, pouvait me donner, à moi, la mort. Et cette mort m'attirait.

Père m'avait raconté qu'un oiseau pouvait mourir pour la simple raison d'enseigner. Il me l'avait montré au début d'un hiver, en pleine forêt. « Il est difficile pour un oiseau de nourrir et d'enseigner, précisait-il. Il arrive parfois que la mère affamée d'avoir tant donné à ses petits gloutons, épuisée par trop de leçons de vol, heureuse enfin lorsque le dernier s'est élancé, meure de froid sur son nid déserté. » Et il dégagea de la neige une de ces mamans de givre. Sur ses yeux encore ouverts, je crus apercevoir une petite larme de glace. « Bonheur éternisé du premier vol de son enfant, » supposa père. Je le crus, j'avais cinq ans. Il appelait cela : « Mourir d'enseignement, la plus grande forme de l'amour, celle des prophètes. »

Non, l'amour n'est pas zéro. Il fait mal, c'est un dard, il fait plaisir, c'est une dague.

Ablonský et Toscana hantaient tous les deux mon esprit. Le premier me procurait doute et angoisse ; l'autre, inquiétude et volonté d'agir. Mes sentiments pour Ablonský m'apparaissaient bien troubles en comparaison de mon désir de maternité, si clair, si évident.

Quelques jours avant la fin des vacances, père m'invita à le suivre. Il voulait se rendre à Györgytarló afin de discuter avec la mairie de la possibilité d'y ouvrir une petite école préparatoire. Nous nous arrêtâmes pour déjeuner sur une colline pierreuse pas très loin de la rivière Bodrog. Après la prière du repas, cette phrase surgit spontanément de ma bouche.

— Merci père de m'avoir donné cette classe... « Elle chasse de mon cœur la chagrine ténèbre. »

J'empruntais ici une de ses tournures de phrase. Lorsque sa parole passait par mes propres poumons, j'avais l'impression que père était en train de me fabriquer du dedans. Il n'était pas seulement mon origine. Non ! Par chacun de ses enseignements, il me faisait tranquillement à partir de mon propre dedans. Ses enseignements n'agissaient que s'ils passaient par mon cœur, ma volonté, mes poumons, ma gorge, ma langue et mes mains.

Sur la colline ensoleillée, je regardais papa mordre avec appétit dans son pain où coulait le fromage de chèvre, salir sa barbe, lécher ses lèvres... C'était, je crois, la première fois que je prenais conscience que je tirais ma vie de cette étrange substance qui mangeait, parlait, dormait, riait, pleurait, pensait, écrivait dans la même maison que moi depuis si longtemps.

— Je vous aime, père.

La phrase avait glissé comme un chant. L'air était bon. Tout à coup, je compris ce qu'était chanter. C'était cela la science de mon mari : donner un corps de sons à des émotions venant de si loin que si la musique ne les enveloppait pas, elles nous déchireraient.

Père m'avait donnée à Ablonský. Il espérait que de nous deux surgisse une nouvelle façon de continuer l'histoire. C'était si étrange de voir une aussi grande puissance créatrice qui depuis Adam avait passé à travers tant de corps et de générations... et ce jour-là, elle était tout bonnement devant moi, en train d'avaler goulûment un pain au fromage.

— Je vous aime, papa.

Cette fois, il en avait terminé. Il prit une grande gorgée de vin et me regarda avec des yeux si bridés que j'en étais complètement bouleversée. Il me prit dans ses bras.

— Madame ma fille, si vous saviez ma joie, vous êtes une fameuse éducatrice. Mais dites-moi, quelque chose vous turlupine ?

Il savait si bien lire sur mon visage.

— Père, enseignez-moi. Quand l'amour devient-il un sacrement ?

Il resta un moment interloqué, sortit son mouchoir de sa poche et essuya soigneusement sa bouche. Le silence dura longtemps. Père semblait, comme toujours, chercher une réponse quelque part dans la nature qui l'entourait. Il regardait le paysage, fixait rivières et collines.

— Manger, commença-t-il, est un sacrement lorsque je perçois que la nourriture est la substance de Dieu. Le blé et le raisin sont des manières pour l'esprit de s'infiltrer en nous. Le besoin de nourriture n'est rien d'autre que le besoin d'être pénétré d'une substance divine qui se transforme en nous, en nous transformant en elle. Je pense qu'on reconnaît la conscience à la saveur, et le sacrement à la joie. Il y a sacrement lorsque le corps et l'esprit nous apparaissent indissociables, lorsque le plaisir tire vers le bonheur. C'est par la conscience et la prière qui en est le moyen que la nourriture devient substance divine. Chaque besoin humain a son sacrement : le sacrement de la propreté, c'est le baptême ; le sacrement de la vie sociale, c'est le pardon ; le sacrement de la parole, c'est l'enseignement ; le sacrement de la mort, c'est l'abandon et le sacrement du désir, c'est le mariage. Je crois que si tu te donnes sans réserve à l'amour qui te transporte, tu peux entrer en sacrement de mariage. Je pense que c'est le plus exigeant et le plus délicieux des sacrements. Dame ma fille, si le plaisir se transforme en bonheur, c'est le sacrement de mariage qui est en train de faire de l'être en vous... Doutez-vous d'arriver à faire mariage avec votre époux ?

Il me serra tendrement dans ses bras.

— C'est une si grande joie. Mettez y tout votre cœur et tout votre corps. Vous verrez...

Une clochette sonnait. Derrière nous, un énorme et magnifique bélier broutait. Aucun troupeau ni berger n'apparaissaient à l'horizon. Étant donné la valeur de la bête, il nous fallait faire quelque chose pour trouver son propriétaire. S'approchant lentement de l'animal, père réussit à lui attraper les cornes et à l'immobiliser un court instant, me permettant ainsi de lire sa marque de fer. Il fut convenu que père irait seul à Györgytarló pendant que je me renseignerais à une ferme des environs.

L'animal appartenait à la guilde des cordonniers, mais il avait été emprunté par la mère de Toscana pour les besoins d'accouplement de son troupeau. Il n'était donc pas question d'ébruiter l'escapade du bélier, la réputation de l'« étrangère » était suffisamment délabrée. Il fallait plutôt aider la pauvre femme à récupérer la bête au plus vite.

Je me dirigeai donc tout droit vers le buron. Personne n'était dans la cabane. J'allais ressortir lorsque j'entendis un gémissement étouffé. Cela semblait provenir du grenier. Je replaçai l'échelle d'accès qui traînait par terre et montai. Un loquet fermait la trappe. J'ouvris. Rien, sinon un tohu-bohu d'outils de filage, de paniers, de coffres. Je redescendis... Encore une plainte étouffée. Je remontai. Écartai quelques objets... Deux galoches dépassaient sous une grosse serpillière. J'enlevai la toile. Toscana ! Elle cachait son visage sous un coussin mais sa houppe noire comme le charbon la trahissait.

— Qu'est-ce que fais-tu là, ma petite ?

Elle retira le coussin d'une main, se protégea la tête de l'autre.

— Ta mère t'a puni ? lui demandai-je.

Pas de réponse.

— Tu devais surveiller le bélier et il s'est enfui, c'est cela ?

Toujours pas de réponse.

— Viens avec moi, allons le chercher, je sais où il se cache.

L'enfant ne bougeait pas. Je lui pris la main. Elle se mit à hurler de toutes ses forces.

— Bon, alors reste ici si tu veux, j'irai attraper le bélier toute seule...

Je laissai la trappe ouverte et l'échelle à sa place, j'espérais qu'elle me suive. Elle n'en fit rien. Il me fallait trouver la mère, nous équiper d'un seau plein de grains et d'une bonne corde, car il ne reviendra pas tout seul ce foutu bélier. Je l'aperçus, elle se dirigeait vers Makkos, à l'ouest plutôt qu'à l'est.

— Madame, lui criai-je, j'ai vu un bélier sur la butte menant à Györgytarló, il ne serait pas à vous par hasard ?

Elle était déjà équipée de trois belles carottes, d'un collier étrangleur solidement attaché au bout de sa houlette et d'une autre corde encore. Elle tourna des talons et se dirigea *subito presto* vers la sente menant à Györgytarló. Elle y allait d'un pas si rapide qu'il me fallut courir pour ne pas la perdre de vue.

— Là, madame, sur la gauche, il faut monter, lui criai-je, alors qu'on approchait du lieu où nous l'avions aperçu, père et moi.

Elle monta et s'arrêta net. Sans doute venait-elle d'apercevoir la bête. Je la rejoignis. L'animal se tenait la tête bien enfoncée dans un épais buisson.

— Restez ici, murmura-t-elle sèchement.

Elle s'approcha à contre vent sans faire craquer la moindre brindille. Trop fin d'oreille, le bélier leva la tête et bondit avec la rapidité de l'éclair. Mais plus vite encore, la jeune femme sauta houlette en l'air et attrapa dans son nœud les deux cornes du fugitif. Celui-ci ne l'entendait pas ainsi. Il déguerpit en traînant la pauvre bergère à travers buissons et rocailles. Je courus pour aider la vaillante qui refusait de céder. À défaut d'attraper la corde, je sautai sur la dame. Qu'à cela ne tienne, il nous tirait toutes les deux à travers chardons et broussailles. La bergère réussit enfin à coincer la houlette entre deux pruniers sauvages. Ce qui immobilisa l'animal.

— Nous l'avons eu, soupirai-je, victorieuse.

Nous étions si emmêlées dans nos robes et empêtrées dans le fourré, si pleines de horions et d'épines, si endolories et soulagées, si courbaturées et victorieuses, si épuisées et contentes qu'il était impossible de séparer nos rires de nos larmes. Cela dura un long moment. Nos regards se croisaient, se fuyaient, revenaient, repartaient. Nous étions enlacées l'une à l'autre, trop exténuées pour nous relever, trop émues pour parler, trop étrangères pour nous regarder, trop liées pour reculer... Puis, comme à notre insu, ses yeux entrèrent chez moi, mes yeux entrèrent chez elle et nous étions comme dans la même demeure.

— Merci madame l'institutrice, laissa-t-elle échapper.

Nous restâmes encore un moment par terre à laisser nos douleurs se dégourdir.

— Il n'est pas encore dans l'enclos, ce cabochard, lui rappelai-je.

— Allons-y, fit-elle.

Nous réussîmes tant bien que mal à nous relever. La bête nous regardait fixement en remâchant tranquillement un peu de son herbe. Tenant fermement à quatre mains la houlette que nous n'avions pas l'intention de lâcher, nous

nous disposâmes à tirer, mais la bête nous suivit aussi naturellement qu'un chien accompagne son maître. Sans quitter d'une seule main le précieux bâton, nous descendîmes jusqu'au chemin et de là, nous nous dirigeâmes vers la bergerie. Le bélier ne résista qu'à une ou deux reprises, ce qui nous coûta la carotte déjà bien amochée qui nous restait.

— Je suis tchèque, me dit-elle en chemin, mais de langue allemande.

Voulait-elle m'élever contre elle ou simplement s'assurer du terrain ? Qu'importe ! Je ne pouvais espérer qu'elle se mette si facilement en confiance. Tout le village la rejetait en profitant outrageusement de son travail. Je me contentai de lui rappeler que notre famille n'était pas d'ici, que j'avais quitté mon pays à l'âge de deux ans et que nous n'entendions rien aux ragots du canton.

— Vous devez vous sentir bien seule ! osai-je avancer à un moment où j'espérais la voir céder.

— J'aurais tellement voulu l'être, me répondit-elle au bout d'un long silence.

Le bélier fut finalement mis dans l'enclos. Le soleil déclinait. Nos douleurs nous rattrapaient. Je remarquai que la clôture n'avait pas été plantée négligemment, au contraire, elle aurait résisté à un taureau.

— Comment sauter une si haute palissade ! m'exclamai-je.

Elle ne répondit rien, me proposa de partager un peu de pain et de fromage de brebis avant de repartir. Elle me demanda d'aller chercher un seau d'eau au puits, à quelques pas de la cabane. Ce que je fis en prenant tout mon temps, espérant que la jeune mère se réconcilie au plus tôt avec sa fille. Par mégarde, l'enfant avait peut-être laissé la clôture détachée. La mère, désespérée par la gravité des conséquences, s'était mise en colère, infligeant à l'enfant une punition inconsidérée...

Lorsque j'entrai dans la chaumière, Toscana était

assise par terre avec sa maman et jouait à aligner des petites pierres de couleur. Ni table, ni chaise dans ce buron. Une petite cheminée, une dalle pour le feu, deux paillasses, c'est tout ce qu'il y avait d'accommodement. Le reste n'était qu'outils de travail. Étranges en cette pauvreté, sur une tablette, cinq gros livres luisant d'un cuir pourpre...

À mesure que notre faim s'apaisait, nous commençâmes à ressentir douloureusement nos écorchures et surtout la pointe des épines qui nous couvraient le dos et les épaules. Au bout d'un moment, je ne sais de qui vint l'initiative, nous étions à converser en nous enlevant mutuellement les pointes d'orties. La nuit était venue et Toscana tenait la chandelle pour que nous puissions y voir clair. Cela nous mit en air de confidence.

Du temps de la guerre, un capitaine s'était effectivement épris d'elle. Près de trois ans, il l'avait tenue en surveillance. Il aurait sincèrement voulu en être aimé. Mais elle n'éprouvait que du dédain pour lui. Cette résistance mettait le capitaine hors de lui et il n'y a pas d'exactions et de violence qu'elle ne subit. L'homme était pourtant fervent catholique, et après l'avoir battue et prise de force, il se répandait en larmes de contrition. Au petit matin et tous les jours qu'il le pouvait, il passait des heures à lui lire du latin, du grec, de l'italien, car l'homme était fort lettré. Toute la journée, elle était tenue captive, n'ayant pour compagnons que deux soldats trop poltrons pour la guerre, trois bibles en langues étrangères, l'*Utopie* de Thomas More et *L'Éloge de la folie* d'Érasme (les cinq livres au-dessus de la fenêtre). Elle apprit à lire le latin et le grec aussi naturellement qu'elle avait acquis l'art de carder. C'était son évasion...

Nos dos étant libérés de leurs épines et lavés d'eau fraîche, la petite Toscana alla d'elle-même s'étendre sur son paillasson. J'approchai d'elle la chandelle pour lui souhaiter bonne nuit. Voyant son visage sombre et ses cheveux noirs, je compris soudain tout le drame qui se jouait dans ce misérable buron. Toscana devait ressembler à son père comme deux gouttes d'eau...

Le lendemain, je partis chercher de l'onguent français pour soulager celle qui m'avait enfin livré son nom. Elle s'appelait Claire Schlick, petite-fille du comte Schlick, l'un des rebelles exécutés par les Habsbourg et dont la tête fut suspendue en haut de la tour du pont Charles. Sa vie n'avait été que fuite et errance après que son père et sa mère eurent été tués lors d'un horrible pillage.

Je passai trois jours chez Claire et sa fille, trois jours à partager les souffrances de la mère et à deviner celles de la fille. Claire adorait sa petite fille, mais elle exécrait son visage, son apparence, ses yeux, tout ce qui lui rappelait celui qui l'avait tenue en otage, violée, battue, humiliée. La fille, par vengeance, refusait d'apprendre à lire, elle savait trop bien ce que représentaient les cinq livres rouges sur la tablette. C'était elle qui avait ouvert la clôture. Ce n'était qu'un des forfaits dont était capable la petite pour attirer sur elle la colère de sa maman. Être punie, c'est bien ce qu'elle méritait et c'est bien ce qui soulageait un moment sa mère !

Durant ces trois jours, Claire m'enseigna l'art du tricot à quatre broches. La laine était fine et j'éprouvais de grandes difficultés à tenir la tension régulière. Mon institutrice montrait de la patience et m'instruisait sur la position de chaque doigt, la manière de les bouger tout en pressant la laine également entre l'annulaire et l'auriculaire. Comment allais-je rémunérer ces leçons ?

— Je vous laisserai mon tricot, proposai-je, en désespoir de cause.

Elle releva un des coins de sa bouche. Observant mon ouvrage, les nombreuses boucles qui ressortaient, les mailles oubliées...

— Ma mitaine pourrait toujours servir de muselière à une de vos chèvres, suggérai-je. Il fait froid l'hiver.

Le rire n'était pas son domaine, néanmoins nous avions le cœur de plus en plus léger. Le troisième jour, alors que nous étions toutes les deux absorbées dans un dessin compliqué, Toscana entra dans la cabane en criant. Elle était couverte de farine :

— La poche est tombée toute seule, maman, c'est pas ma faute.

Claire, du coup furieuse, se leva brusquement et, tenant ses broches comme des poignards, s'approcha menaçante de sa petite. Il me fallut quelques secondes pour réaliser qu'elle pouvait bien mettre à exécution ses menaces. Bondissant de mon banc, je lui attrapai le bras.

— Regarde, Claire, regarde, lui dis-je, ne vois-tu pas ?

La petite avait pris la peine de se couvrir le visage de l'onguent que j'avais apporté. Sa figure était aussi blanche que le lait et sa tête, parfaitement poudrée. Les yeux noirs de la bambine perçaient jusqu'à la mère et celle-ci ne pouvait plus les éviter. On aurait dit une corde tendue à tout rompre. L'enfant tenait les mains dressées devant elle comme on fait lorsqu'on imite le loup, doigts pour griffes et prête à l'attaque. Qui bondirait sur l'autre la première ?

— Elle est blanche comme neige cette petite, pas italienne pour un sou, dis-je, d'une voix tremblante.

L'enfant tournait lentement autour de sa maman toutes griffes devant. La corde entre leurs yeux ressemblait à un éclair. La mère pivotait sur elle-même comme envoûtée par sa fille.

— Elle est blanche comme toi, ta petite, répétai-je.

Il y eut un long silence et l'enfant s'immobilisa. La mère comprit soudain le stratagème. Une larme glissa sur sa joue alors qu'elle tordait dans sa main les quatre broches à tricoter. Toscana fixait sa mère comme un fauve, sans broncher des griffes. La mère tomba à genoux et poussa un cri déchirant. L'enfant courut vers la porte.

— ...ana ! Ma petite Toscana, sanglota la mère.

La petite s'arrêta net et se retourna. Des larmes avaient fait des sillons dans la farine. Claire dressa le visage et regarda son enfant. Lentement un sourire prenait forme. Ce fut d'abord une grimace, puis, un à un, les traits trouvèrent un chemin. Les muscles tremblaient, la peau frémissait. L'enfant se tenait la tête entre les deux mains, s'empoignant les cheveux comme pour les arracher. Elle aurait tant voulu ne pas avoir cette tignasse.

— T'es bien plus belle noire que blanche, lui dit finalement Claire. Bien plus belle noire.

Elle répétait cette phrase comme pour l'enfoncer dans son cœur. L'enfant s'essuya les yeux, un sourire traça son dessin dans la farine. C'était sans doute le premier sourire qui passait entre les deux. Claire tendit les mains, la petite se jeta dans ses bras.

Je me retirai discrètement avec l'intention de ramener bientôt une poche de farine qui devait être fort précieuse dans une telle pauvreté. Je n'allais pas abandonner cette famille tant que le bonheur n'y aurait pas fait crédit. Mon cœur était plein de serments.

Les classes avaient repris. Lorsque père entendit de ma bouche tout ce qui était arrivé à Claire et dans quel état de pauvreté et d'isolement elle était tenue par injustice, il plongea dans une profonde méditation. Comment délivrer cette femme ? L'école n'est qu'un microcosme de la communauté, on ne peut enseigner dans ses murs la justice alors que l'injustice règne autour.

Il est d'ailleurs impossible de protéger une école des injustices vécues entre les parents. Ces abus s'infiltrent à travers les enfants et entrent comme renards en poulailler. Les enfants rejetaient Toscana comme le bourg bannissait Claire. Aller trop vite pouvait aggraver les choses, ne rien faire, c'était la mort même de l'école pansophique.

Arriva un dimanche où père avait la responsabilité du sermon. Il saisit l'occasion pour préparer le terrain :

— Qu'est-ce qu'un chrétien ? C'est une personne qui trouve son bonheur en participant à la création. La science consiste à faire de l'être utile. L'art consiste à faire de l'être beau. L'éthique consiste à faire de l'être bien. Un chrétien veut faire tous les trois dans chacun de ses actes. Une école chrétienne, c'est le moteur même qui permet de faire mieux de génération en génération avec espérance de rebâtir le paradis.

Mais qu'est-ce que faire de l'être bien ? C'est en premier lieu redresser des injustices. Ne rien faire devant l'injustice est un crime aussi grand que l'injustice elle-même.

Cependant faire de l'être juste ne consiste pas à tenter de modeler la réalité selon nos idées de justice. Cela n'est pas de la justice mais de la violence. Il faut plutôt que notre espérance de justice rencontre les germes de justice bien réels et bien incarnés de ce monde. Faire de l'être juste, c'est alors cultiver ces germes de justice.

On doit procéder avec le soin d'un maître jardinier et plus encore. Car dans le monde bien réel qu'est le nôtre, une communauté ne se laisse pas guérir si facilement. Toute action, même la plus prudente, sera une pierre d'achoppement. Tout germe de justice ne pourra croître qu'en ouvrant des fissures douloureuses dans la communauté.

L'essence du christianisme, c'est la justice entre les hommes et les femmes considérés et traités égaux. L'essence du christianisme, c'est que cette justice ne descende pas du ciel, mais doive monter de nos cœurs. L'école que nous bâtissons ne peut rester inactive devant une injustice qui rendrait impossible, directement ou indirectement, le développement d'un seul enfant, même le plus pauvre... »

Il n'entra pas dans les détails mais enfonça encore deux ou trois fois le clou par des exemples assez près de celui auquel il pensait. Suite à ce sermon, il fut convenu, entre père et moi, d'une stratégie pour préparer le conseil de l'école et le conseil des juges, à entendre un grief qu'il ne serait pas long à recevoir. Car avant Noël, Claire serait répétitrice dans ma classe et recevrait un salaire de la douairière du château, Son Altesse Szuszanna. Cela ne pouvait qu'entraîner une attaque de la guilde des cordonniers ainsi privée d'une partie de la précieuse production de celle qu'on appelait l'« étrangère ».

Heureusement la petite ville était dans la bonne humeur. La saison avait été excellente, la prospérité revenait peu à peu et on avait appris que l'ambassade de révérend mon mari avait donné des résultats : le mariage de Sigmond avec Henriette-Marie allait bientôt être célébré au château.

Nous étions en novembre, père était assis au milieu de mes soixante-deux enfants comme un grand-père entouré de ses petits-enfants. Tous avaient progressé au-delà des attentes, Toscana avait rattrapé presque tout son retard (chaque soir, sa mère l'assistait avec un manuel que je lui avais procuré), les nouveaux décurions manifestaient de l'entrain sans verser dans la rivalité, si bien que père avait devancé sa visite préparatoire à l'opération « théâtre ».

La journée était pluvieuse et les enfants, un peu engourdis (d'autant qu'ils craignaient tout naturellement monsieur le directeur). Il commença donc par quelques questions dont il était certain d'obtenir réponse de n'importe quel enfant. Pour chaque bon coup, il s'exclamait, il félicitait. Après quelques minutes de ce jeu, il fit apprendre deux ou trois comptines telles que celle-ci que j'avais cent fois entendue durant mon enfance :

« *Mon petit, mon doux petit,*
Où donc étais-tu parti ?

Qu'en as-tu rapporté ici ?
Avec plus d'attention
point n'aurait de grosse bosse sur le front »

Ensuite, il entra dans le vif du sujet en ouvrant devant leurs yeux émerveillés un petit coffre décoré de cuir et de laiton. Retroussant ses manches, à l'aide d'une pincette, il étendit sur un mouchoir de soie une graine de maïs venant d'Amérique, un haricot du Mexique, un grain de riz des Indes, une capsule contenant de la semence d'orchidée et pour finir, il ouvrit une besace et montra une noix de coco provenant d'Afrique.

— Que c'est là trésor ! s'émut-il. Mais richesse à déballer, car pour l'instant nous en avons peu. Et que faut-il pour que notre trésor se multiplie ?

— De l'eau, proposa l'un.

— De la terre, affirma l'autre.

À ce jeu, les enfants de paysans dépassaient les bourgeois.

— Du fumier, spécifia Jakob, fils d'un bouvier.

Après un certain temps, les réponses commençaient à tourner à la répétition.

— Du soleil, hésita Aron, fils du forgeron.

— Très bien, mais encore ? demanda père.

Silence... Toutes les figures se crispaient comme si la réponse allait surgir de la pire des grimaces.

— De la chance, balbutia enfin une petite fille inquiète de dire une bêtise.

— Oui mignonne ! beaucoup de chance même, à moins qu'une enfant comme toi en prenne bien soin. Madame Élisabeth vous donnera chacun cinq graines à faire pousser. Des haricots, des pois, du blé, du riz et même une fleur. Toutefois, il nous manque encore un ingrédient indispensable. Tous les soins ne suffiraient pas sans lui.

Seul Daniel connaissait la réponse, mais il ne levait

pas la main. Ce serait tricher de répéter ce qu'il savait depuis longtemps de la bouche même de père.

— Il faut du temps, finit par dire père. Vous remarquerez que si on leur donne les mêmes soins, tous les haricots prendront à peu près le même nombre de jours avant d'ouvrir leurs deux premières feuilles. Vous pourrez bientôt me dire si les pois sont plus rapides que le blé, si le blé est plus rapide que le riz. Chaque chose arrive en son temps. Mais pourquoi est-ce si grand trésor que ces graines ?

— Parce qu'on peut les manger, répondit un bambin.

— Oui, mais si on les mange maintenant, c'est pas vraiment un trésor, rétorqua Thlem.

— Parfaitement raison, reprit père. Avec de la terre, de l'eau, du fumier, du soleil, du temps, des soins, de la patience, les quelques graines qui sont ici pourraient nourrir tout un village. Cependant, il faudra beaucoup de temps, des générations de plantes ! Mais remarquez dès aujourd'hui qu'une très petite graine peut donner un très grand arbre et une grosse graine peut donner une petite plante. Il n'y a pas de proportion entre ce qui est petit maintenant et ce qui sera grand plus tard. Le plus petit d'entre vous sera peut-être le plus grand. Il existe de si petites graines qu'on ne peut pas les séparer les unes des autres, comme ces semences d'orchidées par exemple. Certaines graines sont si petites qu'on ne peut même pas les voir. Mais il y a un homme qui les a vues...

Personne n'osait demander une explication. Tous attendaient la réponse, certains déjà émerveillés, d'autres sceptiques. Père lisait attentivement le caractère de chacun. Il avait sa méthode pour grouper les élèves en tempérament d'apprentissage et cela permettait de mieux les guider.

— Cet homme s'appelle Antoine Van Leeuwenhoek, finit par dire père, et il utilise un microscope. Ceux d'entre vous qui iront dans une grande université pourront observer des graines si petites qu'on ne peut les voir qu'à l'aide de cet instrument. Tous les végétaux et tous les animaux traversent le temps grâce à des graines. Des savants disent avoir vu des graines d'animaux dans un microscope : c'est comme des petites gouttes d'eau avec une queue. Touchez votre visage, vos épaules. Allez touchez... Tout votre corps vient d'une petite graine. Voilà donc pourquoi une graine est si précieuse, parce que chacun d'entre vous est un trésor.

Et il expliqua que les graines permettaient aux plantes de se déplacer, de courir sur le dos d'une souris, de s'enfuir dans l'estomac d'un cheval, de voler sur le bec d'un colibri... En fait, père les appelait à la vie. Il voulait contrer dès maintenant la pensée mécaniste qu'il jugeait simpliste. Mais il s'opposait aussi à l'idée que la plante existait en miniature dans la graine, comme un papillon recroquevillé dans un cocon. Une graine plantée dans des conditions différentes s'exprimait de façon différente, donc l'environnement agissait sur le développement. Il y avait un dialogue.

Il voulait aussi souligner qu'il y a un moment propre à toute aide à la croissance. À tel âge d'un développement convient une action appropriée. Une greffe exécutée avec le meilleur soin, si elle est réalisée avant le temps ou après le temps prévu par la nature, peut nuire plutôt qu'aider. « Saisir l'occasion, agir au bon moment », faisait partie de ses mots d'ordre.

Ablonský se présenta dans le cadre de la porte qui était restée ouverte. J'étais seule à le regarder. Père et les enfants restaient concentrés sur leur trésor, d'autant plus que père avait brisé la noix de coco et en distribuait aux enfants de petits morceaux. Un frisson me traversa le ventre, un frisson dont je n'avais plus peur. La flèche m'avait touchée avant même que je n'aie eu le temps de reconnaître avec certitude monsieur mon mari. Elle me traversa, je crois, au moment où j'ai su du dedans que c'était lui sans avoir encore tourné mon visage vers lui. « Le toucher est plus rapide que le voir », disait père. Dans cette fenêtre infiniment étroite du temps où les choses nous touchent avant même que nous ne les ayons vues, Ablonský m'avait transpercée de sa lumière. L'éclair du toucher. Et je frémissais de tout mon corps. Qu'il existe, qu'il ait de l'être, me remplissait de joie.

C'était peut-être cela la minuscule graine de l'amour, une demi-seconde de contact suffisait pour la recevoir. Le reste consistait à la cultiver. J'avais un désir fou de cultiver cet amour et une grande crainte que la graine ne meure dans un des méandres de mes attentes. C'était un bel homme en réalité, au corps solide comme du roc et au cœur tendre comme du beurre. Un homme si fragile, si transparent dans son regard, si incapable de parler. J'étais habitée par l'impression qu'Ablonský ne pensait pas, c'était sa force, c'était sa faiblesse. La pensée est une distance, une hésitation. Révérend mon mari ne pensait pas, il agissait, il exécutait, il s'exécutait. C'est pour cela qu'il savait chanter, il ne faisait pas écran entre son cœur et sa bouche. Il se laissait traverser.

Je suivis donc la recommandation de père. La nuit, alors que tout le monde dormait, je me suis abandonnée à lui et si je n'avais pas mordu dans l'épaisseur de sa main, j'aurais sans doute réveillé tout le monde. Je n'étais pas certaine que c'était un mariage, mais j'avais obéi à père, à Ablonský, à mon corps, à mon sentiment. Le reste ne dépendait plus que de la grâce.

Ablonský reçut mission de recruter, éduquer et diriger une psalette qui chanterait les dimanches, les fêtes et lors des représentations de l'école. C'était un bonheur de le voir se livrer à cette tâche avec une ardeur sans réserve. En quelques semaines, le chœur enchantait. Toscana trouva sur ce terrain un chemin d'excellence. Elle arriva tout naturellement à une grande justesse de la voix et elle était si jolie dans ses mimiques qu'Ablonský la plaçait sur la première rangée. Hélas, Junior, qui voulait à tout prix participer plus que son talent ne lui permettait, devait constamment être modéré. Cela entraînait parfois des bagarres entre Junior et Thlem qui s'était fait le protecteur de Toscana.

Toute l'école était en effervescence, de la classe du Vestibule jusqu'à la classe Politique des grands (il n'y avait pas encore de Classe théologique pour finissants). Chaque classe devait préparer des saynètes. La première représentation était prévue pour le mariage du prince Sigmond avec la palatine Henriette-Marie.

L'école de la scène prit son envol à cette occasion. Ce fut un véritable succès. Vers la fin de l'année, nous avions une école ambulante qui se déplaçait de représentation en représentation dans la ville, les villages des environs et même dans les campagnes. Les parents étaient ravis. L'éducation prenait un visage concret. Les enfants débordaient d'enthousiasme. Dans l'ensemble, les progrès étonnaient. Les élèves de l'école pansophique atteignaient les compétences prévues presque deux fois plus rapidement que les élèves des écoles jésuites de Bohême. Et cela sans exclure un seul enfant, sans faire de sélection ni à l'entrée ni durant le parcours. Tous les enfants, sans exception, avaient rejoint les résultats minimum visés. Les professeurs pavoisaient. La communauté fêtait.

Claire Schlick s'était introduite doucement dans l'école et occupait la fonction de répétitrice. Ses succès donnaient envie à Junior. Comme prévu, des plaintes avaient été déposées au conseil de l'école et au conseil des juges. La famille de Thlem et bien d'autres avaient réussi à convaincre le conseil des juges, mais le conseil d'école fut difficile à infléchir. Un vote majoritaire favorable l'avait finalement emporté. N'eût été l'intervention de père, cela aurait coûté la démission du révérend Tolnai. Père trouva un chemin pour que rejaillisse sur l'homme l'honneur d'une école réconciliée.

Claire devait tout de même remplir les commandes de la guilde. Un dégrèvement d'impôt en provenance du nouveau roi avait cependant entraîné une réduction des exigences de la guilde des cordonniers. Bref, l'école panso-phique, tant bien que mal, réformait Sárospatak et sa réputation gagnait peu à peu le royaume.

CHAPITRE 4

L'école de la petite enfance

Chaque nuit, sous les couvertures, j'agaçais monsieur mon mari jusqu'à ce qu'il m'emplisse de sa semence. Je voulais cette grâce qu'eut Marie mère de Jésus d'être un jour bondée des braises de la vie. Le matin, je me réveillais avant tout le monde. Encore ivre de ma nuit, je regardais autour de moi comme surprise de ce monde.

Ce matin-là ne fut pas différent. La plupart de mes facultés restaient plongées dans le sommeil, ce qui permettait une étonnante liberté à l'oreille comme à la vue. Le rythme de ces jours à Sárospatak demeure encore aujourd'hui incrusté dans la musique de ma vie. Il est écrit au présent comme transversal à la fuite du temps.

La nuit sort à peine de son obscurité. J'ai les yeux grands ouverts. Du regard, je fais le tour de la maison : un toit de grosses poutres noueuses, des murs de pierres suintantes, une pièce tiédie par la chaleur humaine, l'air des collines comme la vapeur d'un vin rouge, le ronflement des dormeurs...

Tout le monde sommeille, sauf père assis sur son lit, un livre à la main. Dame Johanna l'enveloppe de ses deux bras. Il lui caresse les cheveux. La lumière est douce. Des rayons glissent sur leur visage. Les gouttes d'eau sur les murs scintillent. Des arcs-en-ciel se couchent sur le rebord des fenêtres. Les poussières se transforment en grains d'or. De petites fourmis vont au travail.

Et dong ! Le bourdon du beffroi. Et hop ! debout la maisonnée ! La vie plonge encore engourdie dans les sillons du temps. Entrer doucement dans le bonheur des habitudes, oublier le danger, la contingence, l'accident, n'aimer que les contraintes...

Et dong ! Cinq heures grondent dans l'humidité du matin. Ablonský s'étire tout doucement. D'un bâillement entonne le cantique du lever. Les matelas sont rangés, la table est allongée. Père donne sa bénédiction. La bouillie d'avoine grimace dans les écuelles. Daniel fait la moue. Père fronce les sourcils, Suzanna retient son fou rire...

Le coq hurle. Six heures, père et moi filons à l'école. Le tintamarre des enfants remplit petit à petit la cour. Jeu de billes, jeu de boules, jeu de quilles... Et ding ! Et ding ! L'envolée de la cloche de l'école. Première leçon. Récréation. Et ding ! Dix heures : deuxième leçon. Et dong ! l'Angélus... Répétitions dans le rythme, tel est l'enseignement de la nature, tel est le socle de l'école. Mais cela ne suffit pas.

Sur ce socle, il faut tenir l'état d'éveil. À travers le rythme, l'inspiration claque des doigts. La corde est touchée et l'onde résonne. Attention, ouvrons l'oreille. La création surgit par étincelles. La musique n'est que le développement d'un toc sur la porte. Un enfant est conçu dans un éclair. Une idée arrive comme un tonnerre. L'univers entier n'est qu'une succession de pétards et de feux follets sur les fils métalliques du temps. Toute fécondité survient par étincelles. L'être se fait par fulguration. La croissance est une suite de sauts périlleux.

Je crois que la plus grande découverte de révérend mon père touche à l'état d'enfance. Les petits enfants vivent en état constant d'attention aux éclairs, d'où leur incroyable capacité d'apprendre, d'où leur grande difficulté à marcher en rangs bien droits. Des éclairs passent entre l'enfant et les choses, ils font de l'être.

L'école consiste à produire un rythme adapté au battement de chaque âge. C'est le sol. Les enfants avancent comme sur un pont. L'amour amène la confiance. La confiance invite à l'invention. Mais l'éducation entre à l'improviste par les fenêtres.

La cloche sonne à heures fixes, les enfants rient n'importe quand, c'est la preuve que l'école agit sur le monde et que rien n'est perdu. Si vous n'entendez plus rire dans une école, ce n'est pas une école.

Une nouvelle année était commencée. Malgré toutes les résistances du maïeur de la guilde des cordonniers, Claire Schlick avait été nommée professeur de la classe du Vestibule et père me confia la création d'une école de la petite enfance. Il s'agissait, en fait, de rencontrer les mères, de les réunir à l'occasion (Ablonský devait faire de même avec les pères), de les préparer à la naissance, à l'art de porter, d'accoucher, de nourrir et de participer à l'éveil des tout-petits.

Pour ce faire, père me donna d'abord un mois complet. « Tu dois retrouver ton enfance, précisa-t-il, l'enfance est le point le plus sacré de l'homme, le lieu d'où il se fait, d'où il connaît et d'où il crée. »

Bérulle affirmait que « ... l'enfance est l'état le plus vil et le plus abject de la nature humaine après celui de la mort ». Révérend mon père disait qu'« il n'y a rien de plus grand et de plus pur, puisque l'enfance est l'origine de l'être ».

Descartes déclarait que « ... nous avons été enfants avant que d'être hommes : l'enfance est ce avec quoi nous devons rompre si nous voulons inaugurer une existence rationnelle dans laquelle s'accomplit l'humanité ». Pour mon père, « l'enfance est la vérité de l'homme. Dépasser l'enfance, c'est d'abord l'assumer. L'enfance seule peut maintenir la raison raisonnable ».

Calvin disait des enfants qu'ils sont de « petites ordures ». Père insistait pour dire que nous vivons dans les ordures tant et aussi longtemps que nous ne nous sommes pas réconciliés avec notre enfance.

Un mois durant, j'ai plongé dans l'enfance, sans porter aucun poids. J'avais pour guides des tout-petits mis en nourrice dans une métairie près de Györgytarló. J'étais moi-même enceinte, cela ne paraissait pas encore, mais j'arrivais parfois à sentir une petite boule dure dans mon ventre.

J'étais dans cette étrange jungle où se mélangent les rires et les larmes, les sommeils abandonnés et les réveils percutants, les plus petits êtres et les plus grands, les plus fragiles et les plus oppressants, dans ce magma où s'enfonce le cœur ne trouvant aucune autre consistance qu'une virulente force d'attachement. J'allais à la demande, perdant la trame du temps.

Personne ne peut s'élever bien haut s'il n'est pas descendu aussi bas. Qui entre dans ce cénacle sans avoir été aimé est en danger d'éclatement.

Rien n'appelle autant à notre propre enfance qu'un enfant qu'on tient dans nos bras. Une nuit étonnamment tranquille et chaude alors que je berçais une petite fille légèrement fiévreuse qui me regardait comme si j'étais Dieu, au moment le plus innocent, en plein milieu d'une paix presque liquide, une frayeur soudain planta sa lame. Je sentais une présence...

— Maman, chuchotai-je.

Elle était là. Son sourire cachait mal une angoisse étouffée. La petite fille qu'elle promenait de long en large dans la chaleur de la nuit, c'était moi. La fièvre me brûlait, me glaçait. J'étais dans ses bras comme ivre. Rien ne pouvait briser ce bonheur. Et pourtant ce bonheur n'était plus le même.

L'après-midi précédent, dans le potager, sous un soleil laiteux, alors que maman tapotait bébé Ludmila qui venait de boire, je fus prise de rage. Attrapant une pierre, je la lançai sur cette chose braillarde qui dévorait ma maman. La pierre manqua la cible. J'en ramassai une autre...

— Méchante Élisabeth, cria maman.

Je lâchai la pierre.

— Qu'est qui t'a pris ? lança-t-elle en colère.

Quelque chose m'avait effectivement pris. Maman avait deviné. Mais qui ? Quoi ? J'étais atterrée. J'allais fondre en larmes.

Elle me sourit et me montrant son sein encore découvert, m'appela pour que je tète moi aussi. Sans doute voulait-elle atténuer ma jalousie.

Je m'approchai doucement. Pas à pas, la colère se dissipait. Je réalisais que j'étais une grande, que maman était fière de moi. C'est moi qui allais chercher l'eau au puits, le petit bois, les langes... Je n'allais certainement pas boire comme un bébé. J'étais apaisée. C'était terminé.

Cependant mes jambes continuaient d'approcher comme celles d'un loup dans la nuit et lorsque mes lèvres s'ouvrirent pour envelopper le mamelon, mes dents plongèrent dans la chair. Son cri fut perçant et je reçus une puissante taloche en plein visage.

J'ai couru de toutes mes forces en dévalant le coteau et la haine lâcha son emprise, d'un seul coup, comme si elle avait simplement terminé sa corvée. Je tombai par terre épuisée, inerte, vide.

Je fus alors soulevée de terre par la grande main de papa. Il me prit par les épaules, me regarda fixement, sévèrement, mes pieds ballottaient dans le vide, mes yeux ne voyaient qu'un flou poussiéreux :

— Fille, il ne faudra plus être surprise par la colère, c'est la première et la dernière fois.

« Sur-prise », les syllabes se détachaient, se répé-
taient. Papa m'enveloppa un long moment dans ses bras,
le regard lointain. J'avais l'impression que la petite fille
innocente que j'avais été n'existait plus. Au souper, père
expliqua :

— Mademoiselle ma fille, l'âge est venu d'apprendre
l'art de fuir avant de blesser. Vous ne saviez pas, là, vous
savez. Il y a toujours un intervalle suffisant pour déguerpir avant de se retrouver hors de soi. Après il faut réfléchir, il faut revoir ce qui s'est passé et affronter nos
émotions...

Ces mots résonnaient comme des tambours. C'était
trop. J'avais vraiment voulu la mort de ma petite sœur !

La fièvre me gagna avant la nuit. Maman me pro-
mena sur elle de long en large jusque tard dans la nuit.

La peur était entrée. Un ennemi habitait mon esprit.
Caché, il pouvait sortir de n'importe quelle trappe, à n'importe quel moment, contre n'importe qui. L'angoisse était
si lourde qu'elle coula par le fond, corps et bagages... Mais
la mémoire retient ses oublis.

Je berçais la petite fille fiévreuse, lorsqu'une angoisse
remontait... Je réalisai que la petite fille que je berçais,
c'était moi. Je l'ai gardée contre mon cœur toute la nuit.

Mes émotions reprenaient leurs proportions. J'avais
été une petite fille parfois sage parfois méchante... comme
tous les enfants qu'il y avait ici, dans cette métairie servant maintenant d'école. Ils étaient si beaux !

Bref un traité de paix fut signé avec moi-même, provisoire sans doute, mais nécessaire à qui veut s'occuper de
tout-petits.

Au matin la petite fille n'avait plus de fièvre.

Elles étaient trois femmes, gorges bien rebondies mais
accortes dans la cuisine, un nourrisson attaché à la poitrine, un autre agrippé à la jupe. Elles brassaient une
soupe d'une main en s'épongeant le front de l'autre... J'entrai réconciliée dans ce tourbillon, j'y plongeai comme
dans une fête joyeuse.

Les nourrices faisaient bien leur travail, le bon mouvement au bon moment. Mais les yeux ne rencontraient jamais les yeux. Il ne fallait pas allumer le feu car les nourrissons arrivaient, repartaient selon le contrat, le gage et le loyer. Moi, au contraire, très imprudente, j'allais à la chasse aux étincelles qui surgissent des yeux d'un nourrisson. Ce fut mon premier évangile sans intermédiaire de livres. D'étincelle en étincelle, des cordons se tressaient.

Pendant que j'apprenais et me préparais pour l'école de la petite enfance, tout n'allait pas pour le mieux à l'école du château. Depuis que Claire dirigeait le Vestibule, Toscana n'avançait plus. Père et moi pensions que la situation était passagère. La métairie était si loin de la bergerie et j'étais si occupée qu'il m'était impossible de me rendre chez mon amie. D'ailleurs, je l'avoue, j'étais si emplie de mes petits que j'oubliais le monde des plus grands. Personne donc n'alla vérifier.

D'ailleurs, la situation n'apparaissait pas désastreuse, l'enfant progressait en musique au point d'obtenir des solos qu'elle exécutait fort bien. Quant à Junior et Thlem, ils en venaient aux poings. Si bien qu'un jour, Ablonský décida de les suspendre temporairement de la chorale.

Madame Günc, la mère d'Aron et l'épouse du forgeron, accoucha en juillet d'une belle petite fille en pleine santé. À peine l'avait-elle regardée que la sage-femme emporta le bébé en campagne chez une nourrice à gages. Chaque samedi après-midi, madame Günc recevait dame Rafaëla Tolnai, nièce du révérend Tolnai, grosse de six mois et si corsetée qu'elle peinait à respirer, madame Judith Ruská, fille du notaire, encore célibataire malgré ses trente ans, et Sarah, une soubrette du château, parente de madame Günc, seize ans d'âge mais bien mariée et qui nourrissait elle-même son bébé de deux mois et demi.

Les femmes bavardaient tout l'après-midi en brodant

de la guipure pour un commerçant du château. Je connaissais bien ces dames et elles me toléraient. Je décidai donc, à tout hasard, d'y ouvrir une classe de la petite enfance.

Je me souviens de la première réunion...

— C'est drôle d'idée qu'il a votre père, lança madame Günc. Du lait c'est du lait, un téton c'est un téton, pourquoi faudrait-il que ce soit le mien ? C'est pas mon homme qui va aimer ça, des lolos qui sentent le babeurre...

— Taisez-vous donc, fit sèchement dame Rafaëla, un peu de retenue, on n'est pas à la campagne.

— Pouvez-vous supporter un instant, chère Rafaëla, que le soleil brille aussi bien dans un étang plein de grenouilles que dans un vase d'eau bénite, riposta madame Günc qui n'entendait pas s'en laisser imposer. Le bébé que vous portez vient-il de l'opération du Saint-Esprit ? Alors, allez-vous lui donner le sein, oui ou non ? Pas à votre mari, mais au bébé.

Elle éclata de rire.

— Dieu du ciel ! répondit Rafaëla, arrêtez donc vos obscénités.

— Bon, je dételle, mais répondez à la question d'Élisabeth, insista madame Günc.

— Bien sûr que non ! C'est assez d'avoir à les dégrossir lorsqu'ils nous arrivent à deux ou trois ans sans s'humilier de la sorte. Je n'irai pas chercher le mien avant ses trois ans bien sonnés. Mon mari est d'accord. Tant qu'ils ne comprennent pas le bâton, qu'est-ce qu'on peut faire contre le péché originel ?

— Moi, c'est pas le péché originel qui me retient, reprit madame Günc, mais un bébé et un mari, c'est trop. La nuit, entendre brailler, il ne pourrait pas. Un homme, un nourrisson, c'est incompatible. « Prends ta souquenille et fais plus d'heures à ta forge, j'ai de la marmaille à la maison », je ne peux pas lui dire ça.

— Oui ! Bien moi je suis bienheureuse de n'avoir pas d'arsouille pareil dans ma maison, soupira madame

Ruská, ça m'épargne toutes ces dépenses. Ma guipure et ma dentelle n'ont ni faux nœuds ni déformations. Comparez !

Elle dressa fièrement sa pièce, en effet, très délicate et parfaitement régulière.

— Oui ! mais moi, je l'aime bien mon « arsouille », comme vous dites. Mais on est loin du sujet. Le pasteur révérend Komenský voudrait qu'on traite nos petits comme des trésors, qu'on leur donne notre lait autant que notre évangile. Il croit que le bébé sorti du ventre de sa mère doit continuer à se nourrir d'elle, de ses chansons, de son affection, de son odeur parce qu'on ne peut pas transplanter impunément un être vivant sans le durcir. Il pense que nous nous durcissons nous-mêmes et que nous durcissons nos bébés comme si on voulait en faire des guerriers.

— Pardieu quoi ! On veut pas du fenouil, rétorqua dame Rafaëla, on veut du calviniste bien dru. C'est comme ça qu'on a été élevé : langé bien serré, nourri au lait de campagne et dressé à l'étrivière. Aujourd'hui on marche droit. Une mère, si ça se met à regarder la mimique de son marmot... Câlin, câlin ! Areu, areu ! Ça s'étiole comme de la rhubarbe au caveau, et ça te pourrit un enfant en moins de deux. Une nourrice, c'est bien mieux, ça tient commerce...

— Qui rapporte gros à votre oncle, compléta madame Günc.

— Dame ! Il faut bien que quelqu'un y mette de l'ordre, reprit immédiatement dame Rafaëla, on peut tout de même pas demander à un métayer de s'occuper des baux, des gages et de la morale des nourrices. Dame Tolnai y passe beaucoup de temps, elle mérite la commission retirée par son mari...

— Peu importe à qui appartient la maison qui brûle pourvu qu'on puisse se chauffer aux braises, riposta madame Günc. Ne retirez-vous pas quelque chose de ce commerce ?

— Du calme, intervint madame Ruská, vous allez emmêler vos fuseaux. Ne gâtons pas notre amitié pour un problème qui n'existe pas. Le monde va bien comme il va. Si on veut réussir une dentelle, on ne doit pas changer de modèle à tout bout de champ. Il suffit de continuer encore mieux ce que nous faisons déjà si bien. Si on ramène tous les marmots en ville, je donne pas cher des bourgeois. Une femme qui sait lire et compter a autre chose à faire que laver des langes. Vous ne voudriez pas revenir à la féodalité ! L'école consiste justement à faire élever ses enfants par les autres. Quoi de mal ? Pourquoi pas commencer plus tôt ! Je rêve de villes sans poupons, de maisons sans nourrissons, d'un monde où les enfants seraient confinés dans des lieux prévus et surveillés par des ouvrières payées pas trop cher. Pas d'enfants dans nos échoppes et nos officines, pas d'enfants dans nos boutiques et nos ateliers. Imaginez ça d'ici. Un beau matin, chaque matin, un fourgon amènerait tous ces petits chenapans dans une maison d'enfance. On pourrait travailler en paix, l'économie s'en porterait mieux. J'adore cette idée.

— Tu tires ta chaudronnée dans le trou, ma chère Judith, reprit madame Günc. C'est du gaspillage. Les enfants sont capables de travailler. Pourquoi se débarrasser d'une pondeuse pour un savon ! À cinq ans, un enfant bien dressé peut gagner sa croûte.

Et se retournant vers moi, elle continua :

— Mais là, je ne comprends pas votre père, dame Élisabeth. C'est un drôle de philosophe, il passe la plus grande partie de sa journée comme une femme, à s'occuper des enfants. C'est pas comme ça qu'on fait de la philosophie. Et il voudrait qu'on laisse les tout-petits jouer toute la journée...

— Pire que ça ! s'exclama dame Rafaëla. Il veut qu'on leur fabrique des casques matelassés et qu'on leur nettoie une cour en foin pour qu'ils s'y ébattent sans danger. Non ! Mais, comment faire quelque chose debout avec quelque chose qui rampe si ce n'est pas avec un bon bâton ?

— Plus tôt on met le tuteur, plus droit sera l'arbre, ajouta Judith Ruská. Donner du lait ramollit le cerveau. La preuve, regardez les nourrices, elles ne sont même pas capables de compter leurs gages...

— ... et puis avouez-le, une vraie bourgeoise doit garder les tétines bien droites, compléta madame Günc.

— Parbleu ! s'exclama Rafaëla, si Calvin vous entendait...

Ainsi continua une bonne heure encore cette conversation si contraire à l'éducation que j'espérais donner. L'une mettait sur la quenouille ce que l'autre filait. J'avais l'impression que ces femmes tricotaient des préjugés. Elles devenaient habiles avec la laine, les aiguilles, le rouet, le métier à renvider et toutes sortes de machines, mais de moins en moins capables de comprendre le vivant.

Durant tout ce temps, la jeune Sarah ne disait mot et sa broderie avançait plus rondement que celle de dame Ruská, le plus beau bonnet du monde, allongé de deux battants pour bien couvrir les oreilles de bébé. Justement, il se réveilla. Ce qui fit taire tout le monde mieux que le tocsin. Elle alla le chercher, le mit tout nu pour le laver, le saupoudra d'amidon comme je le lui avais montré et le laissa s'ébattre un moment sur ses cuisses.

Les trois femmes le regardaient comme âne et bœuf, sans doute, fixaient Jésus dans sa crèche. Le bébé sortait sa petite langue, souriait, agitait ses mains. Sarah lui tendit ses deux doigts. Il s'y agrippa bien fermement. Elle le tira un peu vers elle et approcha le visage jusqu'à se faire sucer le nez par l'enfant. Je vis les yeux de madame Günc s'emplir d'eau. L'enfant s'agitait. Sarah plia un lange pour lui faire une couche et sans rien entraver de ses mouvements, ouvrit sa blouse et approcha le bébé. Elle le laissa trouver le mamelon, ce qu'il fit sans peine.

— J'ai trop serré mon nœud, s'exclama dame Rafaëla, en agitant sa pièce de guipure.

— Chut ! fit madame Ruská.

L'enfant donna sa première leçon. Il nous rendait déjà un peu plus humaines. Nous restâmes silencieuses durant toute la tétée, écoutant suçoter l'enfant comme s'il s'agissait d'un cantique. Le nourrisson s'endormit et Sarah continua de le bercer en le tenant au chaud sous sa blouse.

— J'ai bien peur que nous ne soyons devenues Margot la Folle ! s'exclama à voix basse madame Günc. On emporte notre butin et notre bel argent en courant droit vers la gueule de l'Enfer et on laisse le meilleur en arrière. On va bientôt ressembler à des ostensoirs sans pain, tout en beau métal et bijoux mais taries à l'intérieur. A-t-on raison de s'éloigner des grâces de la vie pour le bien de nos commerces ?

Cela m'ouvrit la porte. Je tentai d'expliquer aux femmes qu'en premier, c'est le bébé qui soigne la mère. En buvant son lait, il apaise les contractions qui suivent l'accouchement, il équilibre les humeurs, il procure un plaisir, il remplit le cœur comme un sacrement, il retarde la grossesse suivante et si on le met dans les bras de son papa, il pourrait faire le miracle de l'attendrir et de le rendre un peu plus amoureux.

J'essayai de leur faire voir que le bébé et Sarah s'attachaient chaque jour de plus en plus l'un à l'autre et qu'il serait cruel de les séparer...

— Et si le bébé meurt ! s'exclama madame Günc...

— Si on craint les souffrances, répondis-je, il vaut mieux se transformer le plus rapidement possible en pierre de moulin ou en métier à tisser.

— C'est vrai qu'une machine à dentelle ferait plus régulier que moi, fit madame Günc en présentant sa piètre guipure. Je ne ferais peut-être pas pire avec un bébé sous le bras.

Et les trois éclatèrent de rire...

Chaque samedi, bébé, Sarah et moi donnions la leçon. Madame Günc était allée chercher sa petite à la métairie.

Elle n'était pas encore tarie et put la nourrir de son lait. Madame Judith Ruská, toujours sérieuse à l'ouvrage, semblait désormais mûrir un projet. Tout le monde savait que le pasteur de Györgytarló, devenu veuf l'année précédente, venait le dimanche après-midi tourner autour de sa loge. Depuis que madame Günc avait ramené sa petite, les volets de madame Ruská restaient entrebâillés et ce, malgré le danger de jaunir la dentelle. C'est devant la fenêtre qu'elle brodait maintenant.

Dame Rafaëla Tolnai avait quelque peu desserré son corset mais n'entendait pas changer sa décision. L'accouchement approchait, la dame se présentait chaque samedi au rendez-vous à heure d'horloge, parlait peu, écoutait beaucoup. Dès que la rencontre était terminée, elle se précipitait chez son oncle le révérend pasteur et sa femme. Je ne doute pas que nos conversations s'y transvasaient dans le menu détail et que de multiples « Oh ! » et « Ah ! » plongeaient dans le mélange.

De son côté, révérend mon mari n'avançait qu'à pas de tortue avec les pères. Seul le forgeron, à condition que tout le monde jure sur l'Évangile de n'en dire mot à personne, osa une fois prendre son bébé. « J'étais là, et je le jure, me chuchota un soir à l'oreille Ablonský, de l'eau apparut dans ses yeux et il reniflait. Il savait y faire avec Aron, mais en prenant la tête de son bébé dans le creux de son énorme main calleuse alors que le reste du corps couvrait à peine son avant-bras, il trembla comme une jeune fille. » Jamais il ne voulut recommencer l'expérience. Cependant, il encouragea sa femme à nourrir l'enfant... D'autant plus que, selon madame Günc, il ne détestait pas finir ce que son bébé avait commencé.

C'était au début de l'hiver, un peu de neige couvrait les champs. Pas très loin de l'école du château, au bout d'un pré en friche, il y avait un escarpement. Nikolaï, de la classe du Vestibule, fils du maïeur de la guilde des cordonniers, y avait fait une mauvaise chute et on craignait sinon pour sa vie, du moins pour une infirmité permanente. Son bras gauche présentait une vilaine fracture, mais plus grave était l'état de sa jambe, l'os du fémur lui sortait de la cuisse.

Une rumeur, à laquelle ni mon père ni moi n'accordions d'importance tant elle allait de soi dans le bourg, pointait la petite Toscana comme responsable d'avoir entraîné son ami de jeu trop près de la falaise.

Le médecin du château était absent pour le mois mais, par bonheur, maître Joseph Sekurius, un chirurgien ami de père, se trouvait en visite à Prešov à deux jours de cheval au nord de Sárospatak. Père y envoya Ablonský.

Le surlendemain, maître Sekurius examinait déjà l'enfant. Le maïeur n'avait pas lésiné sur les cavaliers et les chevaux de relais. On avait ramené le chirurgien dans son lourd chariot chargé d'un attirail des plus sophistiqués. Quoique âgé et d'apparence frêle, Sekurius avait toujours l'œil vif et la main sûre. L'homme connaissait parfaitement ce qu'on appelait la « théorie de la grande circulation du sang » et rien des inventions d'Ambroise Paré ne lui était étranger.

Après avoir donné de l'alcool à l'enfant, il l'engourdit à l'aide des vapeurs d'un élixir dont il gardait le secret et l'attacha solidement à une sorte de table d'opération. Le père du malheureux, à l'aide d'un linge enroulé entre les dents du garçon, lui tenait la tête sur un coussin.

La sueur au front, Sekurius étira délicatement le bras fracturé grâce à un distendeur, ajusta les os avec grande précaution et installa une étrange attelle qu'il adapta grâce à des vis et des éclisses de bois. Lorsqu'il fallut distendre la jambe, l'enfant se mit à trembler et à gémir comme s'il allait mourir. Deux hommes retenaient la mère qui criait. L'os disparut enfin dans les chairs. Le chirurgien glissa délicatement sa main dans la blessure pour accorder les os.

On avait fait bouillir de l'huile de Sambuc pour la cautérisation. Malgré les insistances du père qui craignait la gangrène, Sekurius refusa de verser l'huile bouillante dans la plaie. Il se contenta de badigeonner les chairs d'un mélange de jaune d'œuf, d'huile de rosat et de térébenthine. Une attelle fut installée laissant l'entaille de la jambe disponible à des sutures progressives.

Durant cinq jours, Sekurius soigna la plaie, facilitant la suppuration grâce à de petits tubes et suturant minutieusement et progressivement les muscles de l'intérieur vers l'extérieur. L'enfant souffrait d'une fièvre contrôlée grâce à des infusions.

Dix jours plus tard, la plaie était refermée et Sekurius annonça qu'il ne craignait plus pour la vie de l'enfant. Il enveloppa minutieusement les membres blessés par des emplâtres. Une ouverture cependant lui permettait de surveiller la cicatrisation de la cuisse.

L'enfant avait pris de la vigueur et raconta l'inconcevable. Il affirma sans aucune hésitation mais sans trop de détails que la petite Toscana l'avait amené à l'écart prétextant vouloir lui montrer une pierre précieuse qu'elle avait trouvée mais qui était si grosse qu'elle ne pouvait la transporter. Au moment où il regardait en bas de la falaise, elle le poussa dans le vide. L'enfant était formel, il répéta la même histoire à son père, à sa mère, au boulanger et au notaire demandés comme témoins.

Le maïeur, qui n'avait jamais accepté d'être privé d'une partie du travail de Claire, ne voulait pas moins que la potence pour Toscana et cinq ans de cachot pour la mère. Père réussit à éviter un procès formel au tribunal du château, mais ne put empêcher que l'enfant ne soit traduite devant le conseil d'école qui n'avait, heureusement, pas droit de recourir à la peine capitale. Elle et sa mère étaient tenues au pain et à l'eau dans deux cachots séparés de la mairie, et la sentence pouvait aller jusqu'à cent coups de fouet de cuir pour elle et pour sa mère. On avait déjà vu des enfants ne jamais se remettre d'un tel traitement.

Père voulait absolument tenir enquête pour gagner du temps et trouver matière à atténuer la sentence. L'enquête fut refusée. Le révérend Tolnai qui présidait le conseil d'école considérait qu'on ne pouvait douter de la parole du fils du maïeur. Plus que cela, le pasteur fit venir deux de ses amis : un certain Francis de Görlits, qui se disait théologien, et un huguenot du nom de René de Cartebourg qui avait réputation de philosophe. Il était évident que le pasteur voulait prendre prétexte de l'affaire pour mettre en cause toute la réforme scolaire. L'objectif n'était plus seulement la vengeance, mais la dissolution des « extravagances » du révérend *senior* des Frères de l'Unité.

La grande salle donnant sur la place publique fut convertie en tribunal. Tolnai, entouré de quatre délégués nommés par le conseil, présidait du haut d'une tribune construite pour l'occasion. Tous ces délégués provenaient des guildes les plus puissantes du bourg. Une barrière avait été dressée de façon à former une enceinte d'audition. Beaucoup de bourgeois et de propriétaires avaient loué des places de façon à réduire au maximum l'assistance des roturiers et des paysans.

Des gardes avaient été engagés pour s'assurer de l'ordre. Néanmoins, on était venu jusque de Györgytarló dans l'espoir d'assister au débat. La salle était bondée et à l'extérieur, de multiples attroupements attendaient des nouvelles de messagers entrant et sortant.

Dans l'enceinte d'audition, Francis de Görlits, René de Cartebourg et le maïeur de la cordonnerie faisaient face à révérend mon père. Père avait demandé à Ablonský de tenir l'école ouverte malgré l'absence d'un grand nombre d'enfants et à maître Sekurius de prendre soin du garçon blessé jusqu'à son plein rétablissement. Il se défendrait seul.

Tolnai ouvrit la session en ces termes :

— Une enfant du péché et de la trahison a été acceptée dans une école jadis de bonnes mœurs. Avec l'arrivée du nouveau directeur, cette école a été convertie en foire pour le jeu et le théâtre où se mêlent filles et garçons, gueux et valeureux. Il s'en est fallu de peu pour qu'il y ait décès d'enfant. Sans la miséricorde de Dieu, le fils unique du maïeur serait mort par l'action perfide d'une bâtarde. Nous n'avons pas droit à la justice puisque le pasteur de Bohême a fait embûches à un véritable procès en faisant agir, par-dessus les guildes, ses relations avec la cour royale. Qu'il nous soit au moins donné de punir cette enfant et sa mère dans une mesure qui ne pourra jamais être assez sévère et surtout, de faire cesser cette prétendue réforme qui n'est que lubie d'un supposé théologien ni calviniste, ni luthérien, ni même catholique.

Tolnai donna ensuite la parole à René de Cartebourg qu'il qualifia de « maître », d'« illustre philosophe français et calviniste », de « célèbre cartésien fidèle aux purs Évangiles »... et dont personne n'avait entendu parler jusqu'à ce jour. L'homme se leva, retroussa les manches de sa grande robe noire et commença sans jamais baisser le nez ni daigner jeter le regard sur personne :

— J'ai lu de ce monsieur Amos Komenský, la *Didactique tchèque*, la *Grande Didactique*, la ridicule *École maternelle sur les genoux* et l'étrange *École pansophique*. Tout le contraire de ce qu'il faut ! Une école digne de ce nom doit en premier lieu cultiver la raison et cela pour au moins trois motifs qu'on reconnaîtra d'emblée : sortir de la magie, entrer dans la science et se libérer des passions.

— Soyez plus explicite, sollicita Tolnai.

— Prenons le premier point, continua le huguenot. Si l'univers est une sorte d'intelligence comme le prétend le nouveau directeur à la suite de toute la vieille théologie spéculative catholique, on ne peut appliquer sur lui ni raisonnements ni mathématiques. En effet, le propre d'une intelligence, c'est l'invention. Si l'univers invente, on ne peut rien prédire, les mathématiques n'ont pas d'objet et nous replongeons dans la superstition. La raison ne peut s'exercer que sur un monde qui ne pense pas, qui est une simple machine.

— Quelle importance cela a-t-il ? insista Tolnai.

— Un monde réduit en lois, un monde parfaitement obéissant donc, n'est plus que de la matière pour la puissance humaine. Connaissant les lois, nous pouvons utiliser le monde comme le forgeron utilise le fer. Nous ajouterons ainsi de l'ordre en toutes choses.

— En somme, résuma Tolnai, un monde pour les industrieux. Non pas un monde qui obéisse à des autorités royales comme un empereur ou un pape, non pas un monde qui obéisse aux magiciens ou aux théosophes, mais une simple matière utile à l'industrie, un monde pour nous. Il convient donc de n'accepter dans nos écoles urbaines que les garçons des guildes pour les assujettir à la raison afin qu'ils en fassent bénéficier l'économie. Les filles, plus revêches à la raison parce que plus emmêlées avec leurs passions, doivent recevoir une éducation apte à en faire de bonnes épouses.

— Parfaitement monsieur le président, reprit René de Cartebourg, le monde est un matériau ; la richesse qu'on en retire grâce à la raison indique que nous suivons la volonté de Dieu. Or, le nouveau directeur invité par la veuve du château persiste dans les vieilles croyances des spéculateurs catholiques d'antan. Pour lui, connaître est encore une affaire d'analogie, une manière de poésie, comme si l'esprit humain et l'esprit divin communiquaient l'un avec l'autre à travers un langage qui serait l'univers lui-même. C'est affaire de bonnes femmes. Il voudrait qu'on écoute les arbres, les oiseaux, les montagnes comme si la nature enseignait ! Cet homme n'a ni culture, ni science, il n'a que des sentiments.

La salle s'était mise à ricaner, à chuchoter, spéculant

sans doute sur le vainqueur et ne donnant pas cher de mon père. Le maïeur tapait des doigts sur son pupitre, tremblotait sur une jambe puis sur l'autre, lançait des regards d'impatience en direction du président.

— Mais cela, intervint Tolnai, peut-il amener une enfant au meurtre ?

Et il fit un sourire victorieux au maïeur pour l'encourager à se calmer et à prendre patience.

— Oui, affirma de Cartebourg, parce que cette tragique erreur de pensée s'accompagne d'une autre dont les conséquences peuvent être pires. Cet homme considère que dès sa naissance l'enfant suit un développement progressif dû au déploiement d'une intelligence qui travaillerait dans chacun. Pour cette raison, il encourage les enfants à suivre leurs instincts pervers et leurs passions informes. Cela entraîne ce dont nous sommes témoins avec horreur, une enfant de sept ans a mijoté de tuer, a calculé son crime et l'a exécuté de sang-froid. Et j'ajouterais ceci : non seulement son enseignement est rétrograde, non seulement il constitue un grave danger pour la sécurité publique, mais il ne peut que détruire la foi, puisque la foi consiste à suspendre son intelligence devant les vérités révélées.

Les bourgeois se mirent à grogner dans un jargon hongrois impossible à saisir pour des étrangers. Tolnai maîtrisait à peine une satisfaction qui, sans les grimaces du maïeur pressé d'en finir, l'aurait mis en voie de crier victoire. Le président savait, lui, que l'enjeu était politique et qu'il fallait gagner une majorité de la population si l'on ne voulait pas verser dans la division et la querelle perpétuelle qui était, pour ainsi dire, l'état naturel du bourg.

— Dites-nous, maître de Cartebourg, demanda Tolnai, comment une école devrait-elle être tenue ?

— Tout à l'opposé de celle du nouveau directeur. On doit dresser les enfants à se soumettre à la raison, on doit insister sur les mathématiques, la logique, la grammaire et tous les formalismes auxquels doivent s'astreindre les hommes. L'art et la littérature ne sont et ne doivent être que des agréments n'ayant aucune prétention vis-à-vis des vérités claires et distinctes de la raison. Il ne faut leur consacrer que les temps de récréation. Le nouveau directeur veut réveiller l'étonnement des enfants. Dois-je rappeler ce qu'en dit monsieur René Descartes : « ... l'étonnement est un excès d'admiration qui ne peut jamais être que mauvais ». Il a parfaitement raison. Prendre en compte les émotions est tout le contraire de ce qui se doit. L'école rationnelle devra agir comme si les émotions n'existaient pas. Ce n'est pas un enfant qui doit aller à l'école, mais sa raison, le reste doit attendre dehors jusqu'au son de la cloche.

Toute la bourgeoisie présente chuchotait d'admiration, faisant de grands signes affirmatifs de la tête, espérant sans doute entraîner la populace avec elle. Mais le peu de paysans présents semblaient s'inquiéter d'autant plus que la bourgeoisie donnait signe d'unité. Sans les regards de madame Tolnai, je n'aurais pas remarqué la présence d'une nourrice de Györgytarló. Elle se retira avant d'entendre la première défense de père. À côté d'elle, un singulier personnage, maigre, blafard et noir de chevelure, portait un dolman bourgogne et dressait une main en bois plaqué de fer. L'homme sortit lui aussi.

Après s'être ainsi étayés mutuellement à propos d'une philosophie dont, sans doute, peu comprenaient le sens et encore moins envisageaient les conséquences, il fallut accorder la parole à révérend mon père. Ce que fit, non sans hésiter, le président. Père se leva :

— En somme, résuma père, vous videz l'univers et l'homme de toute leur substance créatrice et donc de toute leur substance divine, réduisant ainsi le monde à l'état de machine à être exploitée et l'enfant, à l'état de machine à exploiter. Tout cela pour rendre omnipotente une conception bien simpliste des mathématiques, de l'économie et du pouvoir. C'est, je crois, un idéalisme de la raison bien dangereux qui consiste à déifier une des facultés de l'esprit en destituant toutes les autres. Je ne crois pas que ce soit là une utilisation raisonnable de la raison. N'en voyez-vous pas le risque ? La raison dont vous parlez reste incapable d'une science des fins, donc incapable d'animer une consultation universelle sur l'avenir de l'homme. Une telle consultation est pourtant nécessaire à toute constitution démocratique. La raison dont vous parlez ne peut qu'obéir puisqu'elle est aveugle à ce qui, en elle, la dépasse : une intuition des fins et des significations. La raison des « industrieux », comme vous les appelez, ne risque-t-elle pas de se plier aux désirs purement égoïstes de ceux qui ont des richesses ? Dans mes écoles, monsieur, j'apprends aux enfants l'usage intelligent de la raison...

On entendait les doigts du maître des guildes dandiner sur son pupitre. Le maïeur était sur le point d'exploser. La salle retenait son souffle comme si un baril de poudre allait éclater.

— Venez-en aux faits, intervint sèchement Tolnai.

— En quoi, logiquement et rationnellement, des coups de fouet sur le dos d'une petite de sept ans pourront-ils l'aider à soumettre ses impulsions à la raison ? demanda père. Et si nous faisons cela, n'est-ce pas nous qui subordonnons notre raison à nos passions ?

Père s'approcha doucement du maïeur.

— Je compatis avec ce que vous et votre épouse avez supporté. Les souffrances de votre fils ont été atroces. Il faut faire quelque chose pour comprendre ce qui s'est passé et éviter que cela ne se reproduise...

Je crois que le maïeur se serait jeté sur père pour l'étrangler, mais Francis de Görlits, sans même se lever, interpella :

— Il faut extirper le mal là où il se trouve, monsieur Komenský. C'est là tout le danger de la dépravation élevée en système que vous appelez « École du jeu et du théâtre ». Dans chaque être humain, il y a un principe actif de désordre. Il ne faut pas long avant de découvrir que tout enfant est habité par ce principe allant jusqu'aux perversités les plus immondes. L'éducation consiste à contraindre à l'ordre publique.

— Révérend Tolnai, fit remarquer père, avez-vous donné la parole à ce monsieur ?

— Je lui ai fait signe, retourna Tolnai, sans rougir de son mensonge.

— Bien, je ne voudrais pas que l'on manque ici de discipline ni que l'émotion l'emporte sur la raison. Puis-je répondre à ce monsieur ?

— Faites, acquiesça Tolnai qui n'avait pas d'autres choix.

Le silence dans la salle toucha à l'absolu. Le maïeur retenait ses mains l'une par l'autre, le visage cramoisi, incapable de quitter père qui allait et venait en regardant chaque membre de l'assemblée.

— Dans les écoles que j'ai visitées en Angleterre, dans les Allemagnes, les Provinces-Unies, en Suède, en Pologne ou, ici, en Hongrie, plus on cherchait à empêcher le mal, plus il régnait. Tout allait-il si bien lorsqu'on frappait vos enfants à la verge et qu'on les confinait dans des études purement formelles dont ils ne comprenaient rien ? La guerre ne nous a-t-elle pas assez bien montré ce dont sont capables, une fois grands, les enfants tenus sous le bâton et la férule ? Oui, il est arrivé un événement tragique, et je prends la pleine responsabilité que l'école a manqué de vigilance. Mais cette erreur ne doit pas jeter par terre tous les progrès réalisés. La morale ne se limite pas à éviter le mal, elle consiste surtout à tenter le bien. Il règne dans notre école une discipline exemplaire parce que double : d'un côté nous encourageons l'effort créatif et d'un autre côté nous décourageons toute forme de violence. La souffrance engendre la souffrance. N'en sommes-nous pas, ici même, témoins ? Nous avons tous terriblement souffert pour l'enfant du maïeur, pour son père et sa mère, aussi nous sommes poussés à transmettre cette souffrance à l'enfant qu'on dit être coupable. Mais cela ne fera qu'ajouter blessure sur blessure...

— Nom de Dieu ! explosa le maïeur. Du miel contre du sang. Jamais ! Je veux fouetter cette vermine de mes propres mains ou je vous jure que la terre va trembler de la paysannerie jusqu'au château si cela ne m'est pas accordé. On m'entend bien ! Terminez-moi cette farce, révérend Tolnai, et chassez-moi ce réformateur de grand chemin, car je pourrais changer d'avis et exiger en haut lieu la pendaison de la fille, de la mère et de ce minable hussite.

Il se mit à tousser jusqu'à s'étouffer complètement. Francis de Görlits lui tapotait le dos et lui offrait du vin. Tolnai frappa d'un bâton sur la table. Les bourgeois se levèrent d'un seul bloc en criant : « Exécution, exécution ». Aucun des délégués du conseil ne dit mot. Roturiers et paysans quittèrent la salle dans le plus grand tapage se demandant : « Exécution de quoi ? On veut savoir ! On pend ou on fouette ? C'est quand ? C'est où ?... » Deux hommes du château entraînèrent dehors monsieur mon père.

À l'extérieur, une partie de la foule se dispersa en hochant la tête, mais un bon nombre s'avancèrent autour des bourgeois qui sortaient, les pressant de questions jusqu'à les bousculer : « Qu'est-ce qui arrive des compensations du château ? Qu'est-ce qu'on fait des filles ? » D'autres criaient : « Au gibet, la putain et sa bâtarde » ou encore « Le fouet et le gibet, les deux, c'est mieux non ! ». L'un des bourgeois, harassé, menaça la foule de son pistolet. Des paysans prirent des pierres dans leurs mains, des commerçants sortirent leur estoc pour intimider les campagnards. Des bagarres allaient éclater.

Le grand chancelier en habit d'apparat encadré de

carabiniers à cheval arriva sur les lieux. La foule se dissé-
mina. Père fut embarqué dans un chariot qui fila précipi-
tamment en direction du palais. Je crus apercevoir
Ablonský dans la voiture, entouré de deux hommes
d'arme. Le chancelier monta sur la tribune de la place
publique où se trouvait le gibet. Un tambour appela. La
foule, surprise, se rassembla. On fit résonner deux trompettes. Un crieur déroula un parchemin :

— Oyez, Oyez, gens de Sárospatak. Le malheur s'est
abattu sur la Hongrie. Sa sérénissime altesse Sigmond et
sa princière épouse ont été trouvés morts de cause incon-
nue venant du ciel telle une calamité. Le deuil est décrété
dans toute la Hongrie. Pleurez et priez car Drabík, le prophète de malheur, a appelé à nouveau les foudres du ciel
contre notre royaume...

Je profitai du vacarme et de la confusion pour aller à
la mairie. C'était un mouvement instinctif. Comme si je
pouvais être d'un quelconque secours ! Contrer une éven-
tuelle tentative d'écharper les accusées, organiser une
fuite, consoler, tout se mélangeait dans mon esprit. Allait-
on seulement me laisser entrer ?

Il régnait un tel état de confusion à cause des nouvelles contradictoires qui arrivaient par toutes les bouches
et sans rapport les unes avec les autres que la mairie était
presque vide. Le gardien me conduisit jusqu'au cachot de
Toscana, le cachot des bourgeois, et sans même vérifier le
sauf-conduit que j'avais moi-même griffonné, me fit entrer
en me souhaitant : « Bonne nuit ! ». Il rembarra derrière
lui.

Elle était tapie sur un tas de paille dans un coin du
cachot, l'odeur était infecte, elle s'était souillé le visage et
la chevelure de ses excréments et gémissait comme une
bête mourante en tentant de s'arracher les cheveux. Je
voulus m'approcher, mais elle hurla, menaçant de se fracasser la tête sur le mur.

— T'es vraiment une vilaine fille, lui dis-je.

Cette phrase sembla l'apaiser.

— T'es méchante et tu pues.

Elle arrêta de gémir. Elle aimait tellement être punie. Un filet d'eau coulait dans une sorte d'enfonçure à l'opposé de la paillasse où elle se trouvait. Sans doute une miséricorde pour l'hygiène des prisonniers bourgeois. Je m'assis par terre près de là.

— Tu pues, je n'aime pas ça.

Ma voix résonnait dans le cachot, alors je continuai en chuchotant :

— Je me demande bien pourquoi tu ne l'as pas étripé au couteau. Il est déjà sur pied et il va te rosser.

— Partez, fichez-moi la paix, fut sa riposte.

J'avais dit une bêtise. Je ne savais plus quoi dire. J'étais désemparée. J'attendais l'inspiration. Elle ne venait pas. Le silence avait quelque chose de lourd, d'insupportable.

— Mon Dieu, faites qu'il ne lui arrive rien, délivrez-la de toutes les idées méchantes qu'elle tourne contre elle. Enlevez ce calice de devant sa face. Je ne supporterais pas...

L'image du gibet, le maïeur fouet au poing, les coups, le sang... J'étouffais mes pleurs dans ma robe, mais la résonance du cachot les transformait en plaintes lugubres.

La petite, je crois, eut pitié de moi. Elle s'approcha de la cuvette, se déshabilla et commença à se laver. Je repris mes esprits et m'avançai vers elle. Elle me laissa faire. Je lui lavai les cheveux assez rudement. Je maîtrisais mal ma colère. Un morceau de savon traînait sur une pierre. Il me vint une idée.

— Frotte fort, lui demandai-je, et mousse bien tes cheveux.

Pendant que l'eau lui piquait les yeux, je bourrai ses vêtements avec un peu de paille et les déposai en manière de polichinelle, toupet en galoche et bras en épouvantail sur la paillasse éventrée. Je continuai à laver la petite en

Comenius

la frictionnant assez vertement, essuyant mes larmes de mes manches. Toscana était toute tremblante de froid. Je l'enveloppai dans mon manteau et l'assis entre mes jambes, dos à moi. Je m'apaisai un peu.

— Alors explique-moi comment ça s'est passé, lui demandai-je, d'une voix ferme... Je n'accepterai pas de silence.

— Ils riaient toujours de moi.

— Qui ça, ils ?

— Junior et les autres. Ils me suivaient, ils attendaient que je sois toute seule et me criaient des noms.

— Quels noms ?

— Je veux pas le dire. Je le dirai pas.

— Le fils du maïeur dans tout cela ?

— C'était le plus petit. Junior l'encourageait à me tirer les cheveux. Il le forçait à m'enlever ma robe... Les plus grands se tenaient autour et riaient. Ils avaient des bâtons. Ils disaient que si je ne me laissais pas faire, ils me brise-raient les os.

— Ils te touchaient ?

— Non, ils riaient, me bousculaient, me piquaient avec leur bâton.

— Et, Nikolaï, le fils du maïeur ?

— Il sortait la petite chose de sa culotte...

— Et le jour où t'as poussé Nikolaï dans le ravin...

— Je voulais les tuer, je voulais tous les tuer. J'ai dit à Nikolaï que je me mettrais toute nue au complet s'il venait avec moi, que je compterais jusqu'à dix et qu'il pourrait faire tout ce qu'il voudrait. Mais il fallait qu'il vienne seul et tout de suite. Il est venu. Il m'a dit qu'il ne voulait pas me faire mal, mais que les autres le forçaient. Il voulait juste m'embrasser, c'est tout. Il s'est approché, je l'ai poussé. Je voulais lui faire peur, il a glissé...

Elle tremblait de tout son corps. Je la serrai délicate-ment dans mes bras mais sans la retourner vers moi. Je priai Dieu de venir à mon secours. Ma tête était vide et mon cœur trop plein. Je me calmai en chantant un petit air de maman.

— Et elle, la petite pauvrette qui est là, lui demandai-je au bout d'un moment, tu veux la tuer aussi, cette petite fille.

Je tenais son visage en direction du pantin. À peine si l'on pouvait voir la forme car la nuit était venue. Je crus entendre le gémissement du vent ou d'un autre prisonnier ! La silhouette apparaissait si pitoyable et misérable, on aurait dit une de ces orphelines de la guerre qui n'attendait plus que la mort.

— Tu veux la tuer cette petite désespérée ? répétai-je.

Dans le silence, d'autres plaintes lointaines. Le vent sifflait. L'enfant fixait son effigie.

— Tu veux tuer cette petite misérable juste parce qu'elle n'a pas eu de chance. Tu veux la tuer à cause de son malheur...

— Non, répondit-elle enfin, je veux pas la tuer. Je veux tuer personne.

Et elle s'effondra en larmes. Je la serrai contre moi.

— T'as bien raison parce que cela me crèverait le cœur. C'est pas sa faute à elle si son père avec ses gros livres n'a pas fait mieux que les autres soldats. C'est pas sa faute à elle, si sa mère s'est fait battre et si elle a eu beaucoup de mal. C'est pas sa faute si elle a les cheveux noirs de son père et que cela rappelle de si terribles souvenirs à sa maman, c'est pas sa faute...

Je lui caressais les cheveux. Au bout d'un moment, elle balbutia :

— Mais les graines ?

— Les graines ! m'exclamai-je.

— Les graines qui vont des papas à leurs enfants. Si j'ai les cheveux noirs, j'ai le cœur noir aussi.

Dieu, c'est vrai les graines ! Elle n'avait rien compris de la leçon sur les graines...

— Elles ne transportent pas le mal, les graines de

carotte, lui répondis-je, elles transportent uniquement la force d'être une carotte. Si une carotte rencontre une roche, elle devient croche parce qu'elle doit contourner la roche, mais une carotte croche n'est pas une carotte méchante. C'est vrai que t'as rencontré des roches dans ta vie et que t'es un peu croche, mais t'es pas corrompue, c'est juste que tu as tenté de t'adapter. C'est pas une faiblesse, c'est une force...

Je lui racontai des histoires d'enfants de la guerre que j'avais connus. Des petits qui, comme elle, avaient été conçus dans la violence. Il y en avait tellement. Certains continuaient la guerre et la violence contre eux-mêmes, d'autres surgissaient du malheur plus forts, plus compréhensifs, plus généreux. J'insistai : le mal surgit toujours d'une guerre qu'on laisse couver contre soi-même. Toute violence contre les autres n'est que le surplus d'une violence contre soi. Un homme qui a fait la paix avec soi ne fait plus de mal autour de lui. De ce fait, il est plus sage de chercher la réconciliation avec soi que tenter de se punir. Les sages, lorsqu'on leur impose une douleur injuste, une humiliation, une souffrance, dès que ce malheur cesse, ils ne le continuent pas dans leur imagination. Ils n'ajoutent pas à la haine qu'ils ont reçue, ils ne se croient pas coupables parce qu'on les a humiliés. Alors ils souffrent moins longtemps et ils éprouvent moins souvent le besoin de tuer. Et s'ils éprouvent le besoin de tuer, ils attrapent une mouche, ils lui écrasent la tête, lui arrachent les pattes et les ailes. Ça les soulage un moment, après ils apprennent à rire et ils peuvent y voir plus clair...

— Alors je suis pas méchante, je suis juste un peu croche, répéta-t-elle.

— Et si tu donnes assez d'amour à la petite misérable qui est là, elle ne sera pas croche longtemps. Tu vois combien elle est bonne la petite Toscana qui lui donne de l'amour, elle n'est pas méchante du tout...

Elle s'endormit dans mes bras. Je lui caressai les cheveux. J'étais épuisée. Des gémissements venaient des autres cachots. Je m'assoupis malgré tout...

Le premier dong sur le bourdon du beffroi venait à peine de me réveiller qu'à grands cris on entra dans le cachot. Deux soldats m'arrachèrent l'enfant :

— Dame Zabeth, dame Zabeth, criait Toscana en se débattant.

On voulut me refouler dans la prison. Il n'était pas question que je l'abandonne. Pris de pitié pour l'enfant, le gardien de la mairie me laissa passer. On alla chercher Claire dans le cachot des gueux. La misérable avait peine à se tenir debout. Son visage creusé, ses yeux exorbités, son corps décharné et plié par des crampes trahissaient la privation, la dysenterie, le choléra peut-être.

— Maman, hurla Toscana.

Claire tenta de se jeter sur le factionnaire qui tenait l'enfant sous son bras. Deux hommes la soulevèrent de terre et l'amenèrent dehors. Toscana réclamait sa mère à grands cris, implorait, sanglotait. Un gardien la bâillonna. Je voulus courir, rattraper Claire. Un piquier s'interposa.

— Tranquille madame, me conseilla le gardien, s'il vous bâillonne et vous ligote, c'est pas la peine.

Nous montâmes sur le gibet où furent attachées, chacune à leur poteau, la mère et la fille. Claire me fixa, l'expression si désespérée... Elle agonisait. Je m'approchai. On voulut me retenir. Le piquier fit signe d'accorder à Claire la permission de me parler.

— Sauvez ma petite, madame Élisabeth. Voulez-vous ma petite, soupira-t-elle.

— Vous n'allez pas mourir, lui répondis-je.

— Voulez-vous ma petite ? insista-t-elle le regard désespéré.

Mon cœur se déchira, je voulais répondre, mais les

mots se noyaient. Je n'arrivais pas à faire surgir quoi que ce soit de ma bouche. Et puis j'éclatai en larmes :

— Pour sûr que je veux.

Le gardien de la mairie me releva.

— Reprenez-vous madame.

Sur la place publique, il n'y avait que des mendiants, des gueux et des infirmes. Le bourg dormait ou se terrait. On dénuda Claire jusqu'à la ceinture. Son corps était squelettique. Le maïeur monta sur la tribune du gibet. Son visage me parut particulièrement difforme. Il tremblait de rage, d'une colère venant de je ne sais quel Caïn. Quelle haine effroyable portait-il pour vouloir ainsi frapper une si misérable femme et sa petite ?

On lui donna le fouet de cuir et il se mit à frapper le dos livide de Claire avec tant de force qu'il était évident qu'il voulait l'achever. Il frappait, frappait... Sa mince peau se boursouflait, le sang suintait, jaillissait. Toscana se débattait, horrifiée. Elle réussit à arracher son bâillon et cria :

— C'est moi la méchante, battez-moi...

— Pitié pour ma petite, gémissait Claire, je vous en prie.

Elle s'écroula. Le maïeur continuait. Le piquier s'interposa, dévisagea le bourreau.

— Bon ! va pour elle, proféra le bourgeois, comme s'il cédait de bonne grâce.

On enleva à Toscana le manteau dont je l'avais recouverte. Le maïeur s'approcha d'elle, leva le bras, crispa le visage... L'enfant complètement nue courbait le dos en criant :

— Crevez-moi, je veux mourir...

Soudain, je compris. Je sautai devant le maïeur et lui détonai :

— C'est parce que vous savez la vérité que vous voulez les abattre (ma voix résonnait sur toute la place publique). Vous avez contraint votre propre fils à un mensonge meurtrier pour sauver votre honneur et bafouer celle de qui vous tenez votre fortune. Je vais crier à tous qui était votre père. Un traître qui vous a si maltraité qu'il faillit vous tuer. Jusqu'à quand cette vengeance ? Jusqu'à quand allez-vous transmettre cette souffrance et cette rage ?

Le maïeur me dévisagea, tourna le fouet contre moi et se mit à me frapper de toutes ses forces. Le piquier saisit le fouet. Le maïeur y allait de ses poings. Un soldat se saisit de lui. L'exécution de la sentence était terminée. Une charrette de la mairie s'avança, nous embarqua toutes les trois et nous fûmes conduites au château.

Toute la nuit, père avait tenté de négocier avec Tolnai qui était resté intraitable, puis avec le chancelier, car son altesse Szuszanna refusait de le recevoir, fulminant contre lui parce qu'il avait diffusé certaines des déclarations de Drabík le prophète. Il ne put rien obtenir.

Par ordre royal, Ablonský, Johanna, Suzanna et Daniel, escortés par une petite garde du château, étaient déjà en route pour Leszno avec tout le mobilier. Sekurius avait été réquisitionné au palais, car l'étrange épidémie qui avait emporté le couple royal disséminait toute la valetaille.

Une lourde guimbarde et quatre chevaux bais nous avaient été donnés par la reine en cadeau d'adieu et remerciement pour services rendus. Père avait pour projet de nous amener au plus tôt à Přerov chez un médecin ami de Sekurius dans l'espoir de sauver Claire qui agonisait. Claire ne reprit jamais conscience et il fallut l'enterrer dans un bois près de Košice.

Dans le silence du soir, n'ayant pour la pleurer que nous trois et cette grande nature toujours effroyablement sereine, elle fut déposée en terre. Une cathédrale de solitude se dressait muette en guise de sépulture. Comme s'il arrachait du silence ce que toutes les étoiles auraient dû crier, père fit résonner cette prière :

— Pitié pour les pauvres, mon Dieu ! glorifiez cette femme.

Il éclata en larmes, mit un genou à terre et prit en tremblant la main de la petite Toscana. L'enfant jeta une poignée de terre sur le corps de sa maman, resta silencieuse, comme desséchée par trop de souffrance.

— Qu'est-ce que j'ai fait ? Mon Dieu, qu'est-ce que j'ai fait ? pleurait père à gros sanglots.

Et moi, épuisée, je serrais en tremblant la petite fille que le ciel m'avait donnée. Elle se laissait faire, n'ayant sans doute plus assez de force pour lutter. Je la gardai sur moi pendant des jours et des nuits. C'était ma petite.

CHAPITRE 5

La cendre et le feu

Nous étions seules dans la guimbarde, Toscana et moi. Père, assez gauchement, faisait office de cocher ; nous n'avions jamais possédé de chevaux, ni même un seul mulet. L'attelage allait à sa tête sans se soucier des hue ! dia ! et sacrebleu ! lancés par monsieur mon père. La forêt de Slovaquie nous enveloppait, les villages devenaient épars et les collines se transformaient en montagnes.

La route, sinueuse, boueuse et pierreuse nous ballottait et nous secouait comme marins en tempête. J'avais de temps à autres de terribles crampes qui me traversaient le ventre. Je m'étais fait un matelas de tous les vêtements disponibles. Fatiguée et comme ivre, la tête appuyée sur le chapeau de la Maramone, j'errais dans les brumes de mon esprit tout en chantonnant une berceuse à ma petite.

Elle se tenait blottie dans mes bras, résignée, abandonnée, confiante. Comment le pouvait-elle si facilement ? Par quel miracle acceptait-elle les tendresses et les cajoleries, elle qui voulait mourir sous le fouet ? Les excès de la souffrance sont-ils comme les typhons de Chine ? Après avoir tout pulvérisé, ils se métamorphosent en calmes brises, reviennent sur leurs pas et réconfortent leurs victimes.

Une chanson ancienne le suppose :

Les voies de l'amour sont étranges :
elles frappent et consolent
elles troublent et rassurent,
tantôt brûlantes, tantôt de glace,
hier si cruelles, demain si tendres.
Toujours à creuser le pétrin
toujours à pétrir de la paume.
Affleurant la peau de la joue,
déposant les lèvres sur la farine,
elles consomment dans le feu,
elles enseignent métier d'amour.

Peut-être sa mère était-elle avec nous ? Toscana était si paisible, les yeux absorbés par l'activité fébrile d'une araignée se balançant au plafond. Celle-ci tanguait au bout d'un fil et profitait du cahotement de la voiture pour attraper le rebord lointain de la portière. Par le malheur des cailloux qui nous ballottaient, sa toile avait atteint des proportions inégalées : un beau suaire pour les moustiques qui allaient s'y risquer, une belle nourriture à offrir à sa progéniture. La métamorphose des plus petites bêtes dans les plus grandes nous dit peut-être ce qu'est l'amour :

Ne retiens pas les mousses de ton âme,
laisse partir les poussières de ton cœur
l'amour les rassemblera à nouveau
pour d'autres blessures,
pour d'autres baisers.

Les arbres défilaient à travers une claire-voie découpée dans le haut de la portière. Des rayons étincelaient comme des épées agitées dans une tourmente. L'araignée apparaissait, disparaissait, réapparaissait toujours ailleurs et comme démultipliée.

Sur ma poitrine, ma petite s'évaporait ou s'alourdissait selon que j'allais dans mes souvenirs ou revenais dans mon corps endolori. Tantôt j'engourdissais dans les épines, tantôt je m'envolais sur les nuages. Je balançais du mal au plaisir, du feu au froid par saturation ou ankylose. Je traversais chez les morts, revenais chez les vivants, chavirais dans les abîmes. Mon ventre montait dans ma poitrine, mes reins incendiaient mes poumons, ma tête se lancinait.

Des visages défilaient à travers les branches de la forêt : maman, la Maramone, Claire, Ablonský... L'invisible imbibait le hachement du jour... Et soudain, la portière s'ouvrit.

— Dehors les gouines, on n'a pas besoin d'équipage, cria un pirate de chemin dans un grand rire.

Comme si le tonnerre s'était jeté sur nous, deux énormes bras nous tirèrent, Toscana et moi, hors du chariot et nous nous retrouvâmes, réveillées d'un seul coup, roulant dans un ruisseau. Je reçus en plein visage ma besace qui s'était d'abord accrochée à une branche.

Deux brigands sur le chariot jetèrent à coups de pied monsieur mon père dans le fossé et emportèrent voiture, chevaux et bagages.

— Sacripants ! bandits ! crapules ! criait père.

Il vociférait, poings levés, hurlant des noms que je ne savais pas appartenir à son vocabulaire. Il n'était pas blessé, mais boitait légèrement en venant vers nous. Voyant que nous étions avec tous nos morceaux et plutôt confortables dans la boue, ramassant au passage quelques vêtements qui étaient tombés, sans doute pour rassurer la petite, mais aussi parce que le chapeau à plumes de dame Maramone m'était resté tout propre et tout droit sur la tête, il s'esclaffa :

— Dieu ! Mesdames, vous voilà dans les coussins de mère nature !

Et il regarda Toscana avec un visage de pitre. Elle se mit à rire... puis à pleurer. Il la prit alors dans ses bras :

— Ne t'inquiète, ma petite, ton grand-père sait y faire dans la forêt. J'y ai passé de longs mois dans ma jeunesse et j'y reviens presque à chaque voyage. C'est coutume chez moi. Alors, je sais tout. Et les loups ont si peur de moi que cette nuit peut-être les entendras-tu hurler d'épouvante ! Ne t'inquiète, ton grand-père est là...

Et il lui raconta l'histoire du gnome pas plus haut qu'une pomme qui avait su protéger son trésor contre une armée de corneilles grâce à des grimaces magiques. C'est ce gnome qui lui avait montré l'art d'attirer les poissons de rivière et d'apeurer les ours par le seul façonnage du visage.

L'histoire en entraîna une autre et au bout d'un moment la petite se mit à voir des fées et des nabots, des Merlin et des Morgane. Il y en avait sur le dos des papillons, à cheval sur les fourmis, traversant des mares sur des feuilles de trèfle, poursuivant les merles à dos de corbeau...

Il était peu probable qu'un secours nous arrive avant la nuit. Père fit un feu pour nous sécher, puis il construisit, avec l'aide de Toscana, une petite cabane de branches et de roseaux. Le ciel était limpide, le printemps nous promettait une nuit plutôt tiède. Il y avait assez de pain dans la besace pour deux ou trois jours. Une charrette allait sans doute venir à passer. Rien de dramatique n'était donc arrivé.

Après son pain, Toscana s'endormit dans les bras de papa et mes contractions commencèrent pour de bon. Il alla coucher la fillette dans la hutte et revint à moi. J'étais inquiète. Je n'avais probablement pas huit mois de terminés et le pauvre petit avait déjà connu bien du remue-ménage.

Père chauffait son manteau et d'autres vêtements sur le feu, m'enveloppait, me tenait au chaud. À l'aide d'une pierre creuse qu'il gardait brûlante sur le feu, il fit bouillir de petites quantités d'eau qu'il transvidait ensuite dans une cavité façonnée dans la glaise et recouverte d'un galet. Il avait fait de la guenille, l'avait soigneusement lavée et séchée. Il était prêt, me rassurait :

— Ne t'inquiète Lisbeth, dame nature n'est pas mégère.

Je rassemblai mes dernières énergies. J'entendais maman qui m'encourageait. Dame Maramone semblait là aussi, assise sur une souche, comme si elle attendait le nouveau-né pour lui mordre tendrement les deux joues. Claire, sur une pierre, tricotait en souriant. En fait, j'étais comme ivre par trop d'émotion et de fatigue.

Je voulais donner aux trois femmes un nouvel enfant. Pas un enfant petit, fragile, à la merci du moindre refroidissement. Oh non ! J'allais leur donner un Hercule, un colosse, un titan, capable d'ébranler des caps et des monts. Il sera si fort et si puissant, mon Hercule, que le ciel devra lui répondre et nous saurons enfin ce qu'il advient de nous.

Une contraction. Je poussais, toutes mes entrailles allaient sortir...

Le bébé surgit presque d'un seul coup. À peine une hésitation pour les épaules et il se retrouva dans les mains de père.

— Voilà madame ma fille, votre garçon, lança père d'une voix tremblante d'émotion.

Il était bien vivant, mais si petit poupon. J'ouvris mon manteau et le pris tendrement sur mon sein. Père le nettoya un peu, coupa le cordon avec son couteau qu'il avait d'abord passé sur la flamme. D'une éclisse de bois mifendu, il pinça le cordon du bébé et nous enveloppa bien au chaud, lui et moi. Épuisée, je m'endormis avant même de l'avoir nourri. J'étais une femme comblée.

Au matin, père m'apporta une potion très amère faite de plantes et de racines. Il vérifia si je n'avais pas d'hémorragie. Beaucoup de vêtements avaient été tachés de sang. Il avait même pris le bas de sa chemise, pour en faire un chiffon propre afin de nous garder au sec et au chaud, bébé et moi.

Mais le nourrisson ne buvait pas. Il se collait sur le mamelon sans réflexe de téter. Je lui faisais couler des gouttes de lait sur les lèvres, il ne les refusait pas. Il était si tranquille. On aurait dit un ange.

À la fin de la journée, il ne bougeait pas. Je le réchauffais sur mon sein, le lait coulait, séchait et j'avais froid.

Il n'était pas gris et rouge comme les autres nouveaunés. Il était bien plus beau, en rien chiffonné, lisse et blanc comme la neige. Ce sera un garçon tranquille, facile à élever. Père disait toujours que le tempérament se remarquait dès le début. Mais père ne parlait pas, il s'affairait autour de moi comme un médecin.

Un nénuphar glisse sur un étang comme un petit navire et personne ne peut résister au charme. On surnommera mon bébé Lune d'eau et il fera tout doucement son chemin. Je vais l'aimer, je vais tellement l'aimer. Jamais personne ne lui fera de mal. Personne.

Je refusais de le donner à papa qui tendait les mains. Toscana me regardait les yeux terrifiés. Papa m'enleva doucement le chapeau de dame Maramone et me le tendit en clignant de l'œil vers Toscana. J'avais devoir d'enfant. Je ne devais pas m'apitoyer.

Je pressai sur moi mon bébé, si petit, si froid qu'il me brûlait. Père tenait le chapeau à la manière d'un berceau. Le ciel radiait d'un bleu limpide comme apprêté pour un mariage. Il veut tout, le ciel, il prend tout.

Je n'avais pas la force de lutter. La disproportion du combat m'étouffait. Le soleil est si ingénu, les nuages si innocents, les montagnes si candides, les arbres si dénués de doute, les oiseaux si insouciants, les moustiques si irresponsables... Nous seuls ne savons rien.

J'étais déchirée. Je n'avais plus de volonté, ni rien pour résister. J'étais comme une chatte devant éloigner un nourrisson pour en sauver un autre. Je déposai le petit cadavre dans le chapeau. Toscana s'effondra sur moi en criant :

— Maman, maman.

Avec un galet, père creusa un trou et enterra son petit-fils. Personne de nous deux ne devait pleurer parce qu'un enfant avait besoin de rêver. Je caressais les cheveux noirs de ma petite fille. Le bébé était sorti, elle, entra.

Un cantique suivait un cantique, père chantait. Sa voix était éraillée, dissonante, on aurait dit qu'il voulait égratigner le tympan du ciel. Au bout d'un long moment, j'arrivai à émerger.

— Tu vois, dis-je à ma petite fille, ta maman Claire ne sera plus seule dans le ciel. Elle m'a donné la plus belle petite fille de la Terre et mon bébé a décidé d'aller la rejoindre.

Malgré moi, des larmes de sang coulaient comme des cascades sur les parois intérieures de mon corps maintenant vide. J'étais une mère, je n'avais plus droit à mes douleurs. Il n'y avait d'ailleurs plus rien en moi pour souffrir. Mon visage souriait. Nous étions, Toscana et moi, enracinées dans le même vase d'argile.

Les oiseaux maintenant se taisent
qui chantaient hier si joyeusement.
Quelle étrange liberté les emporte,
ils dansent comme des pétales au-dessus du feu,
ivres d'un bonheur sans contre-pied.

La nuit me recouvrit dans un noir sommeil.

C'était la grâce des survivants, le sacrement des morts pour ceux qui restent...

Les brumes du matin s'effilochaient comme des rubans de mariées. Filtrés à travers les frondaisons, des jets de lumière rose réveillaient doucement la forêt. Une petite brise chargée de brindilles se frôlait sur les troncs. Une coccinelle engourdie sur une feuille étirait ses pattes de derrière. D'énormes hêtres allongeaient leurs grands bras. Une goutte d'eau tomba sur mes lèvres. Le chant des oiseaux tintait dans l'humidité du matin. Le feu dansait encore sur ses braises... Comme un serin perçant à travers les murmures, la voix de ma bambine Toscana :

— Là, un poisson...

— Chut ! fit père.

Entre les branches, le plus étonnant des tableaux : révérend monsieur mon père dont tous les vêtements étaient en haillons portait sur sa hanche demoiselle ma fille. Il l'avait attachée sur lui avec des lanières provenant de sa redingote. Pieds nus dans la rivière, il tenait un mince harpon de sa confection, scrutait les fosses, se penchait le visage à quelques doigts de l'eau, écarquillait les yeux plus grands que ceux d'un lézard, arrêtait la plus incroyable grimace, guettait sa proie... Hop ! Il avait piqué une petite truite bleue tachetée. Fille ne put s'empêcher d'applaudir. Il la gronda joyeusement, enfila le poisson dans un cordon qu'il lui faisait tenir.

J'étais couchée sur un lit de fougères, entortillée dans ma robe et un manteau aussi bien qu'un bébé dans ses langes, si épuisée qu'à peine avais-je la force de les suivre du regard. Par bonheur, il m'avait fait un bel oreiller de chiffons, ma tête n'avait qu'à pivoter pour les accompagner.

Il avançait dans la rivière. La scène éveillait des souvenirs lointains... Il appelait cela « la pêche à la grimace ». Il s'agissait de faire briller les yeux et de se transformer en branche immobile, aussi insolite que possible. Le poisson partait en spéculation, figeait entre la peur et la fascination alors qu'un harpon lui traversait le corps.

Père me portait ainsi sur son flanc. J'étais Sigurd sur son cheval, tueur de dragons, intrépide entre tous. Je sentais les muscles de ma monture frémir, s'immobiliser, s'arc-bouter du dos à l'épaule... Il décochait, ratait rarement sa cible. Invulnérables nous étions et tous les monstres de la Terre nous respectaient. J'étais si petite et la forêt si intrigante qu'il fallait tout transformer en jeux.

Mère était enceinte de Ludmila et la guerre nous avait jetés dans les bois. Père racontait que nous étions dans la nature comme dans une dame géante. Il ne fallait craindre ni l'orage ni le tonnerre, la dame avait ses sautes d'humeur mais toujours se reprenait. La forêt où nous nous cachions alors était particulièrement dangereuse. Un ours venait parfois rôder la nuit autour de la cabane de rondins.

« Ne t'inquiète Lisbeth, chuchotait papa, l'ours vient juste vérifier si nous n'avons besoin de rien. Si nous venions à manquer de poissons ou de racines, de lièvres ou de tortues, il voudrait bien servir de repas. Il a peut-être besoin de réfléchir et il se dit que, dans une petite fille intelligente comme toi, ça doit mieux réfléchir que dans une grosse tête de balourd comme lui. Alors se faire manger par qui voit la beauté du monde n'est pas une si épouvantable affaire... »

... Je sentis soudain une crampe me traverser le ventre et puis une sensation de brûlure. J'avais perdu de vue père et ma petite. J'allais crier. Mais il ne fallait pas crier. La chasse demande le silence total. L'art d'écouter, l'art de retenir son souffle, l'art d'entendre, telle est la science du chasseur, surtout s'il faut tuer un ours...

Père et sa petite-fille étaient là, entre deux arbres. Papa avait remarqué une plante, il grattait la racine. Il expliquait à Toscana les propriétés du rhizome. Il lui fit goûter, elle lui renvoya une grimace. Ils retournèrent à la pêche, mais cette fois la petite tenait le harpon.

Mon corps s'apaisa de nouveau et ma raison s'en

retourna dans ses rêveries. Père s'émerveillait de chaque insecte, de l'un parce qu'il ondulait sur trente pattes, de l'autre parce qu'il sautait cent fois sa hauteur. « L'extraordinaire avec les insectes, c'est leur capacité de métamorphose, disait-il. Ce sont eux qui ont enseigné la philosophie aux Grecs. L'unité de l'être, ils la connaissent d'expérience, eux qui vont de la larve au papillon. » Il parlait d'un coléoptère qui pouvait passer à travers une bibliothèque entière bien plus vite qu'une armée de moines. Cette vrillette dévorait tous les livres, imaginez sa science...

Un cliquetis me réveilla.

— C'est le repas, m'annonça père.

Le petit déjeuner, poissons, rhizomes et bulbes, bien qu'amers, n'était pas trop détestable. Toscana mangeait tout ce que père lui donnait, il lui avait sans doute montré le jeu de la langue. Il s'agissait de prendre de petites bouchées et de les tenir là où elles goûtent bon. Il y a toujours une place sur la langue où l'amertume goûte le miel.

Et il se mit à raconter l'histoire d'Adam chassé du paradis :

— Au paradis, on riait beaucoup. Un lézard tout barbouillé de rouge, une souris aux grandes moustaches, une libellule aux yeux plus gros que la tête, un paon qui ouvre la queue en bombant le torse, tout est fait pour rire. Des poissons de toutes les couleurs, de l'eau qui chante, des arbres qui pleurent, des rossignols qui s'égosillent, tout est fait pour étonner. Mais un jour, un homme sérieux arriva : « Ceci n'est pas ceci, proclamait-il. Ne vous fiez pas aux apparences : ceci est cela. Cette pomme n'est pas une pomme, c'est un piège, cette femme n'est pas une femme, c'est un serpent, cet arbre n'est pas un arbre, c'est un gibet, le ciel n'est pas le ciel, c'est une condamnation, ce jeu n'est pas un jeu, c'est un travail, cette morsure n'est pas une morsure, c'est une souffrance, cette perte n'est pas une perte, c'est un malheur... » Son enseignement gagna sur toute la Terre et plus personne ne savait regarder. On l'appela le déséducateur, le démon de l'école...

— Je comprends pas, protesta Toscana.

— Il ne faut pas trop s'éloigner des arbres et des oiseaux pour penser. Écoutons la présentation sans trop discuter. On verra bien ! Il vaut mieux réfléchir en s'approchant des choses qu'en s'éloignant d'elles, ça évite bien des malheurs. Alors retournons à la pêche.

Le sommeil m'emporta à nouveau... Lorsque je me réveillai, il devait être midi, car le soleil m'avait enfin réchauffée. Toscana était bien attachée sur le dos de père. Elle s'était endormie. Il venait doucement dans ma direction. Il ne se rendait pas compte que je le regardais. Il observait plantes et petites bêtes. Ses jambes tremblaient. Il mit un genou à terre et s'appuya de l'avant-bras. Il était épuisé. La petite avait glissé et elle portait sur sa cuisse. Sans doute, cela le soulageait.

Il ramassa je ne sais quel insecte, le plaça dans sa main. Il lui donna deux ou trois petits coups avec son doigt et se mit à sourire. Il l'avait probablement renversé sur le dos. Il le laissa partir, s'étendit par terre et s'assoupit. Toscana, la joue collée sur son épaule, dormait toujours.

Pourquoi le bonheur pousse-t-il sur une terre nourrie de sang ?

Ayant refait nos forces, nous pûmes enfin repartir. Sans ducat, passeport ou même apparence de quelque dignité, nous étions traités comme des gueux, les portes restaient closes et la charité, bien maigre. Par bonheur, le ciel voguait sereinement vers l'été et nous épargnait pluies autant que trop grands froids.

Un beau matin, mystère ! notre guimbarde était là, devant nous, avec ses quatre chevaux bais. Incroyable apparition ! Toutes nos affaires étaient à l'avant : vêtements, nourritures, jusqu'à notre bourse... étrangement un peu plus garnie qu'au départ. Sur le banc du cocher, du sang avait été essuyé. Qui nous avait sauvés ? Qu'importe l'énigme, nous gagnâmes d'un seul trait la Pologne.

À Gliwice, nos chevaux s'arrêtèrent net devant une auberge comme s'ils y sentaient une abondance d'avoine. L'endroit semblait tranquille et nous tombâmes d'accord avec eux. Vêtus proprement, la bourse en condition, nous pûmes souper de bonne chair de volaille avec de la choucroute et des herbes salées. Toscana ne laissait rien sur les os des viandes qu'on lui avait donnés. Toujours agrippée à père autant qu'à ma jupe, elle gardait la mine plutôt heureuse, ricanait à propos de tout, surtout des grimaces de révérend mon père.

L'hôtesse qui nous reçut était très pieuse protestante et le soir, on venait chez elle, non comme dans une guinguette pour y tapager, mais comme en oratoire pour prier et entendre des prophéties. Elle se disait disciple de Jakob Böhme, se réclamait d'une illumination de l'esprit, se préparait aux transes par des infusions et des adjurations, des respirations et des obsécrations, puis se mettait à parler au nom de l'ange Michel.

Elle était de beau visage et la lueur des lampes qui vacillait autour d'elle lui donnait un surnaturel digne de son métier. Beaucoup de curieux venaient, des misérables pour la plupart, car la dame ne demandait pas un liard pour la soirée. Parmi eux cependant, des clercs et des doctes, habillés de grosse laine mais trahis par leur fard. Nous restâmes en retrait. La dame s'exécuta :

— Je viens de la troisième sphère et en appelle à votre entendement. Écoutez mortels cette prophétie. Si vous ne l'entendez pas, je ne pourrai plus rien pour vous.

L'Esprit était un abîme perdu dans sa profondeur et il fut pris de vertige. Son être se mit à lui peser. Plus il se concentrait sur lui-même, plus il s'échauffait. Il prit feu. De ce feu surgit une magnifique création. Chaque flamme s'accordait à l'harmonie d'ensemble et chacun manifestait sa différence. Tel était le Paradis.

Mais un ange fut pris d'amour pour sa propre musique au point de ne plus entendre que lui-même. N'écoutant que son ardeur, il s'érigea en paradigme et voulut que tous lui obéissent. On l'appela Satan l'homogène, dit Lucifer. Il détestait ses dissemblables. Il incubait sa colère, la savourait comme un miel, mais c'était un venin. Il fit alors appel à sa bile et à son feu et cracha ses commandements qui se gravèrent sur des pierres au sommet d'une montagne. Des lois immuables comme l'orgueil. Cependant, ses lois n'avaient pouvoir sur personne.

Un jour fut plus terrible que celui-là. Parmi les foules heureuses qui dansaient au-dessus des eaux, un homme tomba à genoux en tremblant de peur. Il prêta l'oreille aux commandements. Ce malheureux trouva de nombreux disciples. Ses adeptes rampaient en gémissant : « Repentez-vous, courbez le dos, obéissez, devenez uniformes. »

Dans le ciel, les armées de Lucifer couraient dans toutes les directions, refroidissant les cieux jusqu'à ce que de terribles nuages obscurcissent toute la planète. Des tourbillons touchèrent la terre et la poussière obéit. Des tornades descendirent des montagnes. La tempête jeta l'une sur l'autre vengeance contre amertume...

Ne comprenez vous pas ! La guerre est une simple question de météo depuis que l'homme a perdu ses racines. C'est ainsi qu'à nouveau descendent de Suède et montent de Hongrie de terribles tourbillons chargés de lames, hachant et pulvérisant toutes chairs dans son propre sang. « Que tous soient protestants », hurlent-ils. Et on répond : « Que tous soient catholiques. »

Ils souillent tous deux le Libérateur qui voulait que chacun exprime sa différence de son propre fond. Je vois la Pologne s'écrouler. Varsovie se rend sans bataille et meurt par famine. Cracovie succombe, noyée d'amertume. Le roi s'enfuit, les nobles tombent. On fête chez les calvi-

nistes. Courtes sont les victoires de la guerre ! Tel un ressort que l'on compresse jusqu'aux plus sombres ténèbres,
les forces catholiques bondissent du sang même des
morts. Oh ! Dieu de miséricorde, préservez-nous de nous-
mêmes... »

La femme tomba couverte de sueurs, deux hommes
la portèrent jusque dans son lit et l'auberge se vida. Père
ne dit mot et nous nous couchâmes, épuisés, sur des paillasses bien propres.

L'épreuve de Leszno fut terrible. Ce n'est que bien
plus tard, après que tout m'eut été enlevé et que mon
cœur eut perdu définitivement ses capacités de souffrance, que le tableau prit forme. Grâce à des témoignages
et à des documents, j'ai pu reconstituer les deux dernières
années que nous avons passées à Leszno, et la fresque
m'étonne encore, m'affole même puisque je n'y
comprends toujours rien.

Ce fut bonheur pour moi d'avoir vécu ces jours épouvantables comme en terre d'enfance, dans une sorte de
torpeur naïve. Les colères de Satan nous encerclaient, tout
ce qu'avait fait père croulait, les guerres relançaient leurs
fureurs, mais moi, je surnageais dans une sorte de bulle
joyeuse.

Entre Toscana et moi, les rôles de protection s'étaient
inversés. Ce n'est pas moi qui la protégeais, c'est elle qui
m'enveloppait dans sa gaieté, sa joie sans défaillance et
ses mille bouffonneries trop bien apprises de son grand-
père. Rien à comprendre dans cette légèreté ! C'était grâce
d'enfance.

En fait, j'étais atteinte au cœur, je coulais par le fond.
La surface était luxuriante, mais tout allait à la mort. La
plante rend sa vie dans la fleur, je rendais la vie dans ma
petite fille. Le feu dévore, mais les étincelles dansent.
Alors nous dansions.

Révérend mon mari, lui, avait retrouvé son épouse. Il le croyait. Il avait l'art de me voir telle qu'il me voulait, c'était sa servitude. Mais je n'étais plus la même, trop de peine s'était abattu. Nonobstant, par habitude d'obéissance, j'agissais conformément à l'image et aux souvenirs qu'il avait de moi. Ce n'était pas vertu, mais simple manière de me tenir loin du gouffre. Séparés par cette obéissance, nous habitions nos solitudes en entretenant nos souvenirs d'amour. Mais là n'était pas le pire poison de notre mariage.

Ablonský connaissait parfaitement l'art de deviner mes désirs et d'y répondre. Il m'enveloppait de douceur et de tendresse, de calme et de sécurité. Il me protégeait des événements, il me protégeait de tout ce qui pouvait me heurter, il me protégeait donc de tout ce qui pouvait me construire. Je flottais dangereusement au-dessus des duretés de l'existence et du gouffre de mon cœur.

Lorsque, après des mois d'inquiétude, il me vit enfin apparaître dans le carreau de la porte, vidée de l'enfant qu'il m'avait donné, les seins gonflés, le cœur en miettes, il sourit, il m'embrassa, il me pardonna. Il me pardonna si bien que je compris ma faute. J'avais substitué l'enfant d'un mécréant à son enfant à lui. Il se mit alors à aimer Toscana comme sa fille, avec tout le devoir nécessaire à la tâche. Ne devait-il pas la vie à une adoption similaire ! Alors, je me noyais dans la trop vaste solitude de son trop grand amour. Voilà pourquoi maman préférait être la deuxième.

Mon corps le recevait pourtant avec une ardeur que je ne comprenais pas, comme s'il en allait de ma vie qu'un peu de chaleur me pénètre. J'en perdais la pudeur, mes soupirs souvent réveillaient la maisonnée. Père faisait mine de ronfler pour enterrer mes gémissements trop mal retenus. Les enfants se rendormaient, personne ne questionnait. Suzanna, cependant y revenait. Elle s'inquiétait s'il s'agissait de souffrance ou de plaisir. La maison de Leszno était décidément trop petite.

Mais l'amour est l'amour, il ne repousse pas à la surface mais amène dans la profondeur. L'hiver, lorsque le froid fait craquer les chaumières, le feu gémit dans la cheminée et pourtant, il ne fait qu'ajouter à la tristesse du lieu. Tels étaient nos actes d'amour. Plus le plaisir était grand, plus le gouffre apparaissait profond. De cela, je ne dis rien à Suzanna. Je restais le cœur mélancolique. Et cette mélancolie glissait comme une rivière souterraine à l'abri des regards, les miens compris.

Daniel et Toscana tous deux âgés de huit ans et Suzanna, de trois ans leur aînée, n'avaient de cesse que pour la récréation, le rire et les pirouettes. Toscana avait toujours un nouveau jeu à proposer, mais il fallait en surveiller les excès. Peu de jours se passaient sans que Johanna ou moi ayons quelques sottises à réparer. Il m'arrivait souvent d'entrer dans le jeu, d'oublier mon rôle et d'aller à la diablerie moi-même. Les remontrances de dame Johanna me piquaient, mais la partie n'était que remise. Je refusais tout face à face avec moi-même, je fuyais. Je ne voulais surtout pas ralentir. Sur une mer trop profonde, cesser de s'agiter, c'est couler.

Bref, nous étions, les enfants et moi, comme sur un navire toutes voiles ouvertes, enveloppés dans une coque, protégés. Dans cette grâce, père entrait un moment presque chaque jour pour une leçon ou un jeu. Cela le reposait, car dehors c'était la misère, les intrigues sans nombre et les nouvelles guerres.

Une joute se dessinait à trois : la Pologne au milieu, la Suède au nord et la Hongrie au sud. Les ingrédients venaient de partout mais principalement de la mémoire, de l'honneur blessé, du ressentiment et de la vengeance. La guerre laisse une cendre si épaisse que, pour des décennies, la braise couve et peut, à tout moment, rallumer le feu. Telle était la situation, de nouvelles guerres trouvaient leur chemin.

Pour financer les guerres précédentes, la Suède avait

cédé ou aliéné les vastes domaines de la couronne. De cette façon, la noblesse était devenue propriétaire de la quasi-totalité des terres. La royauté était donc tombée en totale dépendance de l'aristocratie et ne pouvait plus faire contrepoids à la rapacité des seigneurs et les seigneurs en profitaient. La paysannerie croulait chaque jour un peu plus dans la misère. En somme, la guerre avait ramené la féodalité comme l'hiver, la maladie.

La reine Christine, malgré toutes les lumières de sa raison, n'avait rien pu faire pour redresser le royaume de Suède. Elle s'était secrètement convertie au catholicisme et avait abdiqué en faveur du palatin, Son Altesse Charles-Gustave. Celui-ci tenta de sauver l'unité de la nation par la création d'une banque, mais il échoua. La guerre, industrie nationale par excellence, s'imposait. Il trouva en Hongrie l'allié par excellence en la personne de Georges, fils de veuve Szuszanna de Hongrie qui avait désespéré du projet par trop idéaliste de révérend mon père et se tournait maintenant vers des ambitions plus concrètes.

La guerre est un instinct. Après un carnage, la vengeance. La vengeance est une pure imitation et cela tisse des liens de haine. Rien n'est plus savoureux que cette haine. L'homme est un chasseur, lorsqu'il a goûté au sang, il en devient ivrogne. La campagne se couvre de cadavres et la vue des morts le pousse à se reproduire. Un besoin de femme le dévore. Ce qu'il a pris en sang, il doit le rendre en semence. Tel est le cycle. La femme refait les chairs, l'homme les dévore. C'est le règne de la bête.

L'humanité n'est pas née et le tourbillon du feu perpétue l'espèce comme un espoir : un jour, un homme véritable sortira bien d'une femme. Hélas ! la quantité d'engendrement ne semble pas accroître la probabilité d'arriver à l'humanité.

Ainsi donc, le roi de Suède et le roi de Hongrie ne faisaient qu'obéir, telles des étincelles emportées par le feu. Ils se croyaient rois. Ils ressemblaient, en fait, à certaines bêtes d'un troupeau affolé qui, pour se donner l'impression de diriger, foncent plus rapidement que les autres en direction de nulle part. Une fois devant la harde, ils pensent la diriger, mais ne font que suivre la tempête plus rapidement que les autres comme s'ils étaient pressés de tomber les premiers dans le gouffre. C'est pourquoi père disait que la politique n'était pas née, puisqu'un troupeau ne fait pas une humanité. La politique consiste en l'intelligence des fins exercée en collectivité ou, à tout le moins, elle en est la préparation.

L'intention ne consistait en rien d'autre que prendre la Pologne et partager son corps, pour le nord en servitude à la Suède, pour le sud, en pâture à la Hongrie. Mais tout cela évidemment bien enveloppé de religion de façon à remobiliser la haine contre les catholiques. La chose était d'autant plus facile que les traités de Westphalie avaient anéanti tous les espoirs tchèques. Suède et Hongrie espéraient donc se servir de nous comme d'un tison d'allumage. Beaucoup de Frères, en effet, habitaient la Pologne et espéraient qu'après sa soumission aux intérêts protestants elle participe à la reconquête de la terre promise. On encourageait les Frères à se soulever et à miner le terrain en leur promettant le salut national. Il faut dire que la misère et le ressentiment sont d'excellents carburants de guerre.

Pour la Suède et la Hongrie, la Pologne apparaissait une proie facile. Le royaume appartenait à un petit groupe de nobles laïcs ou ecclésiastiques qui se disputaient terres et fortunes comme des enfants mal élevés se bataillent pour des jouets. D'ailleurs, on affectait en Pologne de mépriser toute forme d'éducation, remplaçant la culture manquante par un étrange culte de « Premier peuple ». La complaisance vis-à-vis de telles supposées origines dispensait de réfléchir aux voies d'avenir. La chose était pourtant plus nécessaire que jamais.

On était venu de Suède et de Hongrie pour inviter les

Frères à s'allier aux paysans afin de fomenter le trouble et de mener des jacqueries. Durant tout le temps où nous étions à Sárospatak, Pavel et un groupe de sapeurs se distrayaient par des incursions en territoire catholique, y distribuant de fausses informations, y jetant de la confusion, y enflammant la peur par quelques saccages.

Lorsque père en fut informé, il entra dans une colère dont je le croyais incapable. Il défila devant Pavel les mille horreurs de la guerre. Il énuméra, une à une, les souffrances que ses nobles parents avaient dû supporter avant de mourir. Il voulait lui inspirer le plus grand dégoût pour la guerre. Il rappela tout ce qu'il avait fallu traverser pour les sauver, lui et sa sœur Christina, les mille et un dangers, les mille et une privations. Il espérait lui rendre la vie chère. Il y mit tant de cœur que Pavel s'effondra en larmes. Père crut l'avoir sauvé. Le lendemain, Pavel avait disparu.

Malgré toutes ses occupations, ses livres, ses prédications, l'effort constant pour obtenir les fonds nécessaires à la survie de la communauté, les difficultés d'approvisionnement, le soin des malades, l'enterrement des morts, l'inquiétude le rongeait. Johanna, en dépit de toutes ses attentions, n'arrivait pas à le faire émerger : « Il va revenir », répétait-elle confiante. Mais père ne répondait pas.

Quatre mois plus tard... Cette lettre :

Lublin, novembre 1654

Révérend et très cher monsieur,

Je ne vous ai jamais remercié de m'avoir sauvé d'une mort certaine et je ne pourrai assez m'excuser d'avoir été pour vous un poids trop lourd. Vous avez été pourtant si patient dans votre éducation, si bon, si généreux alors que je ne méritais rien. Et ce n'est pas assez, vous avez pris avec vous ma tendre sœur, vous l'avez nourrie, soignée, instruite, lui accordant d'autant votre affection qu'elle était dévastée. Vous l'avez écoutée même dans ses prophéties. Elle avait vu de ses yeux (je ne le savais pas) tout ce qu'ils firent à ma mère et à mon père. Vous l'aimiez tant. Et moi, j'étais jaloux. J'ai été ingrat et indigne sur toute la ligne. C'est terminé. Je ne serai plus pour vous objet de honte.

J'ai trouvé le chef qui soutiendra notre cause, il se nomme Bohdan Chmielnicki, le Chevalier du Déluge. Il mène la révolte des Cosaques. Nous avons avec nous des Turcs, des Tartares, des Moscovites, nous envahissons l'Ukraine et la Biélorussie, nous fomentons les révoltes paysannes, nous ruinerons bientôt la Pologne, préparant l'invasion suédoise que vous espérez. Ma famille ne sera pas morte en vain, la bataille continue, je vengerai le sang.

Je vous jure, Monsieur, de mourir avec une dignité que je n'ai eue jusqu'à maintenant. Je vendrai cher ma peau, je serai de ceux qui redonneront aux Tchèques leur paradis. Vous m'avez appelé votre fils, je ne l'ai pas été, mais je le serai au moins dans la mort. Demain nous partons en campagne. Je n'ai pas encore de mousquet, mais j'aurai une torche en main, le premier donc à partir contre les villages. Je mettrai le feu, j'égorgerai des catholiques, je libérerai mon peuple.

Monsieur, vous avez un poids de moins sur vos épaules et un espoir de plus dans votre cœur.

Soldat Pavel

Cette lettre écrasa père avec la force du plomb. Comment son fils avait-il pu entendre si diamétralement l'opposé de tout ce qu'il avait dit et espéré ? Obéissance de la poussière aux tempêtes les plus stupides ! Il y avait de quoi douter des principes fondamentaux de son système d'éducation. Plus grave ! Son fils allait à une mort certaine.

L'ataman cosaque, le Chevalier du Déluge, savait recruter. Fier dans sa cuirasse et agile comme un Maure sur son cheval, il invitait à la guerre sainte. Il s'agissait d'élever les pauvres jusqu'à les rendre propriétaires des terres et du fruit de leur travail. Mais sa plus grande occupation consistait à massacrer les juifs, principalement les communautés de Pologne. Combien le vouloir de justice peut causer d'injustices ! Combien le désir de pureté peut souiller !

Le dragon était entouré de lieutenants féroces et d'une inquiétante police secrète. Une fois le contrat signé, le général n'acceptait aucune défection ni hésitation dans l'obéissance. Tout déserteur, ou suspect de désertion, toute réticence à tuer l'ennemi ou semblant de pitié étaient sévèrement punis. On jetait le coupable au milieu d'une meute de zélés qui improvisaient une torture, généralement mortelle. Des gamins de huit ou dix ans, qui avaient reculé par peur ou sensibilité de la conscience, étaient martyrisés impitoyablement. Père connaissait ce démon, il savait son fils perdu.

Mais le piège du Chevalier du Déluge n'était pas assez pour expliquer le revirement de Pavel. Père le savait, une faille s'était formée dans le cœur du garçon et s'était élargie d'année en année. Comment ? Pourquoi ? Par quelle nourriture ? Impossible de le dire. Père avait juré devant les parents de Pavel de prendre soin de leur fils, de le faire sien, de l'amener au bonheur de la citoyenneté universelle et voilà qu'il allait mourir stupidement en massacrant de pauvres gens... Un sentiment d'échec écrasait père. Il avait failli.

Pour comble, Pavel s'était enfui avec quatre Frères de Leszno, des jeunes et même un enfant. Leurs parents venaient chaque jour aux nouvelles. Père restait silencieux, plongeait un moment la main dans sa poche pour en sortir la redoutable lettre, mais la chiffonnait seulement. Un jour, il eut le courage de leur livrer la vérité. Le quartier des Frères plongea tout entier dans une sorte de silence désespéré. Le lien de confiance semblait rompu avec leur *senior*.

Cette misère s'ajoutait à bien d'autres. Les catholiques, forts de la rumeur que le roi de Pologne pourrait bien se convertir au catholicisme, nous tenaient en état de siège. La nourriture manquait. Afin d'en obtenir, Ablonský devait s'infiltrer chez les catholiques et faire le relais avec Ludmila.

Jérôme Kokovský en profitait pour prêcher un calvinisme qui glissait de plus en plus dans l'équivoque : « Le Paradis, disait-il, n'est pas la terre de nos aïeux, il consiste seulement à agir en élu de Dieu. Par nous-mêmes, nous ne pouvons rien faire ni pour notre bonheur en ce monde, ni pour notre salut dans l'autre. Notre nature humaine est pervertie. Mais Dieu nous a choisis, sa grâce nous sauve des enfers. Je le sais par un signe : nos industries progressent grâce à notre circonspection... » Ce qu'il appelait « circonspection » consistait à faire entendre aux catholiques qu'on le deviendrait et aux protestants qu'on resterait fidèle. De cette façon, quel que soit le sort de la guerre, il resterait possible de filer la laine et de commercer la toile. L'économie valait bien une religion !

Ludmila était de ceux qui composaient fort habilement avec ce double jeu. Elle était introduite chez les catholiques par le fils du préfet qui la demandait chaque semaine en mariage. Elle lui abandonnait un « si » et un « certes », une œillade et un baiser, mais ne négligeait pas pour autant la famille Kokovský, qui lui avait pardonné sa rupture de fiançailles, vu que seul son père en était la cause (et que l'aimé en secret la prenait dans son lit). La famine dans toute la communauté des Frères obligeait révérend mon mari à louvoyer avec elle chez les catholiques autant que chez les calvinistes.

Ludmila venait à la maison presque chaque mois, nous entretenait une heure ou deux de fanfreluches et de choses du monde. À force de parfum, elle nous donnait la nausée et s'en retournait en tortillant des hanches comme une perdrix. Père restait muet, triste à mourir. Il n'osait plus ni colère ni confrontation de peur de bousculer des équilibres infiniment précaires. Ludmila la brillante, la très belle, celle qui retenait leçon sur leçon, celle qui l'avait si souvent charmé par ses tournures et ses manières, il ne pouvait plus l'atteindre. Pour un maître en pédagogie, la leçon était amère.

Père avait soixante-trois ans et il semblait que tout ce qu'il avait fait s'envolait comme pétales de fleurs en automne, alors il plongea dans le travail. Il lui apparut évident que le monde, bientôt et pour longtemps, n'aurait plus d'oreilles pour le christianisme, sa sagesse, sa science, son art, sa littérature. Les hommes allaient sombrer dans des ténèbres épaisses de trois noirceurs : le fanatisme, il pensait au drame de Pavel ; l'indifférence, il pensait à Ludmila et ses commerces ; une pseudo-raison complètement débridée, il pensait au tribunal de Sárospatak.

On ne pouvait plus rien faire, trop de folies, de bêtises, de déroutes accablaient les hommes. L'esprit de domination mais surtout l'esprit de soumission avaient fait leur œuvre. L'industrie et le commerce allaient faire le reste. De l'homme, il ne resterait que la machine.

Il faudra atteindre la liberté. Mais la liberté a pour propre d'exister uniquement si l'homme la fait. Elle ne précède pas l'homme, elle l'attend. Jésus reviendra lorsque nous aurons accompli notre liberté, car il ne veut pas régner, mais couronner. Préparer cette humanité devenait l'obsession de père.

Il réveillait monsieur mon mari bien avant l'aube. Il fallait rapatrier tout le savoir vivant, l'écrire dans un langage précis, le ranger précieusement, manuscrit après manuscrit. C'est bien ce que l'on fait chaque automne pour conserver les semences, sauf que là, la saison favorable pourrait attendre des siècles. Entre-temps, l'homme devra butter contre son inhumanité et se relever libre.

Nous avions l'engin par excellence pour ce voyage en terre d'avenir : l'imprimerie. Un legs rare, d'une valeur inestimable, venant de la famille de Charles de Žerotin, le premier protecteur de père. C'était la chose la plus précieuse de la communauté des Frères et elle prenait place dans notre petite maison. C'est elle qui tenait l'Église des Frères dans l'unité. Elle générait l'espérance, elle était le sang reliant les communautés lointaines au *senior*. Elle trônait, objet des soins les plus minutieux. Chaque lettre dans les cases de rangement était nettoyée avec soin, remplacée au moindre défaut. Chacune constituait une petite sculpture d'un grand prix. Toute la famille contribuait à soigner, astiquer, frotter, caresser cette extraordinaire machine à traverser l'espace et le temps.

Mais sans idées, sans connaissance, elle n'avait aucune beauté. Il fallait la nourrir. Père avait une étrange conception du savoir. La connaissance, croyait-il, jaillit de la rencontre entre l'esprit qui est à l'intérieur de soi et les esprits qui sont à l'extérieur de soi. La médiation de la nature est essentielle.

Les âmes assoiffées de vérité prennent chaque chose dans leur intuition, la vérifient dans l'expérience, en découvrent le sens par la syncrise, en expriment la vie dans des œuvres. La syncrise constitue un dépassement de la synthèse. Par la synthèse, on peut reconstituer une horloge que l'on a démontée, par la syncrise, on peut voir le principe d'une chose dans chaque chose.

Chaque chose prend ainsi naturellement sa place dans la pansophie comme dans une harmonie universelle. Toute chose doit traverser l'âme de la sensation jusqu'à la pansophie en passant par l'analyse, l'expérience, la synthèse et la syncrise. Par cette traversée dans l'âme, l'esprit arrive à s'intelliger. Plus il arrive à s'intelliger, plus il manifeste son esprit créateur dans l'art, puisque la finalité de l'esprit n'est pas la connaissance, mais le surpassement de soi par l'expression créatrice.

La connaissance est donc une chose rare. Il faut des milliers de femmes et d'hommes et des milliers de siècles pour l'extraire. Il y a cependant de très précieuses miettes ici et là dans des bibliothèques poussiéreuses, dans des âmes dispersées, dans des monuments en ruine et l'humanité s'apprête à les dissoudre dans le sang des guerres et l'indifférence qu'elles génèrent, car la guerre épuise le cœur.

C'est sous la pression de cette vision terrifiante que père se mit à écrire, à dicter, à cumuler les savoirs avec la frénésie du désespoir. Il avait toujours quelque chose à dire, à noter, à approfondir. Ablonský rédigeait, corrigeait, copiait sur des feuillets qui s'empilaient dans le grenier. Les poutres de la toiture pliaient sous le poids.

Le *Trésor de la langue tchèque*, le *Monde idéal*, l'*École pansophique*, le *Trésor universel*, les *Affligés*, la *Pansophie*, des pans entiers de la fameuse *Consultation universelle sur la réforme des affaires humaines*, le *Bonheur de la nation*, un épais *Recueil de cantiques*, des observations sur le lever et le coucher des étoiles et nombre de copies de lettres s'accumulaient pêle-mêle dans notre trop petite masure.

Lorsque monsieur mon mari venait me rejoindre dans mon lit, il était tard et sa journée n'était pas terminée car moi je voulais un enfant de lui. La mort qui nous cernait me poussait à vouloir donner du fruit.

Il m'arrivait d'être exaspérante plus que ne pouvait l'être un enfant. Je me souviens de l'un de ces jours qui fut comme une île aux cloches au milieu de la morosité. Je rouspétais à propos de je ne sais quoi lorsque dame Johanna me tapa sur l'épaule en me disant :

— Cela nous reposerait beaucoup si vous alliez prendre l'air.

Ce que je fis en lui adressant le plus beau de mes sourires. Comme il est impossible de prendre congé de soi et des autres en même temps sauf dans une foule, je bourlinguai en direction du marché. Cependant, mes jambes obéissaient à un autre principe et j'arrivai malgré moi au bord de la rivière Bodrog. Je me résignai à moi-même, et m'assis dans les herbages autant que dans le tapage de mon esprit.

La cloche du village sonna et, comme par instinct, l'Angélus fit sa prière en moi en tassant le gros de mes déplorables humeurs. Je m'apaisai. J'entendis la voix de père, il discutait avec Suzanna près d'un grand hêtre, de l'autre côté d'une haie.

Ma petite sœur pleurait, ce qui lui arrivait rarement. Mais nous avions fêté ses douze ans et depuis, elle rouspétait à propos de tout et, principalement, de la nourriture.

— Pourquoi, se plaignait sœurette, on n'a pas droit à du poulet, des œufs et un peu de mouton ? Un *senior* devrait manger mieux que les autres.

— C'est votre sœur Ludmila qui vous a mis cela dans la tête ?

— C'est pas votre affaire.

Répondre à père et aussi sèchement ! Je n'en croyais pas mes oreilles. Il fut long avant de répliquer.

Il y avait de quoi être surpris. Suzanna, la toute douce et pour sûr la plus intelligente, était certes fafineuse sur la nourriture, mais loin d'être gourmande. Elle n'avait même pas touché aux charcuteries qu'avait apportées Ludmila pour son anniversaire. Elle mangeait moins qu'un pinson, surtout depuis qu'elle prenait un peu de féminin, ce qui impatientait au plus haut degré dame Johanna. Là était peut-être sa récompense.

Ce n'était pas assez, depuis quelques jours, elle portait une dentelle noire sur la tête, cadeau de Ludmila, et refusait de l'enlever même pour les repas. Elle faisait souvent la moue, prenait une lippe de désespérée.

— Demoiselle ma fille, fit enfin père, va pour cette fois, mais vous me devez une explication. De qui portez-vous le deuil ?

Il l'avait sans doute prise dans ses bras pour la pousser à la confidence. Elle ne pleurait plus, elle ne parlait plus.

— Dorothea vous manque, laissa échapper père.

— Je ne veux pas qu'on me vouvoie parce que j'ai douze ans.

— C'est la coutume, répondit père, pour signifier que vous avez acquis notre respect.

— Quel respect ? lança Suzanna. Johanna est toujours après moi.

— Il me faudrait un peu plus de précisions, demanda père d'un ton plutôt espiègle.

— À Sárospatak, je travaillais plus que tout le monde, au potager, pour les repas, pour aider aux leçons, comme répétitrice pour la classe du Vestibule.

— Vous omettez de mentionner que vous deviez aussi aller chez les Brady pour enseigner l'alphabet. Je vous envoyais ensuite chez la vieille Görsi pour que vous lui donniez à dîner. Dans la soirée, c'est vous qui deviez secouer les paillasses ou remplacer la paille. Pire, il vous est arrivé d'aller vider les pots de chambre, et sans que personne ne vous le commande. Je trouve que vous en oubliez un peu. Mais vous parliez de Johanna !

— Elle veut tout sur l'heure, elle me pousse dans le dos, c'est pas ma mère.

— Je vous laisse dire qu'elle ne l'est pas et, sans doute, son caractère est moins posé que celui de Dorothea. Elle nous manque à tous.

Sœurette se remit à pleurer. Je crois que père s'éloigna d'elle. En tout cas, j'apercevais sa tête, il s'était arrêté et regardait la rivière. Suzanna se vida le cœur.

— C'est vous... C'est à cause de vous... Maman est morte épuisée. On aurait pu vivre autrement. On n'était pas obligés à la misère. Il y a plein de gens qui vivent confortablement. Les calvinistes, les catholiques, ils mangent, eux. Tous ceux qui ont de l'éducation mangent du lard, du saucisson et de la choucroute. Maman, elle, n'a mangé que de la bouillie, rien que de la bouillie. Vous n'êtes jamais là lorsqu'il le faudrait. Vous nous avez laissés tout seuls avec Johanna et vous êtes parti en Moravie avec Élisabeth. Moi, je ne l'ai jamais vue la Moravie. Maman disait que c'était beau. Mais elle est morte maman. Elle est partie, elle aussi...

— Votre maman ne vous a pas abandonnée, fille.

— Oui ! Elle nous a abandonnés. Elle n'est jamais revenue comme elle l'avait promis. Je ne l'ai jamais vu, le cheval blanc. Jamais. Il n'y a que Johanna, toujours Johanna, rien que Johanna. Pourquoi nous avez-vous laissés revenir tout seuls de Sárospatak ? Pourquoi avez-vous pris un autre chemin ? Des mois à vous amuser avec Élisabeth et Toscana dans les montagnes.

— Amusé n'est peut-être pas le mot juste, intervint père.

— C'est ce que vous avez dit. Vous avez parlé de la pêche à la grimace, mais moi, vous ne m'avez jamais amené à la pêche...

Et elle éclata en sanglots.

— Voilà une bonne idée. Venez ici, mademoiselle ma fille, allons à la pêche.

Il se fit un harpon à même une branche d'aubépine, prit Suzanna sur ses hanches et avança nu-pieds dans l'eau. Il y allait de ses meilleures grimaces, mais des larmes glissaient dans les plis de son sourire. Suzanna, elle, avait repris de la bonne humeur.

— La saison n'est pas aux poissons, nous reviendrons au printemps, déclara père après quelque temps. Mais venez vous asseoir ici, j'ai une leçon pour vous qui m'a jadis été d'un grand secours.

Il assit Suzanna sur une grosse branche de saule, s'installa un peu plus loin et se rechaussa.

— Fille, écoutez bien ce que je vais vous dire. Dorothea et moi allions dans un beau récit et dans ce récit, notre petite Suzanna jouait un grand rôle. Lorsque nous parlions de vous, notre cœur fondait comme du beurre. Vous ne savez pas tout le beurre qui a fondu à votre propos, demoiselle ma fille. Alors c'est vrai que nous espérions beaucoup de joie de votre part. Et cette joie, combien vous nous l'avez donnée ! Je vous souhaite d'aimer un enfant comme nous vous avons aimée, votre mère et moi. Mais là vous avez douze ans, vous êtes donc en âge de prendre une part plus active dans votre récit à vous. Alors, j'ai pour vous une question, attention, elle est un peu dangereuse : pourquoi avez-vous retenu dans votre mémoire tant d'événements blessants et si peu de gratifiants ? Pourquoi avez-vous organisé tous ces événements selon un récit plus tragique que joyeux ? Quel projet poursuivez-vous par ce récit ?

Petite sœur fixait père les deux yeux étonnés, incapable de la moindre réponse.

— Je ne sais pas ce que vous répondrez, c'est votre affaire, mais vous êtes assez grande et assez sage pour que je vous partage ce que cette question a produit chez moi. J'avais alors trente et un ans. Mon passé m'apparaissait terriblement amer. J'ai perdu la femme que j'aimais et mes deux bébés. Mon passé ressemblait à une suite de cruautés. Mais le plus difficile n'était pas derrière moi, il n'était non plus devant moi, il était là précisément à l'heure même où j'étais, très exactement à l'heure où vous êtes vous-même ma chère fille, à l'heure juste où je suis depuis ce temps. Car c'est en ce moment même que, vous et moi, écrivons chacun pour nous-mêmes notre histoire passée en fonction de nos projets d'avenir.

Suzanna restait bouche bée. Père s'approcha d'elle et s'assit sur une pierre. Il continua en regardant la rivière.

— Le plus difficile, continua-t-il, c'est de réaliser que le récit de notre passé, nous l'avons construit dans notre mémoire en vue d'un certain projet. Le passé n'est plus. Il disparaît à mesure. Ce qui reste, c'est son inscription dans nos mémoires. Et une mémoire, c'est vivant ; une mémoire, ça organise les choses en fonction d'un projet.

— Mais papa, je n'ai rien choisi de ce qui m'est arrivé.

— Je le sais bien, fille. Mais ce qui habite votre mémoire, ce n'est pas ce qui vous est arrivé. À chaque jour et à chaque heure de votre vie, il s'est produit des milliers de faits : une fourmi qui trottinait sur votre jambe, une goutte d'eau qui tombait dans le puits en faisant des cercles, une grenouille qui allait à la chasse aux mouches, Daniel qui courait en criant, Johanna qui n'était pas à sa meilleure humeur, votre papa qui partait pour la Hongrie, etc. Tellement de faits étaient à portée de vue, de nez, d'oreilles. À chaque instant, vous avez choisi certains faits et vous en avez rejeté d'autres. C'est votre affaire d'organiser votre mémoire comme vous l'entendez et moi je n'y peux rien. Cependant, laissez-moi continuer mon histoire. Quand j'ai réalisé que j'avais construit mon récit de vie en fonction du projet inavoué, mais très déterminé, de me rendre la vie pénible, je me suis demandé : pourquoi ?

Il se leva et se mit à lancer de petits cailloux dans la rivière. Il fit culbuter quelques feuilles.

— J'avais besoin de faire une pression sur moi, j'avais besoin de m'oppresser. En fait, j'avais le projet de m'écraser sous le poids du malheur. Pourquoi ? Je ne sais pas très exactement, je pense que je ne m'étais pas pardonné la mort de mes deux parents.

— Mais ce n'était pas de votre faute ? intervint Suzanna.

— Voilà fille, le paradoxe de la liberté. Si je ne suis pas responsable de ma mémoire, si je ne suis pas responsable du récit que j'ai fait à partir des milliers d'événements qui m'ont été donnés, par quel miracle puis-je prendre possession de mon avenir ? Aussi bien abandonner cet avenir et donc mon présent à la fatalité, geindre sur mon sort, accuser tout le monde, porter un mouchoir sur ma tête et refuser de manger. Je n'ai évidemment pas été la cause de la mort de mes parents, mais, mademoiselle ma fille, rappelez-vous ceci, on se sent principalement coupable de ce dont on est victime et presque toujours innocent de ce dont on est responsable.

— Mais pourquoi ? demanda sœurette.

— Parce que subir n'est pas notre naturel. Subir, endurer, supporter, être passif, c'est l'affaire des roches, ce n'est pas l'affaire d'un homme ou d'une femme. J'avais accepté la mort de mes deux parents, celle de ma femme et mes deux bébés. J'avais installé ces faits dans ma mémoire comme si c'était une fatalité. Je les avais nichés dans mes souvenirs comme des cercueils de glace. Je n'avais pas fait de ces terribles faits des œuvres d'art. Vous comprenez cela ? C'est pour cette raison que je me sentais si coupable et je l'étais. Mon récit était un véritable torchon. Tout le monde peut raconter des récits pareils dont l'objectif ultime est de dire : « Je suis à plaindre. Je n'ai rien fait de mal. Je suis la victime. Job, c'est moi. » C'est facile, il suffit d'écrire le récit à la manière de tout le monde. Je n'avais pas pris en main mon récit. Les drames que j'avais croisés portaient en eux le pouvoir de produire un chef-d'œuvre et moi j'en faisais un mélodrame de pacotille. J'ai avorté de nombreux chefs-d'œuvre et le monde en a tellement besoin. La tristesse, chère fille, est une long avortement de soi.

— C'est quoi, papa, ces choses que je ne vois pas ? demanda Suzanna.

— Observez un peu comment se comportent les fleurs vis-à-vis des morts, elles les béatifient. Essayez un jeu amusant. Passez une journée entière comme si vous étiez dans la peau de Daniel. Non, c'est trop facile. Passez une journée complète comme si vous étiez dans la peau de Johanna. Trouvez d'autres points de vue, et surtout, mademoiselle ma grande fille, poursuivez un autre projet que celui de tenter d'attirer l'attention de votre maman à force de faire pitié. Faites-lui plutôt un récit qui la poussera à rire ou à crier de joie. Alors il viendra le cheval blanc, il viendra, mais il faut d'abord faire un chef-d'œuvre.

Il s'approcha d'elle, la prit dans ses bras et remonta la sente vers le chemin. Sa voix me parvenait :

— J'ai entendu un carillon, tous les oiseaux se sont envolés. Dieu ! qu'il fait beau aujourd'hui ! Il y a dans l'âme de ma petite Suzanna tellement de pouvoir de création que le monde va changer. Ça ne peut plus continuer comme ça. Il y a une île sonnante, l'île aux cloches, et ça va sonner. Vous voyez fille, nous sommes en ce moment, à cette heure, installés tous les deux au commencement du monde. Nous ne sommes pas quelque part sur une trajectoire temporelle. Nous sommes au commencement. Alors pourquoi ne pas raconter une histoire amusante...

Ils étaient trop loin, je n'entendais plus rien.

Une tempête s'était élancée. Comme l'avait prédit à Gliwice l'ange Michel, les Suédois envahirent la quasi-totalité de la Pologne occidentale. Varsovie et Cracovie tombèrent presque sans résistance. La Hongrie déborda par le sud pour achever un pays qui n'était plus que ruines. On racontait des batailles et des horreurs insupportables à entendre.

Suivait une fête où soudards et trains d'armée s'habillaient des vêtements tailladés des victimes. Ils paradaient croupion à l'air avec gestes obscènes. Ils se débauchaient, pires que des bêtes, violant leur récolte de jeunes filles qu'ils finissaient par étrangler. Les puits étaient pleins de corps gonflés, l'eau empoisonnait, les survivants n'avaient plus rien à manger sinon des cadavres d'animaux.

Les juifs étaient souvent pris comme victimes réparatrices. Eux seuls faisaient unanimité entre catholiques et protestants. Les massacres n'avaient pas de fin. Des meutes de loups et de chiens descendaient des montagnes pour se disputer les carcasses. L'enfer s'était incarné sur terre.

Il y avait de quoi vomir de honte d'être protestant même si ailleurs les catholiques en avaient fait autant. Le roi de Pologne s'était enfui à l'étranger et les nobles avaient fait leur reddition à Sa « Grandeur » Charles-Gustave. Mais il n'y avait plus aucune grandeur de par le monde.

Il n'était plus question de libérer la Bohême. Qui, des Frères, l'aurait d'ailleurs voulu ? Personne n'aurait souhaité une telle « libération », même pour son pire ennemi.

Père, qui avait chanté la gloire des rois de Suède et de Hongrie, les suppliant de donner des droits égaux aux catholiques comme aux protestants, de pratiquer la tolérance pour tout ce qui touche la religion et de remplacer l'épée par l'éducation, plongea encore plus profondément dans ses pensées et ses écrits comme s'il n'attendait plus rien du présent.

Il regrettait amèrement de s'être compromis. « Est-il possible de faire du bien en ce monde ? gémissait-il. Pourquoi tout ce que l'on touche, même avec l'intention la plus droite, se transforme-t-il en harpies ? »

Un monastère polonais avait résisté dans la région de Czestochowa. Une onde de hardiesse et de bravoure remua le sang des catholiques et de bien des protestants écœurés des agissements de leurs frères. Il y avait des soulèvements un peu partout en Pologne et la Suède se retirait autant que la Hongrie. Le butin leur suffisait.

Le quartier des Frères moraves de Leszno se tenait sur la corde raide. Nous nous retrouvions sur le baril de poudre et il fallait éviter d'allumer la mèche. La politique de la famille Kokovský nous servait et Ludmila devenait de plus en plus maître en louvoiement.

Un jour, frappa à la porte un étranger disant venir d'Angleterre. Il fallait le croire sur parole car personne ne le connaissait et son latin ne trahissait aucune origine. Un singulier personnage, efflanqué et anguleux, blafard de peau et noir de chevelure, barbiche finement découpée surmontée de sourcils ébouriffés, il portait un dolman d'agneline et aucune autre arme que sa langue. Sans doute était-ce un vestige de guerre, il avait une main en bois plaqué de fer. Il me semblait l'avoir déjà aperçu.

Il ne s'était pas annoncé et ne fit aucune présentation ni de sa personne ni de sa cause. Il désirait, simplement, un entretien avec révérend mon père.

— Voilà mon privé, lui répondit père en indiquant deux petites chaises à côté de l'imprimerie, mon gendre est parti à la recherche d'encre et de papier, prenez donc son banc.

Ce qu'il fit non sans hésiter, jetant sur moi et les enfants un sourire courtois mais un regard dédaigneux. Il tremblait de la main qui lui restait et éprouva quelque difficulté à tirer vers lui la petite chaise. Je voulus l'aider. Il me repoussa comme si j'avais la peste. J'avais oublié que le mépris des femmes était chose commune hors de notre communauté.

Je continuai ma leçon aux enfants, mais ne pus retenir l'oreille. Je fus si interpellée par la tournure de la discussion qu'elle se grava mot pour mot dans ma mémoire.

Je n'aurais rien compris si mon père ne m'avait maintes fois raconté son voyage en Angleterre juste avant la guerre civile qui mena à la république de Cromwell. Trois gentlemen, Dury, Hübner et Hartlib, soutenaient une organisation appelée le « Collège invisible » dont l'objectif consistait à réformer l'éducation, la science, la religion et la politique. Ils trouvèrent dans les travaux pansophiques de père les principes théologiques, philosophiques et scientifiques dont ils avaient besoin.

Le Collège avait des ennemis. On parlait parfois d'un Anticollège de l'invisible, une sorte de société secrète de magie noire, mais c'était une rumeur en milieu de sorcellerie. Le vrai ennemi était ailleurs. Néanmoins, la guerre avait engendré tant de souffrance et de désespoir qu'il arrivait parfois qu'un homme ou une femme se prennent réellement pour une sorte de démon. Cette folie était

pitoyable mais dangereuse et pas toujours apparente.
N'étaient pas rares ceux qui se prenaient pour Lucifer lui-
même.

Hartlib dirigeait le Bureau de diffusion des connaissances humaines qui visait à mettre en commun toutes les
informations scientifiques de façon à les réorienter systé-
matiquement vers l'utilité pour tous. À cela s'ajoutait un
office publique de la science qui luttait avec acharnement
contre le principe d'une connaissance réservée aux seuls
spécialistes. Père racontait que les sciences tendaient à se
spécialiser en élaborant des langues techniques, ce qui
rendait impossible le dialogue entres elles et surtout avec
la population.

Il y avait là danger de voir apparaître un nouveau
pouvoir antidémocratique. Le Collège invisible désirait
rendre transparente la communication reliant la science
au peuple. C'était d'autant plus important qu'une vraie
science digne de ce nom pouvait devenir un puissant anti-
dote contre la manipulation des esprits par les pouvoirs
politiques et religieux. À ce titre, la science pouvait consti-
tuer un des leviers de la démocratie. En revanche, si la
science s'organisait en pouvoir autocratique, non seulement elle ne jouerait plus le rôle de la raison dans la civilisation, mais elle ruinerait pour longtemps tout espoir de
démocratie.

La pansophie de révérend mon père devait jouer le
rôle de pierre angulaire de la réforme. L'idée consistait à
développer une image vivante, évolutive et de plus en
plus valide de l'univers, car si l'homme ne discerne pas
la signification de sa vie, pourquoi voudrait-il seulement
vivre ? Le déscspoir est incompatible avec la démocratie
puisqu'il engendre le désengagement.

Hélas ! L'entreprise du Collège fut détournée de sa
route par des extrémistes recherchant la révolution plutôt
que la réforme, l'immédiat plutôt que le mûrissement.
Père devina que l'entreprise allait être noyée dans le sang

et quitta l'Angleterre avant que la guerre civile ne prenne rage.

L'attaque de l'étranger devait porter encore une fois sur la transparence de l'esprit qui était au fondement même de la pansophie et de la démocratie :

— Je ne viens pas de moi-même. J'ai répugnance à me retrouver ici. Je serai donc bref. Laissez-moi d'abord vous rappeler, monsieur, l'importance de croire en la nature pécheresse des hommes...

— Il n'y a pas de nature pécheresse, rétorqua immédiatement père, mais simplement des actes malheureux et beaucoup d'entêtement. À preuve, l'esprit reste transparent même lorsque le cœur est trouble...

— Quelle ânerie ! Pélagien, accusent vos propres frères. Cette hérésie me dégoûte. Nous avons des preuves, vous communiquez avec les sectateurs de Rakow...

— ... Mais je ne partage pas pour autant leurs idées, riposta sèchement père.

— Que de palabres ! reprit l'intrigant. Tout votre édifice intellectuel tient sur un point hérétique et méprisable à tous égards, autant pour les protestants que pour les catholiques. Selon votre doctrine, le péché n'entraverait pas le pouvoir de connaissance. Pire, le rapport entre la nature et l'homme serait mystique dans l'âme et vital dans l'art. Quel idéalisme d'enfant ! Vous allez jusqu'à accorder à la femme la même prétention, elle qui a péché avant l'homme et contre l'homme. Copernic a liquidé la différence entre le ciel et la terre en révélant que les lois constatées sur terre sont aussi valables pour le ciel. Vous, monsieur, vous détruisez la barrière du péché qui sépare l'homme de Dieu. Vous vous trompez, monsieur, l'Alliance est brisée, la raison est foncièrement tordue, seule la logique peut remonter vers la vérité...

— Pardonnez, mais tout le christianisme consiste dans la libération du péché, c'est-à-dire dans la libération de la culpabilité inhérente au fait d'être si petit dans un

univers démesurément plus grand que soi. Par cette libération, l'intuition est possible. Telle est désormais notre
liberté.

— Vous voulez rire ou quoi ! retourna l'étranger.
N'avez-vous pas vu la haine, la guerre, les massacres ?
L'homme est une misérable bête folle de sang et malade
de toutes les façons. Il n'y a qu'une seule liberté pour
l'homme, celle de la poussière et vous, vous proposez une
liberté gagnée par l'éducation et l'enracinement !

Il éclata de rire.

— Il n'y en a pas d'autre, trancha père sans se rendre
compte qu'il parlait sans doute à un homme dérangé dans
son esprit.

— Au contraire, riposta-t-il, il n'y a, pour l'homme,
qu'une liberté, celle de la poussière charriée par les forces
de la nature.

— La poussière peut bien se penser libre, reprit père,
se griser de liberté, mais vous savez comme moi que la
poussière est de l'infiniment manipulable. Cette forme de
liberté ne peut mener qu'à une fausse démocratie. Seul
celui qui a pris racine en son propre être peut aller là où
il n'est pas mené...

— Cela, nous ne pouvons pas l'accepter, conclut
péremptoirement l'homme. Comprenez-moi bien ! Je ne
suis pas envoyé pour discuter du vrai ou du faux de votre
baragouin, mais pour vous avertir. Votre anarchie constitue l'ultime danger. Nous sommes, nous, des êtres respon-
sables et nous ne vous laisserons pas faire. Une illusion
de démocratie, nous l'acceptons, cela est conforme à la
nature de la poussière. Mais des personnes enracinées et
orientées qui décident collectivement de leur avenir...
C'est un farce pour bonne femme !

— Jésus avant moi... tenta de dire père.

— Et nous avons détourné ses idées en direction de
la révolution afin que le sang les emporte. Quel spectacle !
Enthousiasmée par notre version du messie, la foule s'est

soulevée contre Rome et Rome l'a écrasée comme de la paille...

— J'imagine que vous étiez aux premières loges ! Vous me prenez pour un idiot !

— Vous ne saisissez pas ! Faut-il préciser les moindres détails ! Jamais nous ne céderons. De la matière errante assujettie à des forces, voilà ce que vous êtes, vous, les hommes. Il vous faut des prêcheurs, des maïeurs, des empereurs et pourquoi pas des députés ! Nous n'avons rien contre. Pourvu que tout le monde suive. C'est la loi de la poussière...

— Taisez-vous, monsieur Lucifer, interrompit père, soudain convaincu d'avoir affaire à un misérable fou...

— Ne riez pas trop ! Nous veillons. Notre fraternité est puissante, ce n'est pas le nombre qui compte. Votre hérésie a été prônée par vos amis jusqu'au Long Parlement d'Angleterre. Qu'à cela ne tienne, nous l'avons contrainte à prendre le chemin de la révolution. Excellent moyen d'avortement, n'est-ce pas ! Les révolutions sont des avortements. La méthode est un peu sanglante, oui ! mais le sang, c'est la vie...

— Arrêtez vos sottises, répéta père...

L'étranger n'entendait plus rien.

— Vous avez, monsieur, tenté de renverser notre système d'éducation fondé sur la solidité des faits, de la raison et du péché...

L'homme caressa un moment l'imprimerie de sa main de fer, ce qui indigna père.

— Viendra un temps, intervint père, où, après trop de souffrance, l'homme voudra la concorde avec lui-même, les autres et la nature...

Alors l'étranger se leva et se fit menaçant :

— Oh que non ! Mais vous n'entendez rien ! Après trop de souffrance, au contraire, l'homme saura qu'elle sorte de bête il est. L'homme doit être tenu dans le règne des choses, apprendre qu'il fait partie de l'errance des atomes. Pour l'amener à la soumission, nous avions l'arme de la croyance, mais une arme n'est pas éternelle. Elle est ébréchée par trop d'usages. Tant pis ! Il suffit de la retourner et d'utiliser l'autre tranchant. Le doute plutôt que la croyance fait aussi bien l'affaire. La nouvelle science sera notre alliée. Nous élèverons des maîtres du soupçon qui ridiculiseront toutes les croyances. La lucidité deviendra incompatible avec l'espoir. Ce sera une première grande victoire ! Ensuite, les hommes ne voudront plus jamais de la liberté.

— Vous fabulez ! s'exclama père, et je vous plains.

L'homme s'était éloigné en direction de la porte, mais entendant cette phrase, il revint sur ses pas et levant le doigt vers le ciel :

— Il existe une fraternité qui veille, monsieur. Il importe de tenir l'homme à l'état de chose. C'est ainsi que nous l'aimons. Des atomes jusqu'aux étoiles, tout doit obéir. Il y a des lois, il y a des forces et tous doivent s'y soumettre. C'est cela la science, monsieur : prouver qu'il n'y a ni esprit, ni pensée, ni volonté, ni liberté. Il y avait une erreur dans l'idée de péché originel et j'en conviens. Elle laissait croire qu'il existait un état de pureté originelle. C'était vraiment risible. Nous corrigeons. Il n'y a ni bien ni mal, mais un simple et pur jeu de forces.

Père se leva. Son visage n'exprimait plus la colère, mais la compassion. Il lui retourna :

— Vous êtes tombé, monsieur, dans un profond malheur et j'ai pitié...

— Vous n'avez pitié de rien. Moi, j'ai pitié. Si l'homme venait à prendre conscience de l'abîme du monde, il en deviendrait fou de terreur. Votre éducation à la clairvoyance est une cruauté. Alors, nous les saints, nous alimentons le feu sous le chaudron de sorte que les globules se détachent, perdent racine et entrent dans le tourbillon. Les civilisations, les guerres, l'esclavage, la haine forment de magnifiques spectacles. Toute la vie est là : souffrir dans l'obscurité. Le réel, monsieur, c'est l'enfer. Mais un jour viendra où cet enfer ne produira plus la moindre souffrance parce que l'espoir sera enfin effacé de la face de la terre...

Il sortit en claquant la porte.

Le lendemain...

— Feu ! Oh mon Dieu, le feu ! hurla dame Johanna.

Au grenier, les flammes crépitaient, les poutres du plafond grinçaient, les planches rougeoyaient ici et là, des tisons se détachaient... Le grenier... si lourd de manuscrits...

— Dehors ! cria Ablonský. Dehors ! Tout va s'écrouler...

— Maman ! hurla Toscana.

Une lueur courait sur nos visages. Le feu avait déjà percé un grand trou près de l'échelle. Des braises tombaient. La paille de nos couches prenait feu. Nous étions bientôt tout vifs dans les flammes qui couraient, sautaient, sifflaient. Père attrapa Suzanna et Daniel, défonça la porte de l'épaule, jeta les enfants dans la rue. Un fort vent entra, souleva le feu qui se mit à gémir. Toscana se précipita sur moi, père m'attrapa par le bras et nous tira jusque dans la rue. Ablonský saisit dame Johanna qui flambait et ils roulèrent tous deux jusque dans une miraculeuse mare de boue.

La maison s'effondra, je sentis comme une morsure à mon cou. Ma robe de nuit était en feu. Ablonský m'arracha le vêtement, me fit basculer toute nue dans la vase, ma douleur s'apaisa. Il me couvrit de terre et de glaise en tremblant. Nous étions saufs !

À travers les madriers et les dosses en flammes, toute la bibliothèque brûlait. Manuscrits, parchemins, de grands morceaux de sagesse si péniblement recueillis et l'inestimable imprimerie n'existait plus. Père se tenait debout devant le feu comme une statue et si ce n'avait été de dame Johanna qui s'interposa et le recula de force, il aurait grillé vif par la chaleur du brasier. En fait, son cœur brûlait, se vidait de tout ce qui avait fait son espérance. Rien n'avait été sauvé, sauf nos vies.

Non ! Daniel tenait la bible de Králice qu'il serrait sur sa poitrine. Père tomba à genoux en pleurant, serrant ses deux enfants dans ses bras. Dame Johanna n'avait presque plus de cheveux sur la tête et tremblait de tout son corps.

Nous étions de l'autre côté de l'existence, comme transférés d'un monde à un autre. Nus, muets, couverts de boue, brûlés, gelés, nous attendions un signal, un commandement. Rien ! Pas un ange, pas un démon. Nous étions seuls, abasourdis, hébétés, figés dans une étrange minute qui ne savait plus où donner de la tête.

Nos cœurs, je crois, ne battaient plus. La flèche du temps avait changé si radicalement d'orientation qu'à la charnière, la minute où nous étions restait interloquée, immobile, frémissante, ne sachant plus dans quelle direction aller.

C'est le cri du feu et de la cohue qui finalement déchira la bulle. Tout le quartier flambait. On courait partout. Des hommes masqués fuyaient, brandon à la main. Maisons, cabanes, hangars s'effondraient un à un. Le feu formait des tourbillons qui se démenaient comme des démons puis fonçaient dans toutes les directions. Les gens criaient, allaient à hue et à dia, se heurtant les uns sur les autres. Les chiens savaient mieux que nous où aller. Ils couraient tous dans la même destination.

— Par le chemin des collines, indiqua Ablonský, en observant les bêtes.

Il gronda le commandement avec toute la force de sa voix. Deux fois. Trois fois. La foule paralysa un instant, puis fonça là où les chiens allaient. Père happa Daniel ; Johanna agrippa la main de Suzanna ; Ablonský m'arracha Toscana ; une foule effrayée nous emportait. Par terre, des blessés étaient piétinés. Horrible était la sensation des têtes et des ventres sous nos pieds nus.

La chaleur nous brûlait les poumons, l'air nous manquait, nous allions périr. Devant moi une femme, vêtue d'une trop ample couverture, se transforma instantanément en flambeau. Aveuglée, elle se jeta dans des braises en hurlant. Un vent rabattit sur nous une épaisse fumée. Nous étouffions, mais la cohue nous emmenait.

Comme emportés dans une coulée d'épouvante nous nous sommes retrouvés, Dieu sait comment, hors de la ville, dans un champ d'herbe où l'air enfin entrait à pleins poumons. Derrière nous, le feu hurlait comme un enfer ; devant nous, la nuit devenait glacée, nous montions vers nos frères des fermes. Les uns se lamentaient parce qu'une fille, un fils, une femme, un époux manquait. Les autres se regroupaient, se comptaient, se recomptaient comme étonnés d'avoir survécu. Des femmes gémissaient pitoyablement dans les bras d'un mari ou d'un père qui les retenait ; désespérées, elles se seraient jetées dans le feu pour sauver un enfant. Je pris Toscana dans mes bras et tombai à genoux en priant :

— Ma petite, ma petite fille, Dieu merci !

Des larmes étouffaient mes paroles. Père et Ablonský entreprirent de regrouper les familles. La chose ne fut pas facile mais à force de cris et de consignes, grâce à l'aide des pasteurs et des sergents, presque toute la communauté se retrouva sur la colline où s'élevait le grand chêne qu'enfant, je grimpais. Blottis en groupes familiaux, serrés les uns contre les autres, parce que pour la plupart nus dans le froid, nous regardions brasiller notre ghetto, alors qu'alentour, la cité catholique fêtait. Une petite enclave entre le quartier des Frères et celui des catholiques était restée intacte : la villa des Kokovský, ses attenants et ses dépendants. Il ne fallait donc pas craindre pour Ludmila.

Au loin, surgissant des braises, un gémissement sourd, à peine audible, soupirait entre les rires et les éclats de la fête. Père demanda aux pasteurs de faire le tour des familles pour connaître les disparus. Des hommes furent immédiatement envoyés pour retourner vers le feu, regrouper tous les survivants et ramener les blessés. Des chiens les accompagnaient.

La lune brillait et la campagne scintillait d'une sérénité incompréhensible. Au loin, les premières lueurs du jour démembraient les nuages azur de la nuit. Et comme pour nous vêtir d'un peu plus de misère, une bruine glacée remonta jusqu'à nous.

Lentement, nous prenions conscience du malheur qui s'ouvrait devant nous. Où pouvions-nous aller ? Quelle contrée voudra de nous ? Comment allions-nous survivre ?

Ablonský entonna un psaume, comme si chanter pouvait réduire l'épreuve :

Vois notre dénuement,
vois notre misère,
sur le rebord de l'abîme
un feu nous dévore.
Nous sommes entrés dans l'ordre du chacal
dans le murmure du hibou.
Nous voici dans le portique de la fin,
dans le vestibule des morts.
Notre peau tombe en lambeaux,
nos os se dessèchent.
Une harpe gémit entre nos os.
Nous ne savons plus,
nous ne savons rien.
Nos âmes se consument,
nous perdons le sens.
Autour, la misère nous pèle jusqu'au noyau,
Au milieu, notre douleur étend sa tente.
Nous devenons fous de chagrin.
Une voile s'est levée
Et nous emporte en mer.

Sommes-nous à naître, sommes-nous à mourir ?
Quel enfant sort de nos chairs ?
Quel vin sort du pressoir ?

Nos hommes étaient à peine revenus avec les blessés et les enfants perdus que des torches montaient vers nous, la clameur d'une foule en rage. Des chevaux hennissaient. On avançait en frappant épée sur épée, bâton sur bâton.

— Allez-vous-en, partez, criaient les catholiques au travers desquels nous reconnûmes un certain nombre de calvinistes.

Certains Frères, des femmes et des enfants empoignèrent des pierres. Père leur ordonna, par pitié, de ne pas nous jeter au massacre. Il valait mieux se résigner. Révérend *senior* prit le commandement comme il le devait et nous dirigea vers le nord, en route pour la Silésie. Il connaissait une forêt à quelque quinze kilomètres au nord. C'est là que nous établîmes notre premier campement.

Un hobereau calviniste nous prêta quelques outils pour faire des cabanes et des feux. Nous soignâmes les blessés et consolâmes ceux qui étaient en deuil. En définitive, peu avaient succombé. Ce qu'on avait pris pour des misérables et piétiné n'étaient que des brebis maigrichonnes, notre viande, notre laine. Le plus tragique était à venir. Nous n'avions plus rien.

Les quelques coffres de vêtements arrachés des flammes furent distribués à ceux qui étaient totalement nus. La robe qui me fut donnée, hélas, aurait bien convenu pour une soirée chez les catholiques, mais ne me protégeait guère du froid. Il fallait vivre. Nous avions pu récupérer quelques carcasses de mouton, mais si peu. Les uns chassaient pour la nourriture et la fourrure, les autres allaient à la cueillette de champignons et de racines, nous devions refaire nos forces. La route serait longue.

Père restait inquiet à propos de Ludmila. Quelques-uns l'avaient vue en territoire catholique et assuraient père qu'elle y avait de la protection. À mesure que la communauté sortait de sa stupeur, on tournait de plus en plus de regards vers nous. Des chuchotements nous parvenaient, presque accusatifs : père ne savait pas tenir famille, manquait d'autorité, s'était compromis avec les Suédois, avait entraîné le malheur.

À force de négocier avec le hobereau des lieux, nous réussîmes à obtenir un maigre mulet. À dada sur l'animal, Ablonský partit à la recherche de secours. Nos conditions étaient si pitoyables que, sans miracle, beaucoup de la communauté allaient mourir de froid ou de faim, sans compter la menace d'une épidémie. La chasse et un peu de bois nous tenaient en vie. Un malheur ne suffit pas ! Des catholiques, mousquet à la main, étaient venus avertir notre hôte : d'ici trois jours, il pourrait bien se retrouver outre-tombe avec quelques-uns des nôtres s'il nous assistait encore. Nous dûmes repartir immédiatement.

Quatre charrettes ; mais aucun cheval ne nous avait été donné. On y entassa tout ce que l'on avait de bagages, les blessés, les vieillards, les enfants trop jeunes, les femmes avancées en grossesse. Grâce à de longs cordages, les hommes halaient ferme la charge pendant que nous, les femmes, poussions. La prudence nous commandait de suivre un chemin de forêt terriblement boueux. Père devait porter de temps à autre Daniel et parfois même Suzanna. Toscana refusa de monter dans un des chariots. Au contraire, elle s'activait derrière une charrette en commandant à tout le monde de pousser.

C'était pitié à voir. Seuls quelques chants encourageaient. Sans Ablonský, notre choriste, c'était plutôt de lugubres lamentations. La forêt se faisait épaisse, inquiétante, et nous n'avions rien pour nous défendre, sauf notre état de misère. Les brigands avaient pitié de nous. Au lieu de nous piller, ils nous apportaient du gibier. Une forestière me couvrit d'un lourd manteau de laine. Sans les bontés des détrousseurs de chemin, beaucoup seraient morts.

Par un miracle de Dieu, un messager de Laurent de Geer, le fils de l'ancien mécène de père, avait croisé révérend mon mari sur la route du nord. Des vêtements, des outils, des armes, des victuailles avaient été apportés à un aubergiste appartenant à une communauté affiliée. Ablonský ne nous avait pas attendus, il était immédiatement reparti avec le messager en direction de Szczecin en vue de préparer l'installation de la fraternité sous la protection de la famille de Geer.

Lorsque nous arrivâmes à l'auberge, les Frères crurent à un miracle. Personne n'en connut la cause. Père avait exigé le silence de l'aubergiste, il ne voulait pas que la communauté se sente redevable envers son *senior*. C'était pour lui une question de dignité. De plus, il valait mieux que les gens de la région ne sachent pas que la Suède était venue à notre secours. D'ailleurs, me dit en secret père : « C'est vraiment un miracle du ciel que Laurent de Geer ait été informé de notre malheur aussi rapidement. » Jamais nous n'avons su qui avait envoyé un messager. Celui qui faisait le calcul devait conclure que le courrier devait être parti avant même que le feu n'ait été allumé ! Personne ne posa de question. Le chariot au trésor venait de la Providence.

La distribution des vêtements et des denrées ne fut pas pour autant facilitée. Père dut faire preuve d'une grande autorité allant parfois jusqu'à la menace, car plusieurs ne pensaient qu'à se jeter sur le butin au nom de leur famille, de leur statut ou de leurs anciens privilèges. Père avait une tout autre conception de la justice. Il en donnait au contraire un peu plus à ceux qui avaient des infirmités de corps ou d'esprit : « Puisque, disait-il, ils ont moins de capacité. » Cette logique, si acceptable en temps de grâce, apparaissait intolérable en temps de disgrâce. La misère faisait son ravage dans les âmes.

La communauté arriva désunie, morose et aigrie à Szczecin. La souffrance s'était transformée en aversion, en exaspération. La haine contre les Frères avait produit son venin. Il fallait un coupable, un exutoire. C'était comme une nécessité de soulagement. Il est habituel de faire l'unanimité sur un innocent puisque tous se sentent coupables. Celui qui a donné le plus d'espoir est évidemment le tout désigné. La déception n'est-elle pas d'autant plus grande que le rêve était élevé ! C'est aussi naturel de crucifier l'« enchanteur » en temps de détresse que de l'élever sur un trône en temps d'allégresse. On le mène au plus haut du plus bas et on lui jette à la figure des siècles de rancœur. Il devient la victime rituelle. Ainsi va la guerre ! Père était tout désigné pour faire office d'agneau.

Quelques jours après notre arrivée à Szczecin, une délégation se présenta devant notre cabane encore en construction. Un pasteur particulièrement chéri par père agissait à titre de porte-parole :

— Révérend, la communauté n'est plus en confiance. Vos allégeances avec la Suède et la Hongrie ont entraîné sur nous la colère des catholiques. Nous étions en paix et même en prospérité, maintenant nous sommes des parias. Serons-nous tranquilles en Silésie...

Père jeta sur l'homme un regard triste et leva la main pour qu'il n'en dise pas plus. Avec un énigmatique sourire, il lui remit le marteau de construction qu'il tenait en main. L'homme ne comprit évidemment rien du message. Il tenait le marteau, interloqué, sans réaliser que des bourreaux déjà avaient utilisé semblable outil pour semblable fin. Le lendemain, nous abandonnâmes notre cabane, et partîmes vers l'ouest.

Allant d'abord au Brandebourg où personne ne nous accueillit, nous traversâmes la Poméranie et nous gagnâmes Hambourg. Un voyage des plus pénibles. Ce fut une bénédiction du ciel que personne ne tomba malade, car nous étions épuisés. Les enfants n'en pouvaient plus, pleuraient souvent, se chamaillaient à propos de tout. Toscana allait de la colère au désespoir. Même

Suzanna, la plus constante dans le courage, devenait morose et taciturne. Elle ne parlait plus. Les phrases se bousculaient dans sa gorge et des pleurs seulement sortaient.

Hambourg nous reçut si froidement qu'il nous fut impossible d'y reprendre des forces. Nous errâmes comme des mendiants jusqu'à Groningen. C'est là qu'un chariot vint nous chercher et nous amena à Amsterdam. Un petit logis, commandité par la famille de Geer, nous attendait. Suzanna et Johanna étaient toutes deux malades et moi je m'écroulai si anéantie que je dépendis totalement de révérend mon mari qui dut me nourrir de purée comme un bébé.

Père avait soixante-cinq ans et restait sur ses jambes, je crois, par le seul souci de sa charge. La famille avait besoin de lui. Le poids des enfants est décidément un bien étrange fardeau. Il nous écrase et pourtant c'est par lui que nous tenons debout.

Comme à son habitude, le *senior* ne retenait que le minimum de la pension versée par son mécène et envoyait le reste à la communauté de Silésie.

Malgré tout, nous avons survécu.

CHAPITRE 6

La nativité

— Cette nuit même, avait proclamé monsieur Rembrandt aux enfants, ce sera pour cette nuit.

Depuis le temps qu'ils attendaient, depuis le temps qu'ils se préparaient...

— Cette nuit, rappelait Toscana aux plus petits pour les inciter aux derniers préparatifs.

— Cette nuit ? vérifiait père à demi-aveugle à force de scruter les Écritures, les étoiles, les fleurs, les oiseaux. Il a dit : « Cette nuit même » ? Alors c'est bien cette nuit. Allez les enfants, on se prépare.

Révérend monsieur mon père avait tant couvert de feuillets sur ce qui allait se passer, sur ce qui devait se passer, sur l'intensité de l'écart et du vide qui appelle l'éclair qu'il pouvait à peine soulever le bras pour montrer l'étoile déterminante. On ne la voyait jamais, même Toscana avec ses yeux de faucon ne pouvait l'apercevoir. Et pourtant père assurait que c'était elle qui donnait à la nuit sa couleur d'encre et que bientôt elle allait crever l'opacité des cœurs et révéler le pouvoir créateur de l'esprit. Il y mettait de l'emphase, si bien que l'on ne savait plus s'il parlait pour jouer ou s'il jouait pour parler.

— L'éclair, ajoutait père, jaillira d'une étoile noire. Et nous verrons, l'espace d'un instant, le visage de l'esprit. Il y aura un silence tel que nous entendrons comme le crépitement d'un feu.

— Et que dira ce feu ? demandait Toscana pour encourager le jeu.

— Je pense... commençait de répondre père. Qu'est-ce que c'est la question ? Ah ! oui, je pense que c'est...

Mais il ne livrait jamais le mot aux enfants, il l'articulait seulement des lèvres.

— Aubergine, proposait l'un.

— Oh ! Bergère, tentait un autre.

— Canneberge... goberger... héberger... gamberger... lançait un grand.

— Liberge. Non ! Diverté... Piverté, tentait un petit.

La moustache et la barbe blanche de père lui cachaient les lèvres et personne ne devinait.

— Le mot va traverser le cœur, continuait père. Rien de plus que ce mot ne nous sera révélé. Mais à mesure que le mot fera son chemin dans ta bedaine (il parlait maintenant au plus petit en le chatouillant du doigt), tu... Tu verras ce que tu verras. La vérité ne dit jamais rien de vrai, mais elle fait tout en vérité. Faire, c'est sa manière de parler. Non ! Elle ne fait rien, la vérité, elle fait tout faire par les autres. Et c'est toi qui vas la faire. Oui ! toi...

Et il se mettait à rire. Si cette « prophétie » était limpide pour les plus petits, les plus grands, eux, l'ajoutaient au crédit de la folie. Lorsque la souffrance arrive à une telle vieillesse, lorsqu'on a été toute sa vie chassé de son pays, exilé, privé de ses racines, de sa terre, poussé ici et là au gré du vent, comptant les morts par milliers, on est forcément fou.

Cela était encore plus manifeste depuis que l'« éducateur de Bohême », comme on l'appelait ici, avait rencontré le peintre de Hollande, lui-même expulsé du bon sens par la ruine financière, la mort de son épouse et de presque tous ses enfants. Les langues du quartier en avaient long à dire sur ces deux Mathusalem délirants.

Moi-même, je n'étais pas revenue de mon épuisement et la folie faisait partie de mon quotidien. Je la tenais en haute estime puisqu'elle m'allégeait. J'avais l'impression de voler. Quelque chose de mon esprit jouait dehors à l'air libre, regardant les choses se dérouler comme autant de rubans colorés.

Hélas ! la folie n'est qu'une grâce de la misère dont le fil se rompt au moindre repas un peu copieux.

Le matin luisait sur les eaux calmes de l'IJ. Les tulipes se dressaient le cou pour apercevoir le grand disque se dégager des brumes. « Cette nuit même », avait dit Rembrandt. Plus qu'un seul jour avant l'événement... Après, nous verrons et la circulation des faits ne nous sera plus étrangère. L'humus du monde aura produit sa fleur. Le nénuphar aura dégagé sa frimousse. Nos orteils se réjouiront dans le fond des boues car nous aurons les yeux enfin en dehors du marais... Que d'espérance ! Que d'enfance ! À quel délire nous allions si gaiement !

On aurait dit que les oiseaux fêtaient déjà la déconfiture de la bête humaine. Ils virevoltaient comme une nuée de papillons en migration. Oui ! les choses allaient changer. La ville où nous avions trouvé refuge en était le présage. Il fallait voir Amsterdam pour croire que l'avenir pouvait échapper aux marécages du passé. Quel acharnement dans les eaux ! Des terres arrachées aux mers par digues, remblais, canaux. On avait creusé ici pour combler là. On avait fait émerger des terres en creusant des canaux. Que du sable et de la tourbe retenus par des travaux de bois et de mortier. On aurait dit une ville arrachée au Schéol.

Dans les levées, on avait planté des pilotis de trente ou quarante coudées, des dizaines pour une seule maison, des centaines pour les églises et les grands édifices. Sur ces radeaux solides et aplombs, on avait érigé d'épais murs de refends, des planchers de ciment et des fondations de cheminée. Appuyés sur ces assises se hissaient quatre étages de maison, parfois plus, largement fenêtrés et couronnés d'un fronton présentant les armoiries de la famille. Fierté de l'accomplissement.

Le tout chancelait quelque peu comme si par habitude il fallait suivre les méandres de la mer. Mais on avait collé maison sur maison de façon à les faire tenir l'une par l'autre. Des maisons comme ivres, penchant vers le devant, vers l'arrière, de côté, se maintenaient debout par la force de la solidarité. C'est ainsi qu'Amsterdam arrachait du temps à la mort.

La ville s'était dressée, contre les eaux, en réponse à l'intolérance des tyrans. On y retrouvait des luthériens, des calvinistes, des presbytériens, des baptistes, des anabaptistes, des mannonites, des disciples de Zwingli, des juifs, des catholiques, une sorte de mosaïque de communautés se tolérant les unes les autres pour mieux prendre vengeance de leur exil. À l'image des édifices, les communautés chancelaient, jouaient du coude, se toisaient, se méfiaient, mais finissaient par se souffrir.

Le commerce devenait la religion commune. Une religion horizontale certes, mais au fond plus universelle, une religion des religions, la religion des bouches, la religion des boyaux humains, la religion des besoins réels et imaginaires. Une religion sombre, noire et triste, mais peut-être la seule capable de mélanger les doctrines et de produire enfin un embryon d'humanité. Nouvelle forme de guerre et peut-être un peu moins cruelle.

Vraiment ! Des sueurs et des suies de cheminées plutôt que du sang et des os, est-ce un avancement ? Peut-être ! Mais père restait avec une terrible crainte : cette nouvelle forme de guerre pourrait simplement précipiter l'autre, lui fournir à la fois des prétextes et des armes.

Mais Amsterdam espérait prouver la fécondité marchande de la tolérance. Des jours meilleurs venaient. Le salut allait s'accomplir. Le premier signe est venu du rabbi de la ville. Il annonça que tous les rabbis, de la péninsule Ibérique jusqu'aux Russies, de la Suède jusqu'à l'Afrique, s'étaient mis d'accord. Oui, le messie marchait, à cette heure même, sur la Terre sainte.

Cela expliquait les horribles souffrances des derniers temps. Les juifs, principaux porteurs des souffrances du monde, en étaient l'expression vivante. Ils avaient été expulsés d'Espagne en l'an d'effroi 1492 après d'indescriptibles massacres. Mais ce n'était que le préambule. Bien d'autres malheurs avaient eu lieu. Le pire venait de se produire. Bohdan Chmielnicki, le Chevalier du Déluge, avait perpétré chez eux de tels carnages, des exterminations si massives et si cruelles qu'il était désormais impossible d'aller plus bas. Soulagement, si c'en est un, Pavel avait été tué avant même sa première expédition. L'informateur avait parlé d'une tentative de désertion. Mais il y avait tellement de rumeurs...

Des kabbalistes avaient déclaré l'année 1666, nombre de l'Apocalypse. Un certain Nathan, dit le Précurseur, avait proclamé officiellement qu'un dénommé Sabbatai Tsevi était le messie, le vrai. Cet homme était descendu en ce monde à Smyrne le jour anniversaire de la destruction du Temple. La vue des plus horribles tortures inventées par le Chevalier du Déluge l'avait mené à l'illumination. Il enseignait le mystère de la divinité, accomplissait des miracles et surtout commettait des actes insolites. On célébra ses épousailles avec la Torah et il proclama la fin des interdits. « Le règne de la Loi est dépassé, affirmait-il, Moïse a définitivement brisé les tables des commandements. »

Il arriva au Caire comme envoyé de Dieu. Il fut reçu avec grand honneur par l'homme le plus renommé de la communauté juive de la ville : Raphaël Chelebi. Nathan le Précurseur révéla à Sabbatai le secret de la racine de son âme et la combinaison magique de son tikkun (rédemption). Ils allèrent tous deux sur les lieux saints de Hébron et de Jérusalem. Ils reçurent l'approbation des rabbis de Jérusalem. De là, on adressa des lettres à toutes les communautés juives et il fut reconnu comme le vrai messie. Seuls un rabbi de Livourne et un rabbi du Maroc hésitèrent à le reconnaître.

Des cortèges partirent de partout vers des foyers de rassemblement à La Mecque, au Sahara, en Perse, dans toute l'Europe et dans les Russies. Le monde était dès ce moment modifié. Les étincelles primitives d'Adam retombaient déjà sur toute la création. Le mal perdait de sa puissance. Sabbatai était en mesure de justifier les actes de tous les hommes. Il alla à Constantinople pour revêtir la couronne royale.

Tout cela tourna évidemment au drame. Le sultan menaça le prophète de torture, le messie apostasia et se fit musulman. Qu'à cela ne tienne ! Nathan le Précurseur expliqua que la fausse conversion de Sabbatai résultait tout naturellement du rôle dévolu au peuple juif. La kabbale considère en effet que les juifs ont pour mission de recueillir les étincelles encore saines des âmes afin de les racheter dans leurs souffrances. Cependant, les plus pécheurs, c'est-à-dire les musulmans, ne pouvaient être convertis que par le messie lui-même. Dans ce but, le sauveur s'était infiltré dans les plus grandes profondeurs du monde, c'est-à-dire chez les Arabes. Cette immolation doctrinale allait amener une terrible haine contre lui. Cette haine engendrerait, dans le libérateur, une souffrance telle que tous les pécheurs seraient sauvés. Il s'agissait d'une crucifixion bien pire que celle que les Romains infligeaient aux larrons. L'argumentation de Nathan fut très mal reçue par les communautés juives.

Cependant la Kabbale en sortit glorieuse. Elle affirmait que le premier acte de Dieu n'était pas la création du monde, mais l'émanation d'une pure intuition lumineuse permettant à une pensée de jaillir dans l'espace. Cette pensée produisit le monde mais se retira immédiatement. Ce retrait laissa dans l'espace une lumière noire, vide, souffrante. Cette lumière est tapie dans le fond de l'âme. Mais un jour viendra où, à travers les étoiles, rejaillira à nouveau la lumière primordiale et toute âme ayant conservé vivant son désir de vérité verra le visage de Dieu.

Père n'était pas d'accord. Il croyait que le devoir de l'homme était de produire une humanité à partir de la liberté. La liberté est le pouvoir de créer le meilleur à partir du pire. Elle vaut la peine, car elle permet au cosmos de se surpasser. Quoi qu'il en soit, le rabbi avait mis père et monsieur Rembrandt en appétit.

Tout près de la ville, à deux heures de cheval, une étincelle allait faire son jour. Monsieur mon père et monsieur Rembrandt en avaient détecté l'instant : « Cette nuit ». C'était en ce moment même l'aurore, et les brumes fuyaient apeurées par les cris des oiseaux, et la ville hérissait ses rangées de maisons colorées pour dire encore une fois : non ! Non à l'homogénéité, non à la grisaille, non à l'uniformité. Des couronnes de maisons, comme des dents, émergeaient des salives de la mer et criaient : « Non ! » C'était la première façon de dire « Oui ! » à la liberté. Un cri à refaire chaque matin. Sauf que cette fois, monsieur Rembrandt s'était levé en avertissant les enfants : « Aujourd'hui sera le jour... Ce soir... Cette nuit. » Il fallait que ce soit vrai, car trop de souffrance nous avait traversés.

Il fallait vérifier. Père prit dans ses bras Ernest mon aîné, le hissa sur ses épaules, emprunta la petite rue longeant le canal, trottina jusqu'au quai. Toscana habilla Woutc et Magdalena, mes jumeaux, et sortit à son tour. Daniel et Suzanna se mirent gaiement à la préparation du déjeuner. Je me sentis en droit d'aller, moi aussi, au havre

avec bébé Henk mon dernier. Ablonský hésita un moment
et nous suivit.

Il fallait être certain. Huit ans de préparation valaient
bien la peine de tournebouler l'horaire. Il faut dire que
dans la maisonnette où nous étions entassés et qui ne donnait sur le canal que par un étroit passage à travers la
grande maison de seigneur Laurent de Geer, l'horaire était
devenu une question de survie. Nous étions agencés
comme des pièces d'horloge dans un boîtier. Et il y avait
une douleur centrale, terrible, intouchable, qu'il me faudra dire un jour, mais pas maintenant. Il fallait se déplacer
en synchronisme autour d'elle. Sept enfants, deux
couples, mille labeurs, un univers dans un petit coffre de
bois au pignon presque vertical... Heureusement que le
toit ne coulait pas. Mais ce jour-là, une brèche semblait
vouloir déchirer le tissu du temps. Une espérance pointait
à l'horizon, j'y allais.

Était-ce monsieur Rembrandt ou révérend mon père
qui en avait eu l'idée le premier ? La question les faisait
rire à chaque fois. Ils s'étaient connus avant même que
révérend mon mari et moi ayons assez de force pour sortir
prendre l'air. Monsieur Rembrandt avait envoyé son élève
Juriaen Ovens prendre de nos nouvelles. L'atelier du
peintre se trouvait à quelques pas et la rumeur courait
qu'on pouvait bien avoir la peste ou le choléra, car on était
venus de Silésie affaiblis et blêmes comme des fromages.
Le maître peintre, ayant perdu sa maison et sa position,
son épouse et ses enfants sauf Titus son dernier, ne voulait
pas que nous soyons chassés avant que ne soit démontrée
notre pestilence. Juriaen nous apporta nourriture et médi-
caments, mais surtout, monsieur Rembrandt défendit
notre cause. Sa notoriété restait considérable et on nous
épargna.

Père fut le premier à reprendre ses énergies. En réalité, c'est l'énergie qui prit possession de lui. Chaque
matin, il allait jusqu'à la petite cour derrière Westerkerk,

la plus belle église de la ville, et elle se trouvait à quelques pas de la maison. Il y avait là un énorme platane, quelques arbustes et beaucoup d'oiseaux. Dans son grand manteau noir au large collet de fourrure, il se mettait à chanter tous les cantiques qu'il savait, sauf qu'il ne se souvenait pas bien des mots et comblait les vides par tout ce qui lui passait par la tête. Sa voix rauque, éraillée même, grinçait sur les parois de l'église et emportait des alouettes effrayées. Heureusement, la complainte restait sombre comme la corde basse d'une viole de sorte que personne n'en faisait de cas sauf les enfants qui, irrésistiblement, s'approchaient. Et le lieu se transformait en la plus étrange des écoles.

Une dizaine de fillettes et autant de garçonnets s'amusaient autour de père, des enfants confiés à des servantes qui en profitaient pour bavarder et s'esclaffer des dérives de l'étrange pasteur bohémien. Père en avait toujours un sur les genoux et lui racontait des histoires incompréhensibles étant donné qu'il mélangeait toutes les langues qu'il connaissait, dans un jargon parfaitement incohérent. Les petits se succédaient sur ses genoux ou dans ses bras.

Au bout de quelques semaines, un tableau prit vie. On aurait dit un manège forain toupinant autour d'un vieil homme aux gestes quelque peu mécaniques. Deux ou trois enfants pirouettaient dans l'herbe, quelques autres couraient autour d'un bosquet ; là, on jouait au loup, ailleurs, au mariage ; ici, on escaladait le platane pour attraper des oiseaux ; plus loin, on se cachait alors que plusieurs sautaient l'un par-dessus l'autre comme des grenouilles. Le désordre semblait total autant que joyeux, mais qui savait observer se demandait comment il se faisait qu'aucun enfant ne pleurait, qu'aucune chamaille n'allait aux coups, qu'aucun jeu ne culminait en braillements.

Les bambins semblaient s'agiter entre l'ordre et le

désordre, le carrousel et la bousculade, le cercle et le chaos, toujours à mi-chemin, dans cette zone délicate où se forment les dentelles qui ne reviennent jamais sur le même patron. Et ils s'y épanouissaient étonnamment.

Pourtant, père ne faisait que passer d'un état à un autre sans rien entreprendre. Parfois, il entrait dans la ronde, d'autres fois, il tapait fortement dans ses mains pour tout arrêter. Par moments, il encourageait à l'action puis, sans raison apparente, il claquait l'air des doigts et demandait d'écouter. Les enfants regardaient père froncer les sourcils en direction des oiseaux, attendaient un signal qui ne venait jamais et reprenaient gaiement le jeu.

Cette manière de fracturer le temps inopinément n'avait rien à voir avec la pédagogie, mais révélait simplement l'effort d'un esprit perdu cherchant à se reprendre. Et il se reprenait. Au bout de quelque temps, père se mit à lancer des questions, son genre de question : « Qu'est-ce qu'un oiseau ? » « Qu'est-ce que voler ? » « Qu'est-ce que jouer ? » « Qu'est-ce que penser ? » Et des larmes coulaient sur ses joues comme si les questions faisaient apparaître des merveilles devant ses yeux.

Mais après quelques moments, il bafouillait, commençait une phrase, s'arrêtait en chemin, avait déjà perdu le fil. Il tentait des cantiques qui prenaient rapidement l'allure d'une panglotie digne d'une volée de corneilles. Il n'aboutissait pas à la raison et se tenait misérablement en une sorte de lieu d'enfance. C'était pitié à voir.

Néanmoins, il prenait du mieux et gagnait en vigueur physique plus rapidement que nous tous. La pédagogie n'est peut-être pas tant l'art de faire de l'humanité dans l'enfance d'un autre que l'art de refaire sa propre enfance. C'est peut-être ce que faisait père.

« Une raison qui a rompu avec sa propre enfance est tout simplement incapable de penser, avait écrit quelque part père. Elle suit machinalement une habitude, une logique. Elle pousse en direction de la mort. L'art de la liberté, c'est l'art de se commencer. Lorsqu'on a perdu la liberté, tout à coup, la naissance est derrière soi et la mort devant soi. Dans la liberté, la mort est derrière soi et la naissance devant soi. »

En somme, pour lui, une raison incapable de penser dans le calme de son origine est par le fait même violente parce que tournée vers la mort.

Père avait rebroussé ce chemin, s'était réinstallé dans sa propre enfance. À la surface des eaux, telle une Amsterdam émergeant des marais, il prenait chaque jour un peu plus de vigueur. Il revenait de la mort à l'enfance. Amsterdam se reconstruisait dans son corps et dans son esprit. Ce qui n'était qu'une terre ruinée, un marigot de confusions devenait un ensemble de saillies. Entouré d'enfants, nourri par leur gaîté, un nouveau pays s'élevait. Son visage, certes, restait couvert de canaux profonds mais, dans le fond des rides, des espérances ramenaient la vie.

Le pasteur bohémien devenait pédagogue. Les enfants du parc de Westerkerk s'en retournaient chez eux ivres de questions. Illuminés d'interrogations, ils utilisaient la langue comme s'il s'agissait d'un instrument de forage. Ils apprenaient. La chose satisfaisait si bien que les parents se réunirent en comité et élevèrent le parc de Westerkerk au rang d'école. Charte et statut leur furent accordés.

Il faut dire que la réputation de père, bien qu'en retard, arrivait d'Angleterre, de Suède, de Hongrie et de Pologne. Et ce n'était pas une mince réputation. On le disait fin jardinier et capable de faire d'un enfant une femme ou un homme cultivés en très peu de temps. Certes on souriait de son idéalisme, mais on espérait beaucoup de son art.

La population prenait conscience que l'étranger de Bohême était en fait un philosophe en exil qui ressuscitait dans le bonheur des enfants. On lui apportait, cette fois

officiellement et avec grand respect, des petits et des adolescents parmi les plus doués. Les trois chapelles de Westerkerk furent converties en classes.

Un préfet arriva en grande pompe, offrit à père les
clefs de la grande bibliothèque de la ville et un poste de
professeur dans une des meilleures écoles de la cité. Père
reçut la clef avec gratitude mais refusa le poste. Il ordonna
à monsieur mon mari de prendre charge de l'école du
parc et il amena avec lui quelques adolescents particulièrement brillants et intéressés dans l'espoir de faire d'eux
des philosophes. C'est dans la grande bibliothèque qu'il
allait désormais professer.

Au milieu de rangées de manuscrits et de livres rares,
il interrogeait ses élèves :

— Qu'est-ce qu'un homme d'esprit ? demanda-t-il.
Pas de réponse.

— Alors qu'est-ce qu'un cadavre ? se retrancha-t-il.

— Quelqu'un qui ne bouge pas ? osa une jeune fille.

— Oui très bien, mais plus mort que ça, quelqu'un
qui est tellement mort qu'il tient pour mort tout ce qu'il
observe, qu'il tue avant d'examiner, qui n'examine que le
cadavre des choses...

— Un soldat, proposa un adolescent.

— Dans le mille, répondit père. Mais il y a toutes
sortes de soldats. Quel est le propre d'un soldat ?
Comment peut-on le reconnaître à travers tous ses déguisements ? Car rares sont les soldats qui portent l'armure
et montrent l'épée. La grande majorité des destructeurs
sont plus subtils. Alors qu'ont-ils de particulier, ces morts
qui engendrent la mort ?

— L'ordre, lança une grande fille de presque vingt
ans, ils marchent en rang et obéissent aux officiers.

— La géométrie, plus précisément, compléta père. Le
soldat suit des lignes sur des surfaces, des chemins sur des
plaines. Il déambule sur des trottoirs de pierre. Il repose
toujours sur du solide, sur des certitudes, sur des convic-

tions. Rarement ses pieds ne s'enfoncent. Il fait de la géométrie plane. On le reconnaît facilement : il marche d'un
bon pas, va quelque part, connaît son devoir, mesure ses
résultats. Il dispose de critères et juge de son avancement.
Il est si mort qu'il ne doute jamais d'être vivant. C'est
le contraire d'un philosophe, d'un homme d'esprit. Alors
qu'est-ce qu'un homme d'esprit ? redemanda père.

Toujours pas de réponse.

— Écoutez-moi bien, reprit père en s'avançant au
milieu d'eux. Si j'étais aussi plein qu'une pierre, la pierre
ne pourrait pas m'apparaître. Elle apparaît en moi parce
que je suis vide et que dans ce vide, elle peut faire irrup-
tion, prendre image, advenir à une autre forme d'existence, celle de la connaissance. Être connu et reconnu dans
le sein d'un esprit constitue la jouissance et la gloire de la
pierre. La pensée humaine est le lieu vide où toutes les
expressions des choses aboutissent à la gloire d'être
connues. Je suis le lieu dans lequel les choses trouvent
une seconde existence. Qu'est-ce que la connaissance ? Je
réponds : la vie dans la vérité. Tout cela peut se produire
parce que je ne suis pas moi-même ceci ou cela, ma pensée
est un espace vide. J'en souffre et je veux être rempli,
alors, je veux faire advenir les choses en moi. Sans les
choses en état de résurrection en moi, je suis mort comme
un soldat...

— Êtes-vous un philosophe ? demanda une jeune
fille.

— Lorsque je suis en état de vie, je le suis. Cela m'arrive en effet. Mais souvent je suis un soldat et je déambule, je somnambule, je funambule, je fabule... Et vous
mes chers enfants, voulez-vous être plus souvent philosophes que soldats ? demanda-t-il en pointant ses yeux
humides sur chacun d'eux.

— Oui, lancèrent sans réfléchir les adolescents.

— Non ! Je ne vous demande pas si vous voulez vouloir, cela je le sais, tout le monde veut vouloir ceci ou cela.

Je vous demande si avez trouvé le lieu où votre volonté de connaître piaffe et demande à sortir... Ce cheval est un « ne-pas-être » qui veut advenir en faisant advenir les choses. Car il n'est pas possible pour un homme d'être, il est seulement possible pour lui de faire être, et c'est de cette façon qu'il exerce son être. Car son être est un ne-pas-être qui fait de l'être. C'est ce que signifie : « Être à l'image de Dieu ». En somme, exercer la fonction de Dieu, c'est créer. La pansophie consiste à tout recréer en soi et à travers soi. Telle est la jouissance de l'âme humaine.

— Et le soldat ? relança un jeune homme.

— Pour le soldat, tout est évident, expliqua plus en détails père. Pour lui, tout passe, tout s'en va sur un chemin, tout se déroule comme prévu sur une surface sans profondeur. Si tout à coup quelque chose le surprend, il se dit que cela s'arrangera, que bientôt la chose ne le surprendra plus. Pour lui, il y a une route pour chaque chose, tout est plein, normal, complet. Tout est en ordre. Toute chose est pour lui positivement ce qu'elle est. Il oublie le négatif, il abhorre le négatif. Pourtant, il y a quelque chose qui n'a pas de chemin et qui fait des chemins. Il y a quelque chose qui n'a pas de forme et qui fait des formes. Il y a quelque chose qui n'a pas de géométrie et qui fait de la géométrie. Il y a quelque chose qui est sans logique et qui fait de la logique. Il y a quelque chose qui ne déambule pas et qui fait tout déambuler. Il y a donc une manière de ne pas être qui est tellement de l'être qu'elle fait tout être. Appartenir à son mouvement, c'est cela la philosophie.

— Je veux être philosophe, affirma Erna, une jeune fille de seize ans.

— Peux-tu boire la coupe ? répliqua père en lui prenant la main. Si tu savais où va ce vouloir, tu tremblerais, des sueurs de sang perleraient sur ton front. Si tu touchais un seul instant à ce vouloir, tu courrais te faire soldat car la mort du soldat est infiniment douce à comparer de celle du philosophe. Le soldat est engourdi dans sa mort. Il est si mort que, lorsqu'il meurt, il ne s'en rend même pas compte. C'est parce que la philosophie touche à l'essence même de la terreur qu'il y a tant de soldats en ce monde et si peu de philosophes. La guerre est le divertissement des lâches.

— Alors, le bonheur n'est qu'une affaire de mécréant, conclut Udo, l'aîné du groupe.

— Non ! Le bonheur est une affaire de tragédie. Le feu sous la marmite crée un vide et ce vide fait bouillir tout ce qui s'engouffre dans le chaudron. L'âme souffre d'amour et elle gémit. Alors, tu lui demandes : « Qu'est-ce qui te fait tant souffrir ? » Et elle te répond : « C'est le bonheur. » Se tenir là, c'est vivre de philosophie. Ce n'est pas l'amour de la souffrance, mais la souffrance de l'amour.

— Pourquoi est-ce ainsi ? demanda Udo.

— Parce que tout ce qui trouve sa vérité dans l'esprit touche à la coïncidence des opposés. Une femme ou un homme engagé dans la création de l'être ne revient jamais de son aventure. Plus il meurt, plus il vit ; plus il peine, plus il se recrée ; l'eau qui coule sur ses joues, c'est du feu ; le feu qui brûle dans son cœur, c'est de l'eau. Il est agité par un bonheur si terrifiant qu'il trouve sa liberté dans le fait de produire de l'existence. Les anciens disent de lui : « Il dévore la Trinité et crache le feu. » Telle est la nature de l'âme.

— Parlez-nous de l'âme, demanda une adolescente, la plus jeune du groupe.

— L'âme, répondit père, est ce qui se meut de soi-même et met tout en mouvement. Elle est principe d'existence, elle rend vrai ce qui se présente devant elle. Toute chose l'ensoleille, l'éveille, l'émerveille. Tu me vois : dans ton âme, je deviens vrai. Je trouve ma vérité dans ton regard. Je te vois : dans mon âme, tu deviens vraie. Je recueille ta vérité dans mon regard. Il n'y a pas d'autre signification à l'amour. Mais un tel regard est nécessairement action. Dès que j'aime, je fais quelque chose. L'âme, c'est le lieu de la libération de l'être. Tout est affaire d'éclair...

Il leur rappela cette parole d'Héraclite : « L'éclair gouverne tout. » Et il leur parla de la peinture de Rembrandt mais surtout de ses eaux-fortes. Il leur en présenta une, intitulée : *Le bon Samaritain*. Il leur expliqua que c'était un événement dans une âme, l'événement de l'amour. Créer une œuvre, c'est faire un événement. Si une œuvre ne fait pas d'événements, c'est un bibelot de plus dans le dépotoir de la civilisation.

Enthousiasmés, Erna et Udo prirent sur eux d'aller frapper à la porte de l'atelier de Rembrandt pour lui demander de les accepter comme élèves. Le vieillard refusa, prétextant n'avoir ni le temps ni le goût pour reprendre école. Il lui fallait peindre pour satisfaire le syndic de faillite et reprendre ses droits. Mais Erna et Udo racontèrent avec force détails tout ce qu'ils avaient entendu à la bibliothèque. Cela ne changea en rien la décision du maître, cependant le projet « Nativité » pointa comme un éclair dans les yeux du vieil homme.

Neuf ans de préparation s'ensuivirent. Neuf ans pour faire de l'espace, pour desserrer les joints, pour délacer les attaches. Neuf ans pour affiner les instruments du vide, pour lisser les plumes de l'inquiétude, pour affûter l'instinct du voyage. Neuf ans pour apprendre à voir, en somme, apprendre le métier de peintre, le métier de faire apparaître de la création dans l'espace noir et tranquille de son âme.

J'avais repris des forces, monsieur mon mari aussi. La mort et le désespoir rencontrés à Leszno et sur tout le chemin menant jusqu'à la tolérance d'Amsterdam avaient creusé dans nos corps une sorte d'angoisse étrange qui nous poussait aux plaisirs sensuels. Nous avions rendu la bride à nos chevaux. Père nous permit d'aménager une petite pièce dans le pigeonnier du toit que nous partagions avec quelques couples de colombes. De cette chambre surgissaient année après année des pigeonneaux et des enfants.

Au premier, mon Ernest, je fus terrifiée par ce que j'avais fait. A-t-on idée de mettre en ce terrible monde un si petit être apte à la conscience ? C'est à ce moment-là que je suis allée sur le pont, que j'ai vu le panier et que j'ai pensé à Moïse. Mais il n'y avait pas d'autres mondes pour accueillir mon petit, pas d'Égyptiennes à l'abri de la misère. Il n'y avait rien hors du Labyrinthe. Alors ! que pouvais-je sinon faire ce que Dieu fait : gager sur l'avenir ? C'était le milieu de mon histoire, onze ans après mon fatidique mariage, onze ans avant la mort de papa.

Père, lui, plongeait dans cet avenir. Dès qu'il reprit possession de tous ses esprits, il se mit à la rédaction des manuscrits perdus dans le feu. Il voulait arriver à une synthèse complète. Jusqu'à tard dans la nuit et très tôt le matin, il griffonnait du papier. *La Consultation universelle pour la réforme des affaires humaines* l'obsédait. Amsterdam n'était-elle pas un havre émergé de la mer, un oasis de tolérance au milieu des enfers ! Pourquoi ne serait-elle pas le nouveau paradis, la république universelle ?

Si la chose enthousiasmait révérend mon père jusqu'à lui donner une troisième vie, elle semblait en déranger plus d'un. Ni moi, ni Ablonský n'avions de preuves, mais la sécurité de père n'apparaissait nulle part à l'abri. Un jour, une tuile se détachait du toit ; un autre jour, un cheval prenait le mors aux dents. Un matin, un homme poussé par un chariot tomba dans les eaux du Keizersgracht ; un soir, des truands firent éruption dans notre logis... Père avait ses anges et se faufilait à travers les dangers comme un héros de roman traverse les méandres d'une tragédie.

S'il était insouciant des dangers, il ne l'était pas de ses devoirs. Il s'acharnait au travail. Une ombre, cependant, l'oppressait et en aurait brisé plus d'un. C'était une terrible désolation, une souffrance qui n'en finissait plus et dont il me faut maintenant parler. Dame Johanna n'arriva jamais réellement à Amsterdam. Une forme d'arthrite mêlée à une mélancolie chronique la tenait dans un état de sénilité précoce semblable à celle des gueux aux dernières limites de la misère. Plus d'étincelles dans son regard, plus de vie dans ses membres, plus de mémoire dans son esprit, il n'y avait que le cadavre de son dernier sentiment et il était indéchiffrable. Insondable restait son visage perdu entre le sourire d'un enfant et le regard désespéré d'une femme poussée dans l'abîme. On aurait dit une statue de bronze dans laquelle une âme gémissait. Père survivait accroché aux obligations qu'il s'était fixées.

Il lui avait procuré un fauteuil capitonné. Chaque matin, assisté d'Ablonský, il l'habillait et la plaçait devant la fenêtre. Hélas, dans la cour intérieure où nous étions, les maisonnettes étaient si entassées les unes sur les autres qu'à peine pouvait-elle entrevoir, à travers le dédale, le canal et ses mâts. Son regard se perdait et elle ne bougeait pas d'un cil de la journée. Chaque soir, à son retour, père lui parlait une bonne heure, lui racontait toutes les merveilles qui étincelaient dans les yeux des enfants de la bibliothèque, les textes qu'il avait découverts, les paragraphes qu'il avait lus et médités. Jamais il ne put être certain qu'elle entendait un mot de tous ses monologues. Puis il lui faisait manger une bouillie qu'elle avalait péniblement. Et monsieur mon mari l'aidait à la coucher.

Lorsque dans le murmure de la nuit, un globule de silence se formait, il m'arrivait d'entendre père étouffer ses larmes. Il serrait sans doute le corps froid de dame Johanna. Il lui chuchotait des mots doux à l'oreille. Il répétait : « Ma belle, ma bellissime... » Il voulait faire fondre la glace, mais la femme restait prisonnière. J'entendais une faible plainte et tout sombrait dans le plus noir des silences.

Chaque nuit dormir à côté d'une telle glace, sentir l'âme de son aimée frémir dans le froid, partager son angoisse... Comment pouvait-il survivre, recommencer à neuf jour après jour, année après année, un travail d'espérance inachevable ? Il écrivait, il enseignait, il pleurait, il riait, il continuait.

Étrangement, à la longue, le rituel autour de dame Johanna devint comme le moteur de l'horloge familiale. Tout le monde y participait. Suzanna lui lavait le visage et les mains, Daniel préparait la chaise, Toscana lisait un extrait de notre bible de Králice en lui faisant toucher le papier, et ma grouillante marmaille, Ernest, Woute, Magdalena et Henk fournissaient fanfare et spectacle. Je prenais sa main et la déposait sur mon ventre pour qu'elle puisse sentir la progression de mon dernier. La vie tournait autour d'elle comme l'écume d'une rivière autour d'une pierre.

Rien ne changeait sur son visage : les lèvres restaient rigides, aucune ride ne remuait, les sourcils ne frémissaient même pas, les yeux semblaient de grès. Seules de petites variantes dans la grosseur des pupilles donnaient une impression de vie. Dame Johanna était à la fois le souvenir d'une trop grande misère et le saut inachevé d'une âme en direction de la mort. Elle était, pour ainsi dire, le crucifix de la maison.

Plus précisément, elle était la question de la mort et donc la question de la vie. Une question, dans une maison, ça change tout. La mort avait pelé la question et la question était là, assise au milieu de nous. Nous savions que là était l'essentiel, dans son regard énigmatique, alors que le facultatif apparaissait mener le bal autour. Tous nos petits bobos fondaient comme neige devant elle, nos illusions aussi. Son visage nous disait que le bonheur n'allait pas prendre feu pour quelques écus. Il allait venir de ce fond ou il n'allait pas venir du tout.

Je crois qu'il venait. C'était un bonheur sombre, sourd comme l'humidité des fins d'hiver, mais constant et étrangement fertile. La multiplication des enfants qui tournoyaient autour de dame Johanna exhibait le mouvement inexplicable de la vie. Regarder le mouvement, comme ça, physiquement, nous enlevait le goût de le juger. Oui ! dame Johanna provoquait le bonheur, mais tragique était le ressort de ce bonheur.

Père avait été reçu à la guilde des imprimeurs. Il dirigeait une petite entreprise où Daniel et Suzanna travaillaient. Peu à peu notre situation financière s'améliorait. Cependant, il y avait trop de besoins à combler. Presque chaque mois, des émissaires des communautés en exil apportaient des nouvelles et repartaient avec une partie de nos revenus. Malgré tout cet argent et celui du seigneur de Geer, les événements allaient de pis en pis. Partout les Frères désespéraient et se soumettaient, en Bohême, à la sécurité des catholiques, ailleurs, à la sécurité des calvinistes. Là où on hésitait : menaces, expropriations, endoctrinement, tortures, mort finissaient le travail. L'Église des Frères allait disparaître dans les deux fosses de la chrétienté : la dictature du pape et celle des bourgeois.

Père savait que cette transfusion sanguine était inévitable. Il fallait donc la préparer comme un médicament. Rendre universelle l'Église des Frères, la nettoyer de toute trace de sectarisme, la délivrer des moindres tendances dogmatiques, la libérer de ses particularités nationales, la purifier de ses illusions messianiques. Mais surtout, nous devions lui donner une endurance à toute épreuve car le remède allait sans doute devoir travailler des siècles dans le sang des Églises doctrinaires avant que puisse apparaître seulement le goût d'une démocratie universelle.

Le dernier grand *senior* y mettait toute sa fougue. Il s'était associé à un imprimeur. Les courriers galopaient, les idées voyageaient. Mais la tolérance d'Amsterdam tressaillait sur ses fondements et s'inquiétait au sujet d'une telle démocratie. Jusqu'où tolérer ? Jusqu'où devait aller la foi en l'esprit des femmes et des hommes ? La coexistence de toutes les religions en vue du commerce, Amsterdam s'en faisait la championne. Mais une spiritualité qui remettait en question la légitimité des rapports de forces menant les uns à la richesse et les autres à la misère, cela inquiétait.

Un certain nombre de conseillers demandèrent à la ville de procéder à un examen du « projet politique » de l'étrange pédagogue bohémien. Trois magistrats furent nommés. L'audition eut lieu dans une des salles de l'hôtel de ville.

Première chose, il ne fallait pas attirer l'attention et ainsi risquer de diffuser l'œuvre du pasteur. La salle d'audition allait être modeste et les trois fonctionnaires délégués pour l'audition, encore davantage. Rick Huls n'était rien d'autre que le secrétaire de la guilde des brasseurs. Il en portait les stigmates sur son corps rondelet et rougeaud. Frank Laar présentait meilleure réputation, on le considérait comme le plus puritain des calvinistes, il était tout le contraire de Rick, longiligne et aussi blême que la chair de poisson. Seul Klaus Groth, maître en théologie, était en mesure de fournir une répartie digne de ce nom.

Deuxième chose, le public ferait office de banc de sable. N'importe quelle philosophie fera naufrage si on lui fournit un public suffisamment abêti et allergique à tout effort de pensée. Tout le monde le sait, le meilleur poison contre la philosophie se trouve dans le culte de la médiocrité. Alors on pensa bien réussir en offrant un vin d'honneur, en quantité illimitée, en hommage à un pasteur reconnu pour son courage, sa bienveillance et sa charité. La salle était comble et plutôt joyeuse.

Maître Groth ouvrit le débat en y mettant de l'emphase :

— Nous grouillons de vous entendre au sujet de vos travaux que l'on dit déterminants pour l'avenir...

— ... d'une Amsterdam qui vous a ouvert si généreusement sa plantureuse poitrine, précisa gaiement Rick.

L'auditoire s'esclaffa sans que père n'y comprenne rien. Ni lui ni moi ne savions que la guilde des brasseurs faisait aussi commerce de ribaudes et que les taxes prélevées sur ledit commerce finançaient le panier de provisions que tout nouvel arrivant recevait charitablement de la mairie. Tel était le cadeau d'entrée de cette ville : un acte de compromission.

Le maître brasseur voulait sans doute alléger le sérieux des procédures mais y alla trop vertement. Le pasteur Frank Laar se leva droit debout, ce qui eut pour propriété de faire taire illico la populace. Son regard dédaigneux sur Rick n'épargna en rien révérend mon père.

— Quelle fin poursuivez-vous ? demanda sèchement le calviniste à mon père.

— Je souhaite simplement l'éveil des consciences. Seuls des citoyens cultivés, sagaces et affranchis peuvent former un État libre et légitime...

J'aperçus soudain dans la salle l'étranger de Leszno, l'homme à la main de bois plaqué de fer. J'en eus le sang glacé. Il me lança un regard foudroyant tout en levant galamment son chapeau. Un large sourire de satisfaction illuminait son visage. Je fis signe à père de regarder dans sa direction, mais l'homme avait disparu.

— Éclairer, nourrir, pacifier doit devenir la passion de tous, continua père, comme s'il parlait à une assemblée de philosophes. L'État ne pourra jamais être autre chose que le reflet de sa population. Alors je souhaite éveiller et préparer à la liberté tous les hommes...

— Subversif, répliqua durement le pasteur Laar.

La confrontation allait prendre une tournure un peu trop solennelle, ce qui poussa maître Groth à saisir la parole et questionner père avec courtoisie. Il le poussa si délicatement en direction de l'utopie et de l'invraisemblance qu'il n'y aurait plus rien à opposer... Père tomba dans le piège avec zèle.

— Chaque homme, avança père, doit se « déprendre » de lui-même pour devenir un centre de rayonnement plutôt qu'un centre de consommation, un être libre et pensant plutôt qu'un être machinal et soumis. Pour cela, les femmes et les hommes doivent revenir sur le chemin des choses afin de retrouver le sens de la réalité et de la vérité. Tant que les hommes n'auront pas saisi l'essence sacrée des êtres, ils ne pourront que saccager la nature.

— Quel merveilleux projet ! accentua Groth. Comment pensez-vous que nous puissions y arriver ?

L'accentuation qu'il mit amena Rick et Laar à participer à l'entreprise. Ils jetèrent, chacun à leur façon, un peu de glisse sur la pente. Révérend mon père se laissa emporter :

— La première tâche d'un État consiste à produire du commun : un langage, une culture, un lieu d'échange. En surgira forcément un projet d'humanité.

— Mais dites-nous, je vous en prie, quel est le moyen de cette humanité ? questionna Groth, sachant fort bien que c'est là où l'utopiste habituellement justifie l'État totalitaire.

— Si on considère l'homme foncièrement méchant, la répression apparaît la seule solution. Mais ce n'est là qu'élever une guerre institutionnelle contre les guerres individuelles. Toute violence contre la violence ne fait que couvrir un feu qui, un peu plus loin et un peu plus tard, reprend plus fort. L'histoire n'est, jusqu'à maintenant, que le déplacement vers l'avant d'une guerre qui va grossissant. Si nous ne modifions pas le principe même de cette histoire, inévitablement, nous nous détruirons.

— Mais comment pensez-vous changer la nature perverse de l'homme ? demanda le pasteur Laar.

— C'est précisément cette idée qu'il faut changer, révérend. Il n'y a pas de mauvais citoyens, il n'y a que des hommes rendus mauvais par de pitoyables institutions.

Le vin circulant dans l'assemblée, les chuchotements, les rires, les grivoiseries enterraient progressivement la discussion. Rick y alla d'une question plus sonore que sensée, du moins en apparence :

— Que pensez-vous d'Amsterdam, n'est-elle pas le plus bel exemple de tolérance ?

— La tolérance n'est que la condition passive, monsieur Huls, répondit père. Tant que l'on ne se consacre pas à une véritable éducation à la liberté, la tolérance ne fait que répartir la violence, elle ne la réduit pas. Je l'ai observé mille fois dans les écoles, la répression est le corollaire du vide pédagogique. La violence de l'État mesure son incompétence.

— Alors donc, monsieur Komenský, demanda le pasteur Laar, comment nos Pays-Bas devraient-ils organiser leurs pouvoirs ? Dites-le-nous.

— Oui, dites-le-nous, renchérirent quelques gaillards un peu gris.

Père ne percevait pas qu'on se payait de plus en plus sa tête et qu'on l'amenait à parler à des hauteurs que chaque personne présente contredisait par sa goujaterie.

— Les principes du droit naturel, avança révérend mon père, je veux dire l'égalité, la liberté et la fraternité ont une valeur universelle. Néanmoins tous ces idéaux ne peuvent être définis d'avance par la philosophie. Ce qu'il faut découvrir, ce n'est pas la justice, mais le processus menant au désir de la justice. Je propose que toutes les structures de l'État soient collégiales. Le pouvoir n'appartiendra à personne puisqu'il est d'essence collectif. Pour toute communauté, ville, région, nation, des collèges seront élus : un collège de l'éducation et des sciences, un collège du commerce, un collège de la religion, un collège de la justice. Chacun de ces collèges doit être à la fois pleinement indépendant et parfaitement coordonné avec ses pairs. Aucun pouvoir n'est au-dessus de ces collèges. C'est par le dialogue qu'ensemble, ils arriveront à la cohérence. La clef cependant reste le développement de la conscience collective par l'art véritable de l'éducation...

L'audience avait peine à contenir un souffle d'hilarité qui provenait autant des hauteurs de l'espérance où se trouvait père que du vin qui échauffait tout un chacun. Un terrain de misère capable de faire pousser de la civilisation ! Quelle bouffonnerie !

— La pacification de l'humanité, insista à un moment père, est une impossibilité sans la justice économique. Les collèges doivent toujours agir en amont de la violence, et le premier pas dans cette direction consiste à éliminer la pauvreté et l'exclusion. Tout individu a le devoir et donc le droit de participer aux décisions, de participer à la production de la richesse et de jouir des richesses qu'il produit. Mais cela ne suffit pas encore, la pacification est impossible sans le désarmement des individus et des organisations...

— Pas d'arme, pas de police, pas de prison, rien que des écoles. Qu'en pensez-vous messieurs ? demanda Rick à l'assemblée présente.

On s'esclaffa si violemment que beaucoup de vin en bouche remonta vers le plafond et retomba comme une pluie. Maître Groth se contenta de regarder son marteau d'officier commissaire, démontrant ainsi qu'il ne voulait surtout pas contredire la belle philosophie de non-violence de père.

Il s'ensuivit un terrible chahut et les quelques femmes présentes eurent droit à des grossièretés qu'aucun factionnaire, évidemment, ne voulut réprimander. Je dus infliger à un malotru un puissant coup d'une canne empruntée à un vieillard. Offusqué de ma défense, il allait se jeter sur moi. Je ne sais par quelle magie, mais père m'emporta dehors.

Une fois de plus, nous évitâmes le pire. À l'intérieur, c'était la bagarre générale. Père se précipita à la mairie pour demander l'intervention de la garde. Ce qui dut évidemment être fait. L'humiliation était totale.

Amsterdam avait obtenu ce qu'elle voulait. Tout était maintenant aplani, toutes les religions étaient équivalentes, aucun espoir ne se retrouvait au-dessus des autres, toutes les métaphysiques avaient été rabaissées, la vérité n'intéressait plus personne. Les affaires pouvaient donc continuer tranquillement à produire leurs terribles inégalités.

La grisaille avait pénétré la maison. Les jours qui suivirent ne furent qu'austères tapisseries sur implacable silence. Révérend mon père n'arrivait plus à ranimer le feu. Dame Johanna semblait nous appeler au froid. On aurait dit qu'elle nous avait simplement précédés et qu'elle nous attendait sur le seuil.

Père s'assoyait près d'elle comme s'il languissait de la rejoindre. Les enfants l'impatientaient et l'impatience l'enfonçait encore un peu plus. Il semblait se soumettre à l'œuvre du temps qui finit par tout emporter dans ses profondeurs.

Néanmoins, chaque matin, il se levait avant le jour, persévérait dans son écriture, marchait de bon pas jusqu'à la grande bibliothèque, harcelait de questions ses élèves et ses livres ; au soir, il revenait, lissait les cheveux de sa dame et se perdait avec elle dans je ne sais quel mystère.

La vie continuait. Et puis un jour de mars encore plus chagrin que les autres, il rentra plus tard qu'à l'accoutumée. Il était trempé jusqu'aux os, il avait sans doute longtemps marché sous la pluie. J'ai su des mois après ce jour qu'il avait été vertement rabroué par trois ou quatre parents mécontents des performances de leurs petits génies. Il ne dit rien, enleva son manteau et se chauffa un instant les mains sur les braises.

Il tentait de se raccrocher aux habitudes. Il prépara la bouillie pour dame Johanna. Il avança vers elle avec son sourire habituel, mais lorsqu'il mit un genou à terre pour approcher la cuillère de sa bouche, il s'effondra. Il poussa un gémissement désespéré et se mit à sangloter comme un enfant. Dame Johanna restait immobile.

La plainte de père était insupportable. Toute la maisonnée entra dans une sorte de coma intemporel. Je ne pouvais plus bouger. Ablonský, qui avait un cantique pour toutes les occasions, avait perdu la voix. Le temps s'était arrêté sur la plus terrible minute de notre existence humaine. Les enfants fixaient la scène, muets, interdits. Je crus que Suzanna allait hurler. Mais personne n'arrivait à sortir de sa paralysie.

Woute par miracle s'approcha à petits pas, prit la lourde main de dame Johanna et réussit, non sans beaucoup d'efforts, à la placer sur la tête de père.

Tout doucement, les pleurs cédèrent au silence.

— Pépé pleure, balbutia Woute.

C'étaient ses premiers mots distinctement articulés. Père leva la tête et jeta sur lui un regard mouillé.

— Pépé pleure, reprit fièrement Woute.

Père ouvrit la bouche mais seul un bruit rauque put en sortir. Il dégagea sa gorge par deux ou trois raclements secs. Woute le regardait en se mordillant la lèvre inférieure.

— Pépé pleure, répéta père, en serrant le petit dans ses bras.

Et il se mit à rire. Des rires entrecoupés de sanglots qui lui secouaient les épaules.

— Pépé pleure, pépé rit... Pépé t'aime... tellement, bafouilla père.

Les enfants se précipitèrent sur lui pour l'embrasser.

— Grand-papa vous aime tous, réussit-il à faire entendre dans le brouhaha.

— Oh là là, lança Ablonský, vous allez renverser votre grand-père.

Et il attrapa la main de papa qui allait tomber. Tout le monde se mit à chanter l'hymne du repas et la vie reprit son cours.

Le projet « Nativité » allait bon train. Et comme s'il fallait toujours échapper au malheur par un bonheur digne de lui, le cœur d'Erna se mit à pencher dangereusement du côté d'Udo. La réciproque était acquise. Les yeux d'Udo étincelaient. La jeune fille était belle à faire craquer les colonnes d'une église. Néanmoins, le sentiment restait discret, presque imperceptible. Il fallait finement observer. Jamais ils n'osaient se toucher, mais la distance avait perdu son innocence. Si leurs yeux se croisaient, une chaleur rougissait leur visage.

Je me rendis compte que je n'avais jamais ressenti une telle émotion vis-à-vis d'Ablonský. Il était passé de frère à mari sans qu'il y eût cet intervalle où tout se met à frémir, où les entrailles font mal, où il est impossible de s'effleurer sans relancer des flammes. Le bois était resté humide. Comment revenir sur nos pas ?

Erna se confia à moi. Elle était d'une intelligence rare et subtile. Je crois qu'elle comprit parfaitement ma curiosité et prit plaisir à me partager les états de son cœur. Elle aimait laisser le temps cultiver ses terres. Le vent faisait rouler des brindilles, le soleil caressait les premières pointes de l'herbe et le printemps se jetait dans l'été. Elle adorait goûter le mûrissement de tout son être. « De ce mûrissement, disait-elle, arrive une étrange clarté. » Elle dégustait les subtilités : les odeurs qui, dans une maison, se croisent sans jamais se confondre, le bouquet d'un vêtement qu'on bat sur une pierre, le fumet d'une soupe, le plaisir de deviner, à l'arôme, l'arrivée de l'être cher.

Elle disait que l'attente transformait son corps, lui donnait des puissances insoupçonnées. Elle avait peur qu'au jour de la consommation le processus ne s'arrête.

Elle sentait fendiller son ventre. Tout un lieu de petites douleurs de plus en plus insoutenables se gonflait de désir. Elle avait peur de ne pouvoir tenir le coup. Elle m'expliqua qu'il y avait une manière de respirer et de s'activer lui permettant de faire de ces petites douleurs un puissant combustible.

Toscana cherchait à surprendre nos conversations. Je l'envoyais presto au marché avec les enfants. Elle m'agaçait avec ses « Oui, mère ». Elle était si parfaitement serviable. On aurait dit une horloge. Sa mécanique m'exaspérait.

D'Erna, j'étais envieuse. Elle avait sa jeunesse pour elle. Elle semblait libre de toute nécessité, ses parents lui donnaient tout, aucun malheur n'avait surchargé sa naïveté. Elle était sans crainte, pure comme un ruisseau de montagne. Je voulais retrouver un peu de cette ingénuité. Il me vint l'idée d'un jeu que j'avouai à monsieur mon mari.

— Qui le premier cédera ? me lança-t-il en défi, esquissant le plus coquin des sourires.

Deux grandes semaines se glissèrent entre nous. Espiègles et fourbes, heure après heure, le temps nous prit au piège, nous séparant d'un bras, nous enveloppant de l'autre. L'interdit faisait pénétrer dans mon imagination des images de plus en plus suaves, un goût indescriptible pour sa bouche et pour chaque partie de son corps.

À cette époque, les devoirs de monsieur mon mari n'étaient pas trop lourds. Chaque soir, il baguenaudait à la maison, un enfant sur le dos, l'autre sous le bras. Pour mettre un peu plus de miel dans notre badinerie, il se mit à chantonner de nouveaux cantiques parsemés de délicates allusions qui allaient, je l'avoue, un peu plus loin que ne le permettaient les bonnes mœurs. La nuit, l'errance des mains n'était pas si facile à contenir.

Au bout de quelques jours à se tenir à chaste distance, se toisant, se guettant, la neige des habitudes se mit à fondre, découvrant des terres insoupçonnées. Toscana passait presque toutes ses journées à la grande bibliothèque, nous laissant à notre intimité. Les enfants semblaient percevoir le magnétisme de notre ballet. Ils s'amusaient beaucoup à nous entraîner dans leurs jeux. Ils ne nous laissaient aucun répit. Tout était prétexte à nous enlacer. Même celui que je portais me taraudait gaiement le ventre.

De petites douleurs, échancrures, griffures se mirent à ouvrir le sol. La distance et le soleil faisaient leur travail. La terre devenait poreuse, duveteuse, délicieuse ; la moindre petite brise la faisait frémir. L'herbe surgissait du sol brin par brin et toute sa fourrure se dressait pour la cajolerie. C'est moi qui cédai la première. Il y fit honneur. Dieu, mon homme ne savait pas que chanter !

Tout cela nous avait préparés au jour où monsieur Rembrandt annonça aux enfants :

— Cette nuit même, ce sera pour cette nuit, dites-le à révérend votre grand-père.

La barge nous attendait sur le Keizersgracht. Il n'avait pas été facile de convaincre monsieur Laurent de Geer de financer l'opération. Le coût n'était pas élevé, mais la chose apparaissait nettement saugrenue. L'ébruiter mettait en danger de ridicule la prestigieuse famille de Geer. Rien de plus dévastateur pour les affaires ! Monsieur Laurent n'était plus aussi richissime que feu son père ; la patricienne famille ne regardait pas d'un bon œil son assistance à la cause perdue de Bohême ; depuis la bouffonnerie organisée à l'hôtel de ville, les rires parvenaient jusqu'à madame la maîtresse de la grande maison, la grand-mère de Laurent. Alors imaginez l'œil qu'on devait lancer au maître commerçant devant sa condescendance pour les excentricités du vieux *senior* et du malheureux peintre.

La discrétion était donc de mise. Il était cependant impossible d'assurer le secret. Trop d'enfants venaient, trop de parents avaient donné leur accord à ce qui ne leur paraissait qu'un jeu. Par bonheur, monsieur Rembrandt venait de terminer *Le Retour de l'enfant prodigue*. La toile en avait réconcilié plus d'un. On cherchait à être identifié au père miséricordieux plutôt qu'au fils méprisant. Ce n'était évidemment qu'écorce sur un arbre mité mais, pour le moment, cela nous servait.

Dame Johanna avait été couchée. La barge nous attendait. L'entreprise aurait dû me ravir, une fête de plus dans l'ordinaire. Hélas ! le devoir s'était à nouveau appesanti sur notre petite famille. Monsieur révérend mon mari avait été nommé *senior*. Père s'était allégrement déchargé sur lui du poids des médiations, des réclamations, des arbitrages, des voyages, des conciliations touchant le détail des croyances, des biens matériels, des relations avec les autres communautés, bref de tout le quotidien d'une Église humaine.

Le nouveau *senior*, que je chérissais chaque jour un peu plus, était donc parti l'après-midi même pour Memel. Il devait consolider une communauté qu'on disait fort prometteuse. En raison d'une disposition exceptionnelle des astres et des mers, le capitaine devança de cinq jours le périlleux voyage en Prusse. Cette obligation de séparation n'avait plus rien du jeu volontaire qui nous avait si suavement rapprochés. L'inquiétude rôdait.

Néanmoins, la nécessité d'assurer la joie propre à l'épanouissement des enfants m'avait poussée à coudre une large bande de lin blanc rayé rouge autour de ma rondelette taille. J'accentuais le côté clown de mon personnage. Je chassais de mon mieux les bourdons du souci et je m'activais sur le ponton. Malgré tous mes efforts, je n'avais pas assez de mains et trop de bedaine. Par bonheur, Suzanna avait pu se libérer de son travail à l'imprimerie de la ville et m'aidait à embarquer les enfants.

Il y avait tout un petit peuple à faire monter. Toscana avait pris en charge cinq des enfants du parc. Père était accompagné de la très rayonnante Erna qu'Udo ne quittait jamais d'une semelle sans pour autant s'approcher trop près d'elle. Je crois qu'il n'aurait pu. Il est des portes que l'on ne peut ouvrir à demi, trop de vent les pousse.

Les plus jeunes se chargeaient de nous divertir. Toscana restait imperturbable dans son obéissance.

Monsieur Rembrandt semblait flotter dans les larges manches de son pourpoint. Sa chevelure moussait comme une écume blanche autour de son chapeau de cuir. Son visage roussi par le temps, fendillé par les infortunes et poché sous les yeux, grimaçait aux enfants un sourire des plus espiègles. Les badauds s'amusaient beaucoup de notre attirail.

Sauf monsieur Rembrandt et ses serviteurs, nous étions tous en vêtements de Judée. Tuniques, chapes, toges, voiles, burnous, lampes, houlettes, chapeaux, bijoux, tout venait du pays de Jésus. Monsieur Rembrandt refusait les apparences, il n'aimait que le véridique. Autrefois, il aurait exigé les détails jusqu'à se ruiner pour un seul tableau, aujourd'hui il allait à l'essentiel mais repoussait toujours l'imitation. « Il avait claqué la breloque », disait-on, pour se moquer de lui. Néanmoins le mystère de cet homme qui n'aimait peindre que des événements de vérité ne laissait personne indifférent. Parmi les rieurs qui nous regardaient, il en fut trois pour embarquer avec nous, choisis par monsieur Rembrandt, car il lui fallait aussi des bergers venus d'ailleurs.

La traversée fut assez joyeuse malgré l'inquiétude qu'il me fallait réprimer. Je me rendais compte qu'il me serait insupportable de vivre sans la chaude présence de monsieur mon mari. S'il fallait que la mer ou la Prusse l'emporte ! Il y a dans les intervalles du temps des accidents qui guettent. On le sent, on le sait, la lumière peut s'éteindre à tout moment, laissant l'infinité obscure se refermer et tout engloutir.

Nous marchons entre les deux lèvres d'un fleuve tenu ouvert par la seule main de Moïse, un instant d'inattention et les torrents nous abîment. Une fragile bougie retient les ténèbres, un souffle et la délicate flamme s'éteint. Qui peut être certain que la lumière reviendra ?

Voici la question de monsieur Rembrandt lancée à révérend mon père : « L'obscurité et l'immensité du vide sont-ils les ennemis de la lumière ou plutôt, sont-ils la liberté même de toute lumière ? En d'autres termes : les ténèbres sont-ils des lieux de séparation ou des lieux d'unification, des lieux d'anéantissement ou des lieux de création ? »

L'hypothèse était audacieuse. Sa vérification démontrerait ce que père appelait « l'inversion du regard, propre au labyrinthe ». Ce que le regard perçoit noir serait en fait pure lumière libre filant à des vitesses inouïes. Au contraire, l'étoile que nous percevons lumineuse ne serait qu'une lumière entassée, souffrante, luttant pour sa liberté. Il se pourrait que tout cet espace vide soit en fait le lieu de naissance d'une liberté créatrice qui viendrait de nous. Il se pourrait que le Dieu libre et créateur auquel nous aspirons soit en fait l'être à produire. Il se pourrait que tout l'univers vide soit, purement et simplement, en attente de Dieu et que ce Dieu ait à sortir de nous. Et s'il y a tant d'espace vide, c'est parce que le Dieu à venir est un géant.

Cette réciproque est aussi vraie : qui attend d'un Dieu roi une réponse à ses désirs propres sera radicalement déçu. Il s'enragera et détruira ce qui l'entoure. Telle est l'histoire de la chute de l'homme. Telle est l'histoire de son malheur.

En somme, les yeux inversent la vérité du monde. La vérité ne consiste pas à dire ce qui est, cela ne peut mener qu'à la mort, mais à produire ce qui doit être. Telle était la signification de l'éternelle phrase de père : « Fille, libérez votre chemin. »

Qui mieux que maître Rembrandt pouvait, non pas démontrer, mais montrer le fin fond de cette vérité ? Mais comment ? Il fallait d'abord s'assurer d'une nuit absolue. Ni lune, ni Vénus, ni Jupiter sur l'arc visible du ciel. Une clarté de nuit sans humidité de sorte que les étoiles percent la toile nocturne comme par des trous d'aiguille. Ensuite il fallait un endroit d'humilité parfaite, une bergerie.

C'est Toscana qui fut envoyée pour cette mission. Elle découvrit une petite butte près d'Uitdam sur le bord de l'IJmeer, à deux heures de barge. Il y avait là une bergerie qui n'était en fait qu'une ruine abandonnée. Le toit était de chaume, les murs de lattis, les poutres en hêtre. Le lieu appartenait à une légende. Une jeune fille mourant de faim y aurait trouvé un bébé dans la paille. Par miracle, plus elle l'allaitait, plus elle reprenait vie.

Monsieur Rembrandt avait examiné l'endroit avec grande attention, à plusieurs reprises et sous l'effet de divers couchers de soleil. Il avait fait percer trois trous à des endroits très précis de la toiture. On avait aussi condamné une petite fenêtre qu'il jugeait indésirable. Une grande pierre avait été placée pas très loin du centre de la cabane. Le maître y avait allumé des feux avec différents bois. Il avait réalisé des dizaines de croquis et des eaux-fortes de toutes sortes. Puis il avait tenté des couleurs très étranges, similaires à celles des lies de vin mêlées à des bruns grisâtres. Il avait horreur des couleurs éclatantes qui entravent l'apparition du tableau, car l'essentiel est la façon dont le tableau apparaît, l'essentiel est d'apercevoir le mystère de la création.

Au bout d'un certain temps, son plan était au point et chacun de nous apprit son rôle, sa position, son expression avec une rigueur qui ne laissait rien au hasard. Monsieur Rembrandt était convaincu qu'il y aurait un moment dans ce jeu où le tableau ferait son arrivée. « Le peintre, disait-il, ne doit pas simplement ajouter peinture sur peinture. Il y a déjà tellement de beaux tableaux. Il doit montrer comment fonctionne l'apparition du réel. Son tableau doit être un enseignement sur l'apparition. C'est de cette façon que nous saurons le fin mot au sujet du plaisir que prennent les ombres à former des images, à libérer de la lumière à partir de la noirceur. »

Il avait déjà fait apparaître un tableau devant Toscana. C'est elle qui me l'a raconté : « On aurait dit qu'il faisait bouger sur la toile des glaises brunes, rougeâtres, noirâtres. Le pinceau plongeait, tournait, remontait ouvrant des nuances, des reflets, du relief. Peu à peu, apparaissaient des formes très floues. Puis, à un endroit du tableau, monsieur Rembrandt précisa un visage jusqu'au moindre détail. Du coup, tout le reste du tableau devenait clair et distinct. »

Le peintre en concluait que le regard était, dans son essence, un acte créateur, un acte pansophique. « Je vais faire apparaître *La Nativité* de toute chose, assurait-il résolument. Je vais montrer que l'âme humaine est une force de commencement du monde. »

Ce qui intéressait particulièrement mon père dans tout cela, c'est que tout acte créateur (le regard compris) éloigne de l'uniformité. L'unité de l'acte créateur est donc anti-uniforme. Tout le contraire des fanatiques qui eux visent l'uniformité. Le fanatisme construit un labyrinthe où plus l'uniformité est visée, plus le chaos est engendré. Tel est le principe de la guerre. Pour survivre, les civilisations de l'avenir devront engendrer l'amour de la différence. *La Nativité* inaugurera cette nouvelle civilisation.

Qu'allait-il se produire entre le coucher du soleil et le moment crucial où le petit feu allumé au milieu de la bergerie allait s'éteindre ? Personne ne le savait et tout le jeu se trouvait là. Quoi qu'il arrivera cependant, cela apparaîtra dans le tableau. Tout l'art consistera à faire voir cette apparition.

Nous prîmes nos places selon le scénario prévu. Erna

ne pouvait être que la vierge Marie, elle s'accroupit donc près de l'âtre. Au-dessus de sa tête, un peu à droite, suspendu à la poutre, un panier d'osier rappelait l'aventure de Moïse. Titus, le fils de Rembrandt, s'était prêté au rôle de Joseph. Il alla se cacher dans un lieu de grande humilité, sous l'escalier où il serait à peine visible. Udo devait se pencher sur l'Enfant à la manière du premier berger. On le verra de dos. Son rôle principal consistera à réverbérer la lumière dans la direction de la mère et de l'enfant. Bébé Henk sera déposé en temps voulu sur la paille, entre les genoux d'Erna.

Le feu allait éclabousser l'enfant, rejaillir sur Erna et faire une ombre ample et profonde derrière Udo d'où, selon Rembrandt, on allait entendre sourdre une présence impénétrable et créatrice de formes. L'obscurité de cette ombre allait se refléter dans le fond du panier.

N'oublions pas que les personnages visibles n'étaient là que pour faire apparaître les personnages invisibles ; la lumière n'était là que pour montrer l'obscurité. Le tableau devait être la superposition de deux compositions : celle faite par notre présence en lumière et celle faite par notre absence dans les ombres. La scène la plus réelle, celle des ombres, sera simplement sentie, devinée, flairée. L'écho entre les deux scènes devait produire un sentiment, une connaissance d'âme, sur la réalité créatrice du Dieu à faire et du monde à venir.

Père jouera le rôle du plus vieux des bergers. Il tiendra une lampe très pâle mais suffisante pour atténuer la lumière du feu principal. Chaque enfant avait un rôle visant, dans leur ensemble, à former une alcôve autour du bébé. Un âne et un bœuf se tiendraient debout derrière la poutre principale représentant l'âme inférieure nourricière de l'âme supérieure.

Moi, Toscana et un chien gris devions nous blottir à gauche du tableau indiquant la sortie. En effet, chaque composition digne de ce nom est accompagnée d'un chemin de visite parcourant circulairement le tableau, en spirale ou en huit, et menant à la sortie d'où le visiteur repart avec l'évocation. Dans *La Nativité*, il y aura deux chemins : un pour la composition en clair et l'autre pour la composition en obscur. Les deux chemins mèneront à une même sortie afin de produire une évocation synthèse. Mieux ! une évocation pansophique.

En peu de temps, tout était prêt. Deux valets fournissaient monsieur Rembrandt en couleurs, pinceaux, spatules. La lumière du soir s'évanouissait. Le feu sur la pierre avait pris la maturité voulue. La lampe tenue par mon père le berger tremblotait tel que prévu. Au bon moment, l'obscurité qui nous enveloppait apparut totale, ferme, compacte comme du velours. Au-dessus d'Erna, le panier suspendu à la poutre laissait entrevoir sa béance avec une intensité difficile à supporter. Il était la contrepartie parfaite de bébé Henk.

Tout le tragique de l'âme se trouvait évoqué. Je pouvais entrevoir les gestes précis du peintre, son illumination, sa force créatrice. Je crois que c'est de son côté que se passait réellement *La Nativité*.

Et puis soudain, sans préavis aucun, une pluie s'abattit sur la bergerie aussi forte que si les mers du ciel s'effondraient dans les mers de la Terre. La toiture de la cabane pochait entre les voliges. Malgré nos prières, la pluie ne faisait que s'amplifier. Trop chargé, le toit se fendait de tous côtés. Des trombes nous tombaient sur le dos. Le feu étouffa. La lampe s'éteignit. Le chaume s'affaissait en lambeaux. Un coup de vent arracha le panier d'osier et l'emporta dans une grande déchirure du toit. Un éclair illumina le ciel. Le projet fut abandonné.

Trempés jusqu'aux os dans la barge, blottis les uns sur les autres afin de nous tenir au chaud, nous étions terrés dans un silence et une morosité aussi lourde que la pluie. Que d'espoirs noyés ! Il y avait là une combinaison rare : un grand philosophe, un maître peintre, un amour pur, une meute d'enfants, un agencement unique du ciel, une étrange bergerie, une si longue préparation... Quelque chose allait apparaître dans le miroir... Et qu'est-ce qui est apparu dans ce si superbe miroir ? Le déluge, la dislocation, la misère... Toujours la même histoire ! Nous étions abattus.

Seul le batelier dans son innocence arriva à arracher une phrase du silence de plomb :

— J'ai un bon gros baril de vin pas trop mal tourné.

Chacun eut sa rasade, plutôt deux pour révérend mon père et plutôt trois pour maître Rembrandt. Une tiédeur s'infiltra en chacun de nous et desserra les raides lacets de notre déception. Une deuxième tournée fut proposée. Le frissonnement du froid quitta progressivement nos corps.

Devant nous, les lueurs de la ville revêtaient la pluie d'un film d'argent et la nuit apparaissait sans bornes. Les gouttes ressemblaient à des étincelles. On aurait dit un rassemblement de lucioles. Tout se mit à perdre ses formes et le regard, captivé, sans crainte et sans trouble allait à l'infini dans l'obscurité.

Père qui était enveloppé d'enfants fixa monsieur Rembrandt droit dans les yeux, un regard qui ne dura qu'un éclair. Une sorte de tremblement fit vaciller l'embarcation. Les enfants sortirent de leur torpeur. Nous avions tous les yeux emportés dans la danse des étincelles. Une brise siffla, des cheveux argent flottaient dans toutes les directions. Vraisemblablement, nous approchions du ponton, mais la texture chatoyante de l'obscurité nous empêchait de discerner quoi que ce soit. Nos regards fouillaient dans les moindres indices.

— Grand-maman Johanna, cria soudain Magdalena.

On aurait dit que le nom avait formé l'image. Nous étions si captivés que nous nous retrouvâmes tous du même côté de la barge.

— Holà ! fit résonner le batelier.

L'apparition disparut. L'embarcation toucha le ponton. Nous étions arrivés.

— Pas trop mal tourné votre vin ! lança monsieur Rembrandt au passeur.

Et il éclata de rire, un rire contaminant qui engendra celui de père et finalement de nous tous.

Trois semaines plus tard, on exposait à l'hôtel de ville une huile sur toile intitulée *Portrait de famille*. Une petite fille, l'aînée, apporte un panier d'osier chargé de dentelles, de verroterie et de perles à sa maman occupée à soutenir la cadette mi-debout, mi-assise sur elle. Entre l'aînée et la cadette une autre fillette, particulièrement enjouée, raconte une sornette à sa grande sœur. Au-dessus des trois fillettes, se détachant d'une épaisse obscurité, le visage ovale du père. La tendresse et la sérénité de la famille sont palpables.

Le plus étrange du tableau se trouve dans le rouge de la robe de la mère et de la cadette qu'elle tient sur elle. Si on utilise la main comme une lunette et qu'on ferme suffisamment les doigts pour scruter chaque détail, en circulant dans ce rouge, on ne voit que du jaune or, du mordoré, du blanc crème, du brun foncé, de minuscules taches vertes et du noir. Le rouge est totalement absent.

La tonalité surgit par effet de complémentarité des couleurs, mais ce n'est jamais une tonalité définitive, elle bouge au contraire comme une succession musicale. L'esprit est si envoûté qu'il s'agite sur le tableau comme un chat sur un coussin de velours. La lumière n'est visible que lorsqu'elle joue dans la couleur et ce jeu n'est lui-même perceptible que si nous y participons. L'œuvre est une invitation et tout de suite nous savons que c'est de notre nativité qu'il s'agit.

Je passai une journée entière plongée dans le tableau. Le lendemain, j'accouchai d'un beau garçon que père appela Orau, mon cinquième rayon de soleil.

CHAPITRE 7

La dernière école

« Du continent d'Europe, à tous les peuples de toutes les langues de la terre : honorables frères et sœurs, fidèles habitants du monde, bien-aimés semblables, je vous appelle à la paix. Au bout de ma vie, je n'ai plus rien d'autre dans mon cœur que l'espérance de la paix.

« Méfiez-vous de l'Europe, car un démon l'habite. Elle n'est pas elle-même, mais une autre. Ses navires vont sur toutes les mers avec grandes promesses, marchandises très belles et lourds canons. En paroles, ils propagent l'amour universel ; en actions, ils sèment l'injustice et la terreur. La croix devant, le fusil derrière, aucune terre n'est maintenant à l'abri du démon qui la possède.

« Il a gonflé ses poumons, il lui a donné la fièvre de la conquête et le génie des machines de guerre. La pauvre Europe a perdu le bon sens. Ses mains ont une puissance qui dépasse sa sagesse. Elle ne sait plus ce qu'elle fait.

« Pour mes enfants et les enfants de mes enfants, je m'inquiète. Maintenant, j'ai peur pour tous les enfants qui naissent sous le soleil. À chaque siècle, guerre et violence croissent chez elle en moyens de mort. Si vous la combattez, gare à vous car elle boit le sang comme un vin. Si vous vous soumettez à elle, pire sera votre sort, car elle vous contaminera. Vous ne pouvez vous en guérir qu'en la guérissant.

« Dès aujourd'hui tout refuge privé, national ou même continental est perdu. Nous survivrons ensemble comme une seule humanité ou nous mourrons ensemble. Pour cette raison, nous devons atteindre à une intelligence politique universelle. C'est à cela que je veux convier toutes les femmes et tous les hommes.

« J'ai un espoir, j'ai un rêve, j'ai une conviction. Nous sommes chacun une étincelle jaillissant de la même source, nous disposons tous d'une capacité indestructible de nous déprendre et de nous reprendre. Nous pouvons réformer mutuellement nos points de vues, nos langues, nos coutumes, nos institutions. Le dialogue est possible et par lui, la paix. En conséquence, je vous propose de réfléchir aux moyens de cette paix...

« Pitié pour l'Europe ! Voyez : elle veut la justice, elle engendre l'injustice ; elle veut la paix, elle fait la guerre ; elle aime le plaisir, elle invente la torture. Dans ses actions, elle inverse ses idéaux jusqu'aux moindres détails. Tout ce qu'elle invente pour son bonheur participe à son malheur. Qui plus qu'elle a besoin de pitié !

« En regardant cette civilisation s'étendre comme une nuée de sauterelles sur vos pays, pensez à ceci : par l'énormité de son infirmité, l'Europe avertit tous les hommes qu'ils portent en germe ce terrible démon. Elle ouvre les viscères de l'homme avec une impudeur et un effet grossissant sans précédent. Saisissons l'occasion pour étudier son démon puisqu'il est potentiel en chacun de nous.

« J'ai donc une proposition : parlons, discutons, réfléchissons à notre sort. Les démons ne nous sont pas extérieurs, mais intérieurs, c'est nous qui les produisons. Mais le démon de l'un n'est visible que pour l'autre. Le dialogue est donc une nécessité...

« Pourquoi une proposition aussi rudimentaire ? Parce que proposer plus, c'est présumer et présumer c'est déjà agir à la manière du démon. C'est faire dépendre le futur du passé. Or, soigner c'est toujours libérer le futur du passé. Toute maladie est une mémoire.

« Je soumets donc l'idée d'une consultation universelle. Jetons nos armes à la mer et conversons. Essayons de penser ensemble... »

— Grand-père, grand-père, j'ai la solution, s'écria Woute en se retournant vers le lit d'où père me dictait péniblement sa nouvelle *Panglotie*.

Le garçon avança son ardoise devant les yeux du malade. En tremblant, père prit la main de l'enfant, approcha la belle écriture jusqu'à un pouce de son nez, examina avec attention la solution :

— Belle découverte ! conclut-il. Maintenant, va expliquer ton raisonnement à Magdalena et demande à Ernest de te donner un autre problème, plus difficile encore.

Et il continua sa dictée, son énorme utopie. Je n'en pouvais plus. J'étais épuisée. *Requiem aeternam*... Ma main chevrotait sur le parchemin. J'étais trempée de sueurs. L'eau dégouttait de mon front. L'encre formait des taches, d'énormes bavures dans lesquelles bougeaient des insectes, frémissaient des nids d'araignées, s'accumulaient des nuages, s'élevaient des tempêtes.

J'entendais au loin comme des coups de tonnerre, des lames déferlantes qui se brisaient sur les quais, des voiles qui se déchiraient. L'obscurité pénétrait mon esprit. *Requiem aeternam... Et lux perpetua...* Le navire était enfin revenu de Lituanie. Révérend mon mari... blême... tituba... m'embrassa... s'écroula... mourut.

Mon amour. Je l'aimais trop et ne le savais pas. Mon cœur défaillit et ma raison céda. Un berger chantait au loin. Sa voix écorchait mes oreilles. Le vent entrait par mes tympans et sifflait dans ma tête. La lampe frémissait dans la bergerie. Le panier d'osier vacillait sur la poutre.

L'orage s'écroula sur la bergerie. Les ténèbres riaient. Une bourrasque emporta le panier d'osier. *Requiem domine...* Mon cœur se brisa.

Requiem aeternam... Ce n'était pas assez. Peu de temps après, Laurent de Geer avait rendu son dernier souffle... Deuxième cloche. Une vie pour une vie. Un enfant, un mort. Avec ma fille adoptive, j'avais six enfants bien vivants. Il fallait donc mourir quelque part. Adieu protecteur ! Bonjour la misère ! Peu de nourriture désormais nous parvenait, un filet seulement... La lampe manquait d'huile. *Requiem aeternam... Lux perpetua...* Père dictait. *Tenebrae perpetuae...* Ma main dansait sur le papier.

Vu notre pauvreté, Toscana s'était fait engager comme servante chez un marchand de réputation douteuse qui l'emmena en Prusse. Une lettre, une seule m'est parvenue :

« Chère maman, je ne saurais vous remercier suffisamment pour tout ce que vous avez fait pour moi. Je vous enverrai de l'argent dès que je pourrai. Monsieur Bogislaw dit que je suis très douée pour le calcul et les langues. Il a l'intention de me garder dans ses appartements afin que je puisse assumer la charge de facturière dès que j'en aurai la capacité. Tu imagines ! Moi, comptable ! Mes gages seront fixes, et comme il me donne pension chez lui, je t'enverrai tout, pour les enfants. C'est un vieil homme charmant, plein d'égards pour moi... »

Et ce fut le silence total et de lettre et d'argent. Que Dieu lui donne des dents et des griffes ! Pitié pour elle. L'angoisse s'emparait de moi. Afin de survivre et de continuer, car j'étais mère de cinq enfants, ma mémoire se couvrait de trous. Je me dévidais de mes substances sensibles. Je le croyais. *Requiem aeternam...* Il fallait danser sur le papier.

Joachim Hübner, le savant anglais qui avait tant aidé à faire connaître mon père dans toute l'Europe, avait quitté le labyrinthe de ce monde. La gentry anglaise ne répondait plus. Nous étions abandonnés de l'élite intellectuelle. La famille Komenský n'est plus rien. Descartes court seul avec sa lumière aveuglante. *Kyrie eleison...*

Trop de morts, trop de croque-morts. Il fallait se mettre à rire. Des papillons batifolaient autour des puits de mon esprit. Les cimetières se remplissaient d'étourneaux. Ma main n'était plus capable de danser. Père, de son lit, amusait les enfants. J'allais marcher sur le bord du canal et m'endormais parfois entre des caisses et des barils. Vive le froid ! Vive l'engourdissement ! Vive la danse du givre !

Udo s'était suicidé trois jours après la conversion catholique de sa trop belle Erna. Elle était entrée au monastère, en mystère de chasteté. Elle avait fini par tant aimer le désir qu'elle l'avait pris pour amant. *Kyrie eleison...* Père l'avait pourtant prévenue : « Le plus grand danger de l'esprit, c'est l'attrait de la pureté. La vraie pureté enveloppe l'impur, elle ne cherche pas à l'éliminer. Si un peuple veut se purifier de ce qui lui est étranger, c'est l'hécatombe. Si une personne veut se purger de ses passions, c'est la catastrophe. » Rien n'y fit. *Requiem aeternam...*

Personne ne pouvait lui en vouloir. C'était un beau refuge et une autre façon de danser. La guerre courait partout. *Requiem aeternam...* Il fallait en rire. Amour de la mort, que tes parures sont belles ! Pour qui se hait, la mort est une béatitude. Alors Europus toujours poursuit ses guerres. Cette fois : la Hollande contre l'Angleterre. Combats entre protestants, guerre parfaitement fratricide pour le contrôle de la mer du Nord et, par là, la domination du commerce avec les colonies. Étrange bête que ce chien qui dévore sa patte en guise de repas. Il ne lui reste qu'une main de bois et de métal, une main qui a perdu toute tendresse. La guerre fut impitoyable. *Kyrie eleison... Requiem aeternam...* Danse macabre du sang.

Johanna, finalement, s'était résignée à plonger, elle

aussi, dans l'abîme. On vit un éclair traverser ses yeux, un sourire se répandre sur son visage, une lumière illuminer sa chevelure. Elle se leva de sa chaise, fit trois pas et s'écroula juste en avant des deux grands bras ouverts de père. *Kyrie eleison*. J'ai peur.

Dieu que j'avais peur ! Je grelottais comme une petite fille sur un lac gelé, et bizarrerie, j'avais peur du feu. Lorsqu'on s'amuse sur une si fine couche de glace, rien n'est plus dangereux que le feu. Lorsqu'il fait si froid, rien n'est plus dangereux que l'absence de feu. *Kyrie eleison*... Alors dansons sur la glace. C'est la ronde des morts.

Titus, le fils de Rembrandt, mourut lui aussi, il venait tout juste de consommer son mariage. *Requiem aeternam*... Son épouse arriva enceinte chez son beau-père. La maîtresse du malheureux peintre, épuisée par le dur hiver, succomba au printemps. Avant l'été, le peintre agonisa par trop de chagrin. La mort aime la mort. Dansons, faisons crever la glace, coulons dans les eaux noires. *Kyrie eleison*... *Requiem aeternam*...

Tous ces morts n'avaient fait qu'élargir la plaie laissée par monsieur mon mari. Il avait fait de moi une femme ; j'étais maintenant un sarment desséché. Terrible souvenir d'avoir été une femme, d'avoir goûté à la sève des dieux, au pouvoir de créer, et de l'avoir perdu. *Vedve*, veuve, vide : horribles synonymes. Être devenue un vase de grès, avoir perdu tout le vin, sécher en tremblant de froid, sentir sa chair se racornir, devenir la momie de soi-même et être vivante dedans. J'étais devenue Johanna devant la fenêtre. Je regardais danser les mâts.

— Il reste les enfants, disait père, pour m'encourager.

Le silence se mit à rire de toutes consolations. Comme j'étais pour ainsi dire morte, père devait bien revenir à la vie, assurer le train. Il eut la force de me prendre dans ses bras, de me bercer comme un enfant, je ne sais combien de nuits. Le jour, il amusait les enfants et s'occupait de tout. J'étais comme l'araignée dans une statue de bronze. J'entendais la résonance du monde, mais c'était si loin.

Le bourdonnement m'enveloppait dans sa couche de glace. Par le trou de l'œil, je guettais une femelle araignée qui descendait par un fil vers une mouche engourdie. L'hiver cristallisait lentement le fil. Fragile, une filandre de cristal ! Si fragile ! Il suffit d'attendre. Une brise et tout est pulvérisé. Père s'occupait de moi. La bouillie d'orge glissait, je ne sais plus de quel côté de ma bouche. Les surfaces étaient devenues si fines entre les parois. Qui sait de quel bord s'écroule le monde ?

Un vieillard frottait en tremblant sa plume sur le parchemin. Une ligne noire s'enroulait, se tortillait, se brisait. Le vieillard réussit à s'extraire de sa chaise en empoignant solidement le rebord de la fenêtre. Il s'approcha de moi, lissa un moment ma chevelure grise. Une goutte d'eau de son œil tomba sur ma joue et sécha. Le sel fit des étincelles. Le printemps, peut-être, réveillera le sarment...

Un chant au loin me parvenait :

Pour triste que soit l'hiver,
il cuisine le printemps.

Les voies de l'Amour sont étranges :
le sait bien qui veut les suivre.
Tantôt brûlant et tantôt froid,
tantôt suave, tantôt terrible,
tantôt léger, tantôt pesant,
l'Amour est un dément.
Il tient taverne, Il verse le vin
toujours à pleines bondes
qu'il soit amer ou succulent.

Les oiselets chantent clair
et les calices ouverts
nous annoncent le printemps
Nous serons ensemble
encore plus brûlants
car si l'Amour creuse,
c'est pour nous remplir de feu.

J'ensemencerai ton champ.
Le bonheur se forme comme un enfant
dans le noir silence d'un ventre de maman.

C'était une chanson très ancienne que me chantait à l'oreille révérend mon mari lorsque, de son corps nu, il m'enveloppait de toute sa force. Et je ne l'avais plus. J'allais mourir de froid.

— Pleurez, madame ma petite fille. Pleurez. Demain sera un autre jour, disait père, en me berçant tout près du feu.

Je n'avais pas le droit de mourir. Il y avait trop d'enfants. J'arrivai peu à peu à la vie machinale : le soin de mes petits, les nécessités de l'existence. Mon corps obéissait. Par habitude, la vie reprenait son cours. Elle ne manque jamais de force la vie, car elle se nourrit des morts et recrache des vivants.

Comme je revenais à la vie, père se mit à décliner. Il avait du mal à respirer. Ses poumons s'emplissaient comme des éponges. Chaque matin, il tentait de se relever, mais n'y arrivait pas. La fin était proche.

Il envoya Suzanna et Daniel à la recherche de Ludmila et il se mit à dicter et à dicter comme si le fruit devait tout prendre de la plante et que la plante n'avait pas d'autre moyen de mourir que de se donner tout entière au fruit.

L'été se mit à rayonner. Des jours si beaux qu'Ernest, aidé des jumeaux, de Henk et d'Orau qui n'avait que quatre ans, m'obligeant à participer, arrivaient à installer père sur une brouette de leur fabrication. Avec câbles et bâtons, ils roulaient leur bringuebalante invention jusqu'au pont de l'église, traversaient le canal et circulaient à travers les allées fleuries du Jordaan.

Un duvet d'avoine recouvrait les champs. Des carrés de crocus, de narcisses, de jacinthes et de tulipes coloraient les prés à la manière de bouffons de foire. Derrière les vallons, des pommiers et des pruniers dressaient leur tête frisée de fleurs. Des milliers de parfums déambulaient, agaçaient le nez, repartaient en courant. Dans le ciel, de fines ouates s'étiraient et s'effilochaient sous les cajoleries du soleil.

À force de lumière, les choses perdaient leur corset. Les couleurs se chevauchaient, les formes ouvraient leur corolle et tout n'était plus que mouvement. On aurait dit que l'histoire du monde avait chaviré dans son paradis originel tel un mauvais rêve dans un matin d'amour. Des larmes coulaient des yeux de révérend mon père. Il embrassait d'un large sourire tout ce qu'il voyait, sans doute, à l'état de taches multicolores. La beauté et les enfants le ressuscitaient pour une autre vie, encore une vie. Une dernière ! Qui sait ? Père aimait tant renaître.

Il se mit en air de lutter, à poings fermés s'il le fallait, contre tous les malotrus qui houspillaient son œuvre, la maltraitaient par mensonge ou par ignorance. L'occasion lui en fut donnée. Un théologien réformé et français, du nom de Samuel Maresius, dit Desmarets, professeur à Groningen, s'était attaqué au millénarisme qui « transpire, disait-il, par toutes les pores de la *Consultation*, telle une fatalité théologique ».

Une famille de Naarden, ami du théologien, se plaisait beaucoup à ridiculiser tous les navires littéraires que père avait lancés sur les mers du monde, affirmant que si le retour du Christ était imminent, pourquoi fallait-il agir comme si Dieu avait abandonné le monde ?

« Le pasteur Jan Amos Komenský, déblatéraient-ils, demande aux hommes et aux femmes, indistinctement, d'établir une constitution mondiale, d'élever l'éducation au statut de fondement, de miser entièrement sur la lumière de l'esprit humain afin de parvenir au bonheur terrestre. Le *senior* des Frères de l'Unité invite les deux sexes à reconstruire le Paradis comme si le divin pouvait sortir de l'humain. Et tout cela, en annonçant par cor et par trompette la venue prochaine du Christ, seul réformateur possible de l'homme pécheur. Qu'il se branche : Dieu vient-il du dedans ou du dehors ? »

Ernest reçut mission formelle de prendre en charge, pour deux ou trois jours, toute la maisonnée. Le lendemain, comme s'il avait oublié ses soixante-dix-huit ans, père se leva droit dans son lit, mit lui-même ses chaussures, fit sa toilette avec grand soin, ajouta thé et menthe dans son eau bouillante, avala un grand bol de bouillie d'avoine et m'ordonna de le suivre jusqu'à la forteresse de Naarden, à plus de trois lieues.

À peine avions-nous franchi la porte de la grande maison des de Geer qu'il voulut s'asseoir pour se reposer. Un chariot, heureusement, allait chercher des fromages à la forteresse de Naarden. Par miséricorde du charretier, nous pûmes y monter avec promesse de retour si l'on acceptait de prendre place à l'arrière afin de chasser d'un bâton tous les sacripants qui chercheraient à s'épargner les frais d'une voiture.

Pour éviter que le débat prévu ne tourne en jeu de farces et attrapes dans un quelconque hôtel de ville, il avait invité lui-même pasteurs amis et pasteurs ennemis accompagnés de leur épouse à une grande réunion à l'église du bourg. Il voulait jouter avec Desmarets lui-même. L'homme lui en avait fait la promesse formelle. Père n'allait pas se désister même s'il fallait cracher ses poumons malades et exhiber tous les défauts de sa mémoire vieillissante.

Révérend père chantonnait, le regard perdu dans je ne sais quel monde, pendant que je brisais mon bâton contre trois fripouilles de chemin. Pardieu ! Je bénissais les cataractes qui cachaient à père ce méchant spectacle. Il n'avait que des sourires pour les misérables goujats qui riaient de lui. Un mécréant plus décidé que les autres partit avec la bordure de ma jupe, et une forte bosse sur la tête. Il jurait pire qu'un Souabe.

— Est-ce déjà le croassement des corneilles du marais de Weesp ? demanda père.

— Non, lui répondis-je essoufflée, juste les derniers cabots du faubourg...

— Qu'est-ce que tu dis ?... un crapaud de yogourt ! Mais fifille... T'es ici fille ? Où sommes-nous ?

— Ne t'inquiète, père, je suis là. Nous serons à Weesp dans une demi-heure.

Nous avions quitté la ville et j'avais répit. J'appuyai père le plus confortablement possible sur les ridelles du chariot. Il s'assoupit. Dieu ! fallait-il mener révérend mon père à la honte ! Je priai le Seigneur d'inspirer pitié à monsieur Desmarets. Pouvais-je compter sur les femmes pour retenir la langue du théologien ? Un vieillard déjà si battu par la vie... Il n'y aurait, pour le théologien, que lâcheté à combattre et nul honneur à vaincre !

« Pourquoi s'entêter, gaspiller de beaux mois d'été en un si téméraire duel ? » lui avais-je demandé. « Non ! Fille. À la fataille. » m'avait-il lancé. Et il voulait combattre un maître rhétoricien, grammairien et théologien !

S'il ne savait plus articuler, il savait commander. La joute fut organisée. Il faut dire que le pamphlet du français était lourd de conséquences. L'éminent professeur s'attaquait aux bases mêmes de tout l'espoir de père. Plus fondamentalement, sa question portait sur la maîtrise du temps, donc sur la possibilité humaine d'atteindre au bonheur.

Si le temps est entièrement entre les mains de forces extra-humaines, prions et espérons le salut. La foi seule suffit. Si le temps est entre les mains de l'homme, alors tremblons, car l'homme n'est jusqu'à ce jour qu'un bourreau pour lui-même. La foi, dans ce cas, est inutile. Seul le pessimisme de Calvin pouvait avancer entre ces deux écueils, croyait sans doute sieur Desmarets. Les hommes devaient travailler et commercer comme s'ils étaient élus de Dieu. Si le succès arrivait à un individu, la preuve était faite, Dieu était avec lui. Au contraire, si la réussite lui échappait, le Ciel l'avait abandonné.

Il fallait riposter. Mais père n'avait pour arme qu'une raison déjà à moitié dans l'autre monde, des sifflements dans les oreilles et des « crapauds de yogourt » sur le bout de la langue. Certes, par moments, il pouvait dicter deux ou trois paragraphes d'une puissante clarté, mais en général rêves et réalité s'enchevêtraient comme au tripot les alcools, les mots trébuchaient cul par-dessus tête et la phrase arrivait complètement écervelée.

Comme si la déroute de son esprit ne suffisait pas, il avait donné par missive à ce monsieur Desmarets ses meilleures armes. « En somme, pour vous, m'avait dicté père, la responsabilité humaine demeure strictement individuelle. Le bien collectif et la justice sociale sont relégués aux fatalités du ciel [...] Il s'agit, monsieur, d'une habile manœuvre de commerçant pour échapper au premier devoir politique : l'équité. Vous cherchez à saper le droit et le devoir de la collectivité à légiférer les échanges économiques en vue de la justice sociale. [...] L'essence de *La Consultation* se trouve justement là. Le christianisme est d'abord et avant tout la fraternité s'organisant en vue de la concorde. Le futur n'a rien d'une fatalité, c'est une natalité. Sauf que l'afenir n'est paîtrisable que par la rollectivité : folitiquement donc. »

Et la fatigue s'y mettait encore davantage : « Monsieur, la véritable bolitique n'est rien d'autre que l'art de décomposer l'élan follactif. C'est le moyen que prennent les pigeons pour saper notre soupe. Il ne faut pas simplement étendre la confiture. Les oiseaux vont dans l'imposture, monsieur. Veuillez donc considérer mes sincères émotions... »

Évidemment, j'avais corrigé et je priais Dieu qu'il n'ait pas plus d'un paragraphe à dire pour se défendre à Naarden. Et même s'il arrivait à parler correctement, son argument pourrait facilement être retourné contre lui par le seul grotesque de son utopie. Les hommes ont cette étrange inclinaison de tirer grand plaisir à faire crouler devant eux les ponts de l'espérance. À plus forte raison si celui qui les a construits est déjà de l'autre côté.

L'homme adore faire la preuve de la fatalité du temps. Il en tire grande légitimité ! Et la chose est si facile : il n'a qu'à montrer le passé pour en prouver le fait et la cruauté. Alors que le prophète, lui, indique les obscurités vides de l'avenir en disant : « Demain pourrait être autrement. » Quelle preuve apporter à une chose qui n'existe pas et qui n'existera que si nous dérogeons justement des faits ?

Chaque fois que j'avais tenté de dissuader père d'aller à ce combat, il m'avait fait la démonstration que l'utopie est, en fait, une exigence. Ce à quoi je répliquais : « C'est justement pour cela qu'elle n'a pas de valeur politique. La facilité gagne, et par le fait même, le chemin devient horriblement difficile. » Et je lui plongeais une cuillerée de bouillie dans la bouche. « Madame fille, ripostait-il après avoir avalé, fatalité est relâcheté. Faut pas décéder... »

Et il allait, endormi sur un chariot à fromage, combattre un maître des mots et des faits ! C'est moi, sa fille, qui l'emmenais !

Je le réveillai et convins avec le charretier de l'endroit et de l'heure du retour. Un aubergiste consentit à nous donner un peu de pain pour autant que j'accepte de servir aux tables jusqu'à l'heure du débat. Père, le nez collé sur un papier, griffonnait des arguments. Les cloches de l'église, enfin, nous appelèrent.

— Au tombat, lança père en se levant comme un soldat.

Dans l'église, une dizaine de pasteurs et leur femme étaient rassemblés, des amis pour la plupart, quelques calvinistes sceptiques, mais aucun des ennemis de père n'arriva.

Une très longue demi-heure s'écoula. Les sièges de

Desmarets et de la famille de Naarden restaient vides. Le professeur et ses amis ne viendraient pas. J'étais soulagée, ma prière était exaucée. Père, lui, bouillait sur sa chaise en relisant péniblement ses notes. Un messager entra finalement avec une courte lettre qu'il proclama :

« Nous, Samuel Maresius, dit Desmarets, sa famille et ses relations, tenons à épargner un homme qu'on nous dit faible de santé. Ce révérend de Bohême a été si généreux dans sa vie et ses actions qu'il serait disgracieux de profiter de sa vieillesse. Nous recommandons à l'assemblée d'en profiter pour honorer un très grand pédagogue. »

Père fulminait et la colère lui redonnait de l'énergie. Il se leva sèchement debout, voulut avancer vers la salle, mais n'osa de peur de trébucher. Après un silence qui mit tout le monde en inquiétude, il demanda :

— Y a-t-il un choriste dans la salle ?

Sa voix était parfaitement nette.

— Je peux chanter, proposa un pasteur après que sa femme lui eut tiré la manche.

Après un premier cantique, le révérend prit l'initiative de nous faire tous chanter. La salle se leva debout en signe de respect. Père s'aidant des deux bras de son fauteuil s'assit et nous accompagna d'un mouvement de la bouche qui ne donnait pas de son. Nous arrivâmes à un chant que monsieur mon mari savait rendre dans tout son achèvement. Son visage et sa voix me manquaient tellement. De grosses larmes coulaient sur les joues de papa. Son fils lui manquait à lui aussi.

L'assistance se tut. Le pasteur choriste marcha doucement jusqu'à la chaise prévue pour le maître théologien, s'assit et demanda doucement à père :

— Révérend, très révérend, expliquez-nous le fond de votre pensée. Je crois que nous n'avons pas bien compris votre projet.

Réconforté par le ton et la sincérité d'un homme qu'il connaissait fort bien, le *senior* ouvrit la bouche, mais sa voix était trop faible. Il toussa un peu pour délier sa gorge et libérer ses poumons. Le pasteur fit signe à l'auditoire d'approcher. Nous nous exécutâmes. La lumière du soir miroitait dans les vitraux et tachetait de fleurs les cheveux et la barbe d'argent de père. Il était empreint de dignité. Je priai Dieu d'avoir pitié de son enfant.

— Mes amis, commença père, il n'est pas si difficile d'entendre la philosophie. (Il articulait lentement mais sans la moindre faute.) Il suffit de desserrer les dents. On n'attrape jamais la philosophie morceau par morceau. Comme en musique, c'est le dessin d'ensemble qui importe. Si l'on regarde un paysage assez longtemps, disons quatre saisons, on se rend compte que les choses apparaissent puis disparaissent et pourtant l'harmonie demeure. Voici un célèbre fragment d'Héraclite : « D'où toutes choses tirent-elles leur naissance ? Du fond. Les choses se paient les unes par les autres car aucune n'arrive pleinement à l'harmonie. » L'harmonie n'est pas une fatalité, ni un plan, ni une machine, mais un projet.

J'étais la plus surprise. Père ne défaillait en rien. Une grâce relevait ses infirmités.

— Chaque vie enrichit la mémoire comme chaque fleur enrichit le sol. Tous les sols sont des sédiments. Tous les faits sont, en fait, du passé. Le visible, comme l'audible, n'est rien de plus que de la mémoire.

— Tout ce que nous appelons réalité matérielle serait la mémoire du monde ! s'exclama un peu surpris un pasteur.

La plupart des regards et des mimiques montraient maintenant plus de condescendance que d'attention. Cependant le ton du pasteur choriste indiquait que celui-ci et peut-être quelques autres cherchaient sincèrement à comprendre. Alors père continua :

— On n'entend que la musique jouée, imprimée dans l'air. On ne voit que les couleurs produites, imprimées sur les choses. L'intelligence créatrice, elle, on ne la voit pas.

Elle court et perce le futur. Avec le temps, la mémoire s'épaissit. La nature apprend, c'est son essence. Elle tend vers le meilleur, à condition de se déprendre du passé tout en profitant de ses leçons.

— Mais tout n'est-il pas contenu dans son commencement ? interrogea perplexe le pasteur. N'est-ce pas cela le cœur d'une religion : dire que Dieu contient tout d'avance ? N'est-ce pas cela le propre d'une science : dire que des lois contiennent toutes les possibilités ?

— Dieu, justement, ne précède rien et ne suit rien, Il libère le temps et Se libère par lui. Faites très attention à ceci : si la mémoire l'emportait, le monde serait redondant.

— N'est-ce pas le cas ! insista un pasteur calviniste.

— C'est sans compter sur l'amour et la liberté qui nous habite, riposta doucement père.

— Vous dites en somme, reprit une dame sceptique, que nous sommes un esprit dans un esprit plus vaste. Dans ce cas, nous devrions aller à l'harmonie. Alors ! Pourquoi toutes ces guerres ?

Père n'arrivait pas à reprendre son souffle et ses idées. Le pasteur voulut lever l'assemblée. Mais le *senior* fit signe qu'il voulait répondre. Au bout d'un long silence, il arriva à dire très lentement, mais très correctement :

— Imaginez madame, une sphère vide. Quelque chose se forme dans la sphère, n'importe quoi, disons une fleur. Si parfaite que soit cette fleur, elle jette une contradiction : elle limite la liberté et l'élargit. La fleur restreint la liberté puisqu'on devra maintenant tenir compte d'elle. Elle élargit la liberté, puisqu'elle suggère des possibilités nouvelles. Cette contradiction rend la suite de l'œuvre plus difficile mais plus profitable. Inévitablement, une dissonance survient. Ramenée à l'harmonie, l'œuvre y gagne. L'erreur permet le dépassement de soi...

Père s'essuya le front du mieux qu'il put mais de grosses gouttes de sueur glissaient sur tout son visage.

— Nous pouvons chanter maintenant, proposa le pasteur.

Père fit signe qu'il voulait terminer. Il chancelait et sa main droite tremblait. Je crus qu'il allait défaillir, mais il arriva à balbutier :

— La peur de la liberté, mes amis, remplit le cœur de haine. Il est si facile de haïr le passé alors que rendre le monde meilleur exige tout.

— Vous avez bien combattu, lui dis-je, en m'avançant vers lui.

Un peu de sang coulait de ses lèvres. Croyant qu'il allait s'affaisser, le pasteur se leva, mit les mains sur ses épaules pour le soutenir. Père regardait devant lui. Il cherchait.

— Il y a quelqu'un ? demanda-t-il.

— Nous sommes à Naarden, lui répondis-je d'une voix forte dans sa meilleure oreille.

— Naarden ! Ah oui ! Tu diras aux enfants... pour demain... c'est toujours pour demain...

Il toussa, un filet de sang noir glissa sur sa barbe. On m'aida à le transporter à un petit hôpital attenant à l'église. Le lendemain, le pasteur choriste et sa femme nous ramenèrent à Amsterdam dans leur voiture. Chemin faisant, la dame s'avança vers papa et lui dit dans l'oreille :

— Révérend *senior*, l'Église des Frères moraves survivra, je vous l'assure. Nous garderons les traditions intactes. Reposez-vous. Nous vous portons dans notre cœur.

Père voulut lui répondre, mais ne le put. Sa main droite se crispa, puis figea comme si elle s'était changée en morceau de bois.

— Viens Orau, toi aussi Henk ; Magdalena, Woute, allez venez. Capitaine Ernest, reprenez, je vous prie les commandes. À vos postes. Partons.

Il était dans un de ses bons moments. Depuis notre retour de Naarden, révérend père ne se relevait que pour sa toilette, et avec grand effort en se servant de deux petites chaises pour avancer. Le lit restait étendu en permanence, la place manquait. Un râle plutôt qu'un ronflement m'indiquait s'il dormait. Je tenais alors école pour les enfants dans la petite cour jouxtant la fenêtre. De là, je pouvais le surveiller. Il dormait avec grand mal, se réveillait souvent, toussait pour libérer ses poumons, crachait dans un bassinet, laissait filtrer un gémissement.

Ni Daniel ni Suzanna n'étaient revenus. Un courrier m'était parvenu, laissant entendre que la belle famille de Ludmila serait difficile à convaincre, un mariage catholique empêchait la fille de venir au chevet de son père. Ce n'est pas tant le mariage qui faisait obstacle que l'époux.

Le bruit courait que Ludmila avait louvoyé en terrain catholique pour le salut de l'Église hérétique des Frères. Ses amis et son argent auraient réussi jadis à convaincre Son Altesse, la veuve Szuszanna de Hongrie, d'envoyer une escorte afin d'assurer discrètement notre protection le long du terrible chemin de montagne menant de Sárospatak à Leszno. C'était donc grâce à elle que le chariot, piraté par des mécréants, nous revint par enchantement.

On ajoutait encore qu'elle avait aussi usé de ses relations avec les catholiques d'une autre façon. Certains catholiques de Leszno, ayant su qu'on incendierait le quartier des Frères, auraient envoyé des messagers en Hollande afin de convaincre la famille de Geer de nous prêter du secours. Tous ces bruits faisaient qu'on se méfiait d'elle chez les catholiques comme chez les protestants. Elle était à toute fin pratique séquestrée par son mari. Suzanna et Daniel croyaient cependant pouvoir convaincre la famille, mais il fallait du temps.

Il n'était pas question pour moi de lire cette lettre à père. Et père n'osait creuser dans le silence qui entourait cette affaire. Son inquiétude vis-à-vis de Ludmila,

Suzanna et Daniel, tout en aggravant ses douleurs, je crois, reculait l'échéance. Il ne demandait rien, mais dès que l'on frappait, il dirigeait ses yeux vitreux en direction de la porte. « Ce n'est pas eux », lui répondais-je. Et il replongeait dans ses souffrances.

Mais parfois, il entrait dans une sorte d'oasis de paix et appelait : « Lisbeth... », c'était pour me dicter une lettre ; « Les enfants », c'était pour raconter une histoire. En effet, dès que la douleur lui donnait un peu de répit, si la fatigue ne l'emportait pas et qu'il n'était pas en devoir de répondre à un courrier, il n'avait d'autres bonheurs que faire venir les enfants sur son lit.

Sauf « capitaine » Ernest, la petite meute se précipitait gaiement, chacun dans son coin de lit, tenant fermement les cordages lorsque la tempête battait le navire, ou ramenant vivement les voiles lorsqu'une terre était en vue. Père les amenait en vaisseau, en barque ou en radeau, à voile ou à rame, dans une fable étonnante qui tournait souvent au délire. Le « capitaine » qui approchait dix ans n'avait pas beaucoup d'entrain. Il se rendait compte des souffrances et de la mort imminente. Après le père, le grand-père... Qu'allait-il advenir ? Il était l'aîné. Père voulait le préparer :

— Ulysse, roi d'Ithaque qui avait mis à sac nombre de villes de Thrace, revenait vers sa bien-aimée Pénélope. (Sa prononciation défaillait souvent, mais les enfants comprenaient toujours). Le bateau approchait d'une île étrange constamment entourée de brumes. Des récifs, des écueils et des brisants cernaient l'île de sorte qu'il y avait péril de mort. Mais rien de cela n'effrayait Ulysse et son équipage. Le plus grand danger venait d'ailleurs, de ce qui ne se présente pas sous la forme d'une menace mais sous forme d'une bonace.

— C'est quoi une bonace, demanda Henk.

— C'est le calme apparent, le chant doux du lointain qui précède les tempêtes. Voilà le vrai danger. Le chant des sirènes : « Viens, viens, arrête-toi, c'est ici qu'est la vérité, c'est ici qu'est la connaissance... Lisbeth ! Apporte un peu de cire.

— Voilà ! père.

C'était de la vraie cire, fruit de la récolte des enfants sur le parquet de Westerkerk. Ils savaient tous parfaitement ce qu'il fallait faire à cet instant précis de l'histoire. Ils attachaient le capitaine au mat (la tête du lit). Lui seul devait entendre le chant. Sauf celui-ci, les enfants roulaient soigneusement la cire entre leurs doigts et l'enfonçaient dans leurs oreilles, pas trop creux tout de même afin d'entendre la suite de l'histoire.

— Chante Lisbeth, demandait père.

Tout en décortiquant de l'orge pour le souper, j'improvisais un air.

— Les sirènes approchent, continuait père, belles comme Magdalena, chantant mieux que maman, beaucoup mieux. « Venez, chantaient les sirènes, venez ici, il y a des tourbillons, des barbillons et des corbillons de bonbons. »

— Bonbons, répéta Orau...

— Quoi ! Tu entends, s'exclama père. Enfonce la cire, le chant des sirènes pourrait t'entraîner dans l'eau et dans l'eau, il y a d'affreux monstres. Non ! Il n'y a pas de monstre justement, il n'y a que des poissons généralement gentils. C'est la peur qui fait les monstres.

— Les questions, demanda Woute, on veut les questions.

— Oui les questions, reprit le « capitaine » qui avait hâte d'entrer dans le sérieux de la leçon.

L'enfant pressentait trop bien les moments qui précédaient l'épuisement de son grand-père. Il voulait profiter des courtes minutes que la douleur et la fatigue concédaient à son grand-papa. De toute façon, il connaissait par cœur l'histoire d'Ulysse et de ses compagnons quoique son grand-père changeât souvent de version.

— Où veut aller Ulysse ? demanda père, après qu'ils eurent déposé la précieuse cire dans l'écuelle de bois.

— Retrouver Pénélope, sa bien-aimée, répondit Henk.

— Cela veut dire qu'il cherche le bonheur, précisa immédiatement Woute qui connaissait bien les réponses.

— Et quel est son guide ? questionna père.

— L'inspiration que l'on ressent dans le cœur, répondit gravement le capitaine.

— Moi, je voudrais bien avoir un bonbon, intervint Orau.

— Il faut attendre tard l'automne pour les bonbons au miel. Tu en auras bientôt. Est-ce que tu veux jouer encore ?

— Je veux juste l'histoire. Je comprends pas les questions.

— C'est parce que je vais partir, insista père, qu'il faut que j'explique aux plus grands le chemin du bonheur. Le bonheur, c'est la corbeille à bonbons des plus grands. Quand tu auras l'âge de Woute et Magdalena, Ernest t'expliquera tout.

— Grand-père, nous, les grands, nous voulons la leçon, intervient Henk d'un air très sérieux. C'est quoi la transpiration du cœur ?

— L'inspiration du cœur, corrigea Magdalena.

Père prit un moment pour reprendre son souffle.

— Voilà la difficulté : comment faire pour distinguer l'inspiration qui appelle Ulysse vers le bonheur, sa bien-aimée, de la séduction des sirènes qui conduit à la mort ?

Une grande douleur traversa père. Je la reconnus au sourire grimaçant qu'il fit aux enfants avec signe d'aller s'ébrouer un moment dehors. Généralement, il fallait attendre au lendemain pour continuer. Il crachait le sang pour se libérer, un feu brûlait alors ses poumons et lorsque le bûcher s'était enfin refroidi, il tombait, épuisé. Mais cette fois-ci, quelques minutes suffirent et les enfants furent à nouveau appelés.

— Vous avez eu le temps de réfléchir, cher capitaine, alors avancez une réponse, insista père en regardant tendrement son petit-fils.

— Je ne sais pas, grand-père. J'ai pensé à la beauté, mais ce n'est pas une bonne réponse. Les sirènes sont aussi belles que Pénélope, la femme d'Ulysse, leur chant, plus beau encore. C'est l'habitude de la séduction de se cacher sous la beauté. Alors j'ai pensé au plaisir. Mais le plaisir lui non plus n'est pas un bon critère. Il y a des plaisirs qui préparent aux remords, d'autres, à la joie. La vérité, elle, fait toute la différence. Les sirènes mentent, elles appellent profond ce qui est superficiel, agréable ce qui mène au malheur, beau ce qui cache la laideur. Mais, je me suis dit, grand-père demandera : « Oui, mais comment faire pour distinguer la vérité de l'erreur ? » Et ma réponse n'aura fait que déplacer la question...

— Quel capitaine ! Vous avez entendu les enfants, notre capitaine est vraiment un philosophe. Il réfléchit pour vrai.

— La réponse, je veux la réponse, exigea Henk en sautant sur le lit.

— Une autre question d'abord, reprit père, une question à propos des questions. Pourquoi est-ce que, de tous les philosophes, de tous les sages, de tous les saints, personne n'a trouvé la réponse ? Pourquoi les réponses s'écroulent-elles dès qu'on pense très fort, comme notre capitaine ? Pourquoi les réponses ne subsistent-elles que dans un milieu où l'on ne pense plus ? Depuis le temps qu'il y a des hommes avec toujours les mêmes questions, on pourrait s'attendre à ce qu'il y ait quelque part un livre de réponses. Et il ne subsiste que des livres de questions, tous les livres de réponses ont été abandonnés un jour ou l'autre parce que quelqu'un a réfléchi et qu'il s'est dit : « C'est pas une réponse ça, c'est une question. » La Bible, par exemple, c'est le plus fameux chemin de questions. Alors, pourquoi est-ce que l'on n'avance pas de réponse en réponse mais de question en question ? Pourquoi Ulysse comme Israël vont-ils d'une aventure à l'autre et non pas d'une certitude à une autre...

— Moi, je ne joue plus, soupira Woute, je veux l'histoire.

— Ding, réponse parfaite mon bonhomme, fit père. C'est l'histoire. La réponse à propos des non-réponses, c'est l'histoire. Nous sommes des êtres de voyage. Notre être, c'est le voyage. Imaginez que vous êtes un voyage. Si le voyageur s'arrête, vous n'existez plus. Les sirènes mettent le monde en péril parce qu'elles invitent à s'arrêter sur de faux rochers. Monte la voile Magdalena, tiens le gouvernail Henk, rame, rame fort Orau. On va suivre l'inspiration du cœur. Mon capitaine, dites-nous la direction.

Ernest avait les larmes aux yeux. Il voyait la souffrance passer sur le visage de son grand-papa.

— Vite les enfants, mettez de la cire dans les oreilles du capitaine, la Sirène mélancolie l'appelle, il est en danger.

— C'est pas l'histoire, objecta Woute. Il faut l'attacher, il faut qu'il entende mais qu'il soit retenu par la prudence.

— Et pourquoi ? demanda père.

— On ne peut pas entendre l'inspiration sans entendre aussi les sirènes, proposa Magdalena.

— Voilà une magnifique réponse...

Il se mit à cafouiller mais cette fois, c'était plus grave, comme si la paralysie cherchait à s'imposer. Le silence semblait arriver de partout.

J'arrêtai de décortiquer mon orge et m'approchai du lit. Orau empoigna ma jupe. Woute restait figé comme une statue de bois. Je lui pris la main. Ernest attendait la parole de son grand-papa. Des larmes coulaient sur ses joues. Magdalena lui prit la main. Père arriva à émerger et se reprit :

— Les enfants (son ton était solennel), il y a tout de même des indices pour reconnaître l'inspiration du cœur à travers le chant des sirènes. La saveur de l'inspiration procure un plaisir qui ne laisse pas de goût amer. L'inspiration nous pousse à agir pour rendre plus beau le monde. Dans l'inspiration, la douleur n'empêche pas la joie. Mon capitaine (père avait prit la main d'Ernest), mon très cher capitaine, ton grand-papa n'est pas malheureux, mais profondément heureux. Je ne t'abandonnerai pas. Je pars pour que tu deviennes un vrai capitaine.

Le regard de Magdalena était, lui aussi, si bien plongé dans les yeux du capitaine et avec une telle tendresse, que lorsqu'elle s'en aperçut, elle éclata d'un rire gêné. Ernest la poussa un peu en lui faisant une grimace et père renvoya les enfants.

Après chaque session, la douleur devenait de plus en plus insupportable. Il s'écoulait parfois plusieurs jours avant qu'il ne puisse répondre à un courrier ou inviter les enfants à un voyage. L'été s'en était allé. Le froid et l'humidité traversaient les murs de la maison. Nous ne recevions qu'un fagot par jour pour nous chauffer. Les nuits se faisaient déjà glaciales.

Au début de novembre, père m'avait dicté une lettre pour Nicolas Drabik, le prophète si controversé. Les jours qui suivirent cette lettre firent croire à la guérison. Père chantonnait cantique sur cantique. On aurait dit une femme la semaine précédant son accouchement.

Certains jours, il allait jusqu'à la fenêtre et tentait de distinguer le balancement des mâts sur le canal. Évidemment, il ne voyait rien, mais le mouvement lui rappelait l'avancée des piquiers en Moravie. Il s'enfonçait un moment dans de terribles souvenirs, en ressortait et demandait des nouvelles de Ludmila. Je le rassurais du mieux que je pouvais.

— Ils ne seront pas là, laissait-il tomber.

Cette conclusion finit par devenir un abandon et il

glissa dans de grandes nappes d'eau calme. Une insolite sérénité lissait son visage. Son sourire me rappelait celui de maman le jour où elle m'avait donné son jonc en signe d'élection. Il resta trois ou quatre jours comme inondé en paradis. Lorsqu'il en sortit, sa voix avait changé, elle était plus légère et plus grave, plus lente et plus sûre.

Il s'assit dans son lit et appela les enfants pour une leçon. La troupe se précipita avec entrain car elle revenait d'une longue grisaille dont je n'avais su la préserver. Je sentais un étau se refermer sur moi. Aucune de mes missives ne s'était rendue en Pologne. Daniel et Suzanna ne connaissaient donc pas l'urgence de la situation et, sans doute croyant bien faire, prolongeaient leur voyage dans l'espérance de revenir avec leur sœur. Pour ma part, j'avais appris que Daniel était pressenti comme futur *senior* et que l'angélique Suzanna avait été demandée en mariage à Leszno.

S'ajoutait une autre inquiétude, à la fois plus immédiate et plus menaçante pour l'avenir : la famille de Geer n'exprimait peut-être pas l'intention formelle de m'abandonner, mais la réduction mensuelle de la rente disait clairement qu'il me faudrait bientôt songer à trouver un mari capable d'assurer ma subsistance, un mari qui voudrait bien d'une veuve et de ses cinq enfants. Père, lui, misait plutôt sur Ernest. « Ne t'inquiète Lisbeth, ne t'inquiète » répétait-il. Mais je n'arrivais pas à redresser la tente et protéger les enfants des froids de novembre. Père voulait prendre le relais. Quelques jours de grâce et de santé lui furent accordés...

— Attention aux tourbillons, à bâbord toute, alertait père. Matelot Henk ! au gouvernail immédiatement. Mousse Orau, diminuez la voile. Neptune est contre nous. La mer va se déchaîner... Ulysse et son équipage étaient ballottés de gauche à droite, si haut qu'ils croyaient toucher le ciel, si bas qu'ils pensaient disparaître dans les enfers. Mais cela n'était que les premières caresses de la mer. Une bourrasque plus grande encore venait comme un troupeau de chevaux. L'océan se mit à fulminer. Le bateau allait fendre. On entendit un terrible fracas. Mâts et cordages s'étaient abattus sur le pont. Le gouffre s'ouvrait. Capitaine, nous sommes perdus.

— Non, une île en vue ! cria Magdalena.

— Allons-y, commanda le capitaine.

— Le navire se brisa sur les récifs, racontait père. Tout l'équipage et la cargaison se retrouvèrent pêle-mêle sur la plage. Le lendemain, la troupe se réveilla de son effroi et de son épuisement. Ils avaient échoué sur l'île des mangeurs de lotus. Beaucoup ayant perdu l'inspiration du cœur tombèrent dans le piège du savoureux fruit qui engourdissait et rendait fou. Heureusement, Ulysse et cinq membres de son équipage restaient attentifs. Ils construisirent un radeau et repartirent en mer. Cette fois, le large s'étendait étale devant eux. Le danger ne venait plus des tempêtes mais des brumes épaisses qui en cette région exigent d'être découpées à grands coups de rame.

— Attention capitaine ! s'exclama Orau en agitant une rame imaginaire, des grosses roches en avant.

— À tribord, ordonna le capitaine en pointant la direction.

— Allons à l'île, proposa Magdalena.

— C'était l'île des Cyclopes, continua père, l'île de ceux qui n'ont qu'un seul point de vue. Ils ingurgitent les livres et mangent les enfants. « Je ne pense pas, donc j'avale », telle est leur devise. Tout ce qu'ils peuvent faire, c'est engloutir. On craint même qu'ils ne dévorent le monde par incapacité de changer de point de vue.

Père éleva son bras gauche et agita les doigts pour faire le loup.

— Ah ! crièrent tous ensemble les enfants (sauf le capitaine bien entendu).

— Ulysse comprit le point faible d'un si gros monstre : le Cyclope ne pouvait distinguer ce qui est proche de ce qui est loin, ce qui est petit de ce qui est grand, ce qui est important de ce qui n'est que distraction. Ulysse s'avança donc vers lui de face, mais lentement et en se recroquevillant à mesure qu'il s'approchait. Le Cyclope ne se rendit pas compte qu'Ulysse était à deux coudées de son gros nez. D'un pieu, le valeureux lui creva l'œil.

— Wach ! lança Orau.

— Cachons-nous, suggéra Woute.

— Se cachant sous des moutons, continua père, les fidèles d'Ulysse réussirent à s'enfuir, car l'aveugle Cyclope ne touchait que le dos des choses. Ils rencontrè- rent bien d'autres menaces, mais aucun de ces dangers n'était vraiment difficile. Le pire restait à venir. Sur l'île d'Ogygie, une nymphe encore plus belle que votre maman filait et tissait en chantant. Lorsqu'elle vit votre grand-père avec ses beaux cheveux argent, sa belle bouche édentée et son colossal nez slave, elle tomba follement amoureuse.

— Pouah ! échappa Henk en riant.

— Quoi ! Moi je le trouve beau grand-père, riposta Magdalena.

— Arrêtez, intervint Woute, je veux l'histoire.

— Ulysse se laissa séduire et resta sept années près d'elle. Elle s'appelait Calypso le Paradis. Elle avait tout : de la beauté, des fruits, de la viande, des chevaux de bois, des soldats de plomb, des balançoires, des voiturettes, tout.

— Des bonbons au miel ? demanda Orau qui avait de la suite dans les idées.

— Oui ! et des bonbons à la fraise aussi. Elle pouvait même faire exister ce qu'on ne voit qu'en rêve. Calypso promit à Ulysse la vie éternelle dans l'abondance de tout ce qu'il voulait. Alors quoi ! Fermez les yeux, imaginez le paradis le plus beau. Allez, imaginez.

— Avec papa ? demanda Henk.

— Avec papa, répondit père. Imaginez fort... Mettez en un peu plus... Tout ce que vous voulez. Toutes les sortes de bonbons. Ajoutez encore. Bon ! Devant vos paupières, c'est votre paradis. Tout y est. Maintenant, ouvrez les yeux. Que voyez-vous ? La maisonnette, un peu d'avoine, de l'orge, des herbes dans du sel, maman qui s'arrache les mains sur une mauvaise laine et votre vieux grand-père qui se prépare à partir. Que choisissez-vous, le paradis que vous avez imaginé ou la maisonnette d'Amsterdam ? Non ! Pas de réponse maintenant. Je vous laisse soixante-dix ans pour y réfléchir, pas une année de plus, pas une année de moins.

— Soixante-dix ans ! s'exclama Orau en plaçant ses doigts devant Magdalena.

— Avec maman, c'est tous les doigts qu'il y a dans la maison, conclut Woute.

— La leçon maintenant, réclama le capitaine.

— Après l'inspiration du cœur, la nostalgie est notre deuxième guide. C'est un guide nécessaire, mais dangereux. J'ai fait un très, très long voyage, les enfants. Neptune a tourmenté ma route plus d'une fois. Je n'ai jamais retrouvé ma patrie. Mes enfants et les enfants de mes enfants n'ont plus de patrie... Après la mort de ma première famille, j'ai eu tellement de peine que j'ai cru bon de me réfugier dans le paradis de mon cœur. Il y avait là des ailes pour m'envoler et une horloge pour me rassurer. J'ai fait comme vous, j'ai imaginé un paradis. Mais devant chacun de mes paradis, si je supposais : « Pour toujours, toujours, toujours... », le paradis se transformait en prison et la nostalgie revenait. La nostalgie chuchotait à mon oreille : « Ce n'est pas cela, ce n'est pas cela, lalala ! La ! Lalala ! La ! » La nostalgie, les enfants, est une très curieuse fenêtre. On a beau la nettoyer, la frotter, l'astiquer, ses phrases négatives sont de plus en plus vraies, mais ses phrases affirmatives, de plus en plus dangereuses. Cette leçon est à la base de toutes les grandes sagesses du monde. Sans cette leçon, plus on a de science, pire est le destin du monde. Retenez bien ceci : il est nécessaire de quitter votre paradis si vous voulez trouver le bonheur, mais il est nécessaire d'en garder le souvenir, de peur d'accepter le malheur et de vous soumettre à lui.

— C'est quand, grand-papa, tard l'automne ? demanda Orau.

— C'est trop bientôt, répliqua Ernest un peu impatient. Grand-père, vous n'avez toujours pas dit pourquoi vous avez trouvé si belle Calypso et pourquoi surtout, elle, elle vous a trouvé... beau... C'est tout de même pas...

— ... la même beauté, compléta père pour enlever à son petit-fils le risque d'une impolitesse. Calypso, c'est la beauté affirmative, claire et nettement distincte de la laideur. Il lui manque justement son contraire. Mais sur le visage d'un vieillard, la laideur et la beauté peuvent s'unir. Je voudrais les enfants que vous reteniez ceci que vous allez comprendre plus tard : la beauté d'un enfant rappelle la beauté de l'origine, la beauté d'un vieillard suggère la beauté de la fin. À première vue, il y a dégradation, mais pour l'œil exercé, il y a une incroyable progression.

— C'est pas tous les grands-pères qui sont beaux en étant laids ! s'exclama Woute, il y en a qui sont seulement laids.

— Voilà qui ramène à la liberté. Cependant, je crois que la beauté d'un marin qui s'est réellement accordé avec la mer et ses tempêtes dépasse la beauté des anges qui sont préservés des tempêtes. Vous n'êtes pas en âge de comprendre cette leçon, mais comme je vais partir, je dois la dire.

Et il prit le petit Orau dans ses bras pour qu'il reste tranquille.

— La connaissance, continua père, résulte de la relation entre un être vivant et un milieu vivant. Le poisson et l'eau, l'oiseau et l'air, l'enfant et sa famille, l'artiste et la nature, le philosophe et la pensée dialoguent en vue d'un dépassement. La beauté acquise dans ce dialogue est bien plus grande que la beauté seulement imaginée. La réalité dépasse la fiction. L'expérience n'est pas un détour, mais une aventure au-dessus du rêve.

— Mais la mort, demanda Ernest.

— Jusqu'à maintenant, tout ce que j'ai rencontré a toujours été plus grand, plus complexe, plus beau que ce que j'avais imaginé. Pourquoi en serait-il autrement du mystère de la mort ?

Le navire entra dans une bonace telle qu'il ne s'en trouve qu'une ou deux dans la vie d'un marin. Orau s'était endormi sur la poitrine d'Ernest. Magdalena et Woute, lovés sous son bras paralysé, semblaient plongés dans une profonde méditation. Henk s'était blotti entre mes genoux et fermait les yeux pour rester dans son paradis. Ernest tenait la main droite de son grand-père comme pour y puiser la confiance. Aucune trace de souffrance sur le visage de père.

Quelques vers émergeaient de ma mémoire, des vers que père avait trafiqués à partir d'une vieille littérature rhénane.

> *Le câble est enroulé sur le palan,*
> *tendu telle une corde de viole.*
> *Il ouvre la main confiant*
> *la poulie se dévide sans peine.*
>
> *Ce qui existe se tire du Néant par l'Éant*
> *et la corde est tendue à souhait.*
> *Mais que la peur quitte l'homme un instant*
> *Et la poulie se dévide sans peine.*

C'est lui qui donna le signal.

— Lisbeth, appela-t-il, encore un peu de patience. Je n'en ai plus pour longtemps.

Et il entra dans la dernière école de la vie, l'école de

la mort. La veille, la femme du pasteur de Westerkerk était venue pour une visite. Voyant que le temps approchait, elle me proposa son aide. Chaque jour, le matin et une autre fois durant la journée, elle viendrait avec un fagot bien sec et du pain, emmènerait les enfants (sauf Ernest qui ne voulait pas quitter son grand-père) jusqu'au Jordaan pour une promenade et quelques jeux. Cela me donnerait le temps pour l'hygiène et la literie, les infusions de saule et de sureau au miel qu'il prenait goutte à goutte, et l'attention à ses derniers conseils.

Le premier soir, après la prière, alors que les enfants étaient encore à genoux les yeux plongés dans le mystère, tout son corps se mit à frémir secoué par un orage nerveux terriblement cruel. La partie gauche de son visage se déforma et figea sur l'os comme morte avant l'heure.

— Grand-père ! cria Magdalena en approchant du lit de père.

Il réussit à hisser la main jusqu'à l'épaule de la fillette, l'apaisa d'une caresse et nous fit signe de nous mettre au lit. Sept heures à peine avaient sonné. Les paillasses furent étendues, les enfants couchés, mais la lampe resta allumée. Dehors, un vent d'automne appelait l'hiver par gémissements sourds et lointains. Ernest avait charge d'étouffer lentement le feu dans ses cendres afin de faire durer le bois. Sauf lui, un à un, les enfants s'abandonnèrent au sommeil. Pour ma part, je veillais et reprisais sur un banc tout près de père...

Au petit matin, je me réveillai à demi étendue sur le lit du mourant. Ernest avait tenu le feu toute la nuit et dormait sur la petite chaise d'imprimerie. Le jour commençait à entrer par la fenêtre. Je n'arrivais pas à sortir des brumes du sommeil et restais engourdie dans mes rêves autant que dans mes courbatures. J'entamai néanmoins la lourde mécanique du quotidien.

J'allais comme un engrenage. La fatigue s'aggravait, la confusion aussi. Les journées traînaient chargées de brouillard, de froid et d'une odeur de paille humide. Rien ne séchait. L'esprit lui-même semblait ramper dans ses pensées et ses souvenirs sans que rien ne soit discernable.

Le troisième jour, il eut une autre attaque et perdit toutes capacités dans ses membres inférieurs. De temps à autre, Ernest et moi devions lui frictionner les pieds et le bas des jambes dans l'espoir d'y transmettre un peu de chaleur. Le garçon enveloppait des pierres chaudes dans un drap et les disposait autour de ses membres paralysés. Malgré tous nos efforts, son corps continuait à frissonner comme un chevreau naissant. Ses poumons ne sécrétaient plus le sang, mais une sorte d'eau violacée dont la toux n'arrivait plus à le débarrasser. Son râle devenait court, difficile, irrégulier.

Comme par marées, des montées de souffrance l'amenaient jusqu'à de violents tremblements, puis se retiraient. Il ruisselait de sueurs et entrait dans une sorte d'euphorie qu'il disait d'une grande paix. Il cherchait ma main, tentait de percevoir mon visage, voulait parler.

Il m'avait appris à tenir école aux mourants, rappelant ce que Platon avait dit de l'âme : elle cherche son principe car elle connaît sa nature voyageuse. L'âme est donc l'être de la liberté. Elle épouse les mouvements desserrés de la vie. Elle n'est ni l'eau, ni la vague, ni la substance, ni l'accident, mais la liberté et le mouvement. Plus elle prend racine en terre de mémoire, plus elle se lance dans l'action créatrice. Mais chaque œuvre ajoute à la mémoire. Le sol devient trop lourd.

Il arrive un temps où elle éprouve un pressant besoin de s'alléger. La mort vient au secours. La mort éprouve un tel amour pour l'âme que la voyant engloutie dans trop de mémoire, elle n'hésite pas à la délivrer.

S'abandonner à l'opération régénératrice de la mort, y participer, en faire sa dernière école, c'est un art assez difficile. Débarrasser la mort de son vêtement, la prendre dans ses bras, s'unir à elle, tel est le but de la dernière école. « Tu seras mon moniteur de mort, avait-il commandé. J'ai un peu de pratique, mais c'est ma première générale. »

M'ayant choisie, il me livrait un à un ses derniers moments de grâce. C'étaient habituellement des paroles pleines de trous, qui oubliaient leur commencement avant d'arriver à la fin, qui mélangeaient les « tu » et les « vous » en perdant parfois de la cohérence, mais jamais de la dignité :

— Le bonheur, dame ma fille, le bonheur... Ah !... Je disais quoi ? Je perds l'esprit. J'abandonne... Liz... Oui ! Fille, amenez à rire les enfants... Rire, quelle délivrance ! Raconte-moi une drôlerie...

J'en étais incapable. Je cherchais.

— L'histoire de la bosse, suggéra-t-il.

Je pris une grande respiration et m'exécutai :

— Mon petit, mon doux petit, où donc es-tu parti ? Qu'en as-tu rapporté ici ? Si tu étais resté à la maison, point n'aurait de grosses bosses sur le front.

Il sourit, mais le rire allait relancer ses souffrances, il se reprit et compléta la comptine :

— ... et point d'audace non plus. Bosses, audace sont compères... Ah ! T'es pas trop morte, fille. Je vois, t'es pas trop morte.

— Mais, j'ai plein de bosses, papa. J'ai plein de bosses et je suis pourtant restée à la maison.

— Ça fait mal, toutes ces bosses ?

— Très mal, lui répondis-je.

— Alors t'es pas morte. On fera quelque chose. J'ai une voile dans un coffre... Dieu ! Un mari, décampé ; un père qui s'envole. Le vent se lève... Un peu de voile suffira... La Prusse, c'est bonne terre. Ne t'inquiète... Vu du dedans, c'est plus clair. Madame fille, il faudra donner un bon coup de pied au panier d'osier...

Il serra ma main, une larme glissa de son œil droit.

— Fille, je vous donne... Je disais quoi ? Je suis une corde pour toi. Rompez vos amarres, madame ma fille.

Les mots arrivaient lentement entre des respirations sibilantes, chacun remontant difficilement du fond d'un puits et par seaux trop combles. À force de les attendre l'un après l'autre, j'engourdissais de la nuque. D'étranges vertiges m'invitaient moi aussi à la mort. Sa divagation m'enchaînait à je ne sais quel cétacé qui plongeait.

J'entendais comme des corneilles criardes qui arrivaient par nuée, taraudaient leur bec dans des poitrines et des cerveaux, repartaient avec des lambeaux. Père s'en allait segment par segment. À travers les trous que la mort faisait dans son corps et dans son esprit, j'avais l'impression de me dévider moi-même. J'évacuais le monde par les entrailles.

Il dut sentir ma plongée. Il m'attrapa la main. Son œil droit me fixa. Toutes ses rides allaient vers le haut comme des sourires. Étrange visage que le sien : fabriqué dans un lieu fait pour abattre, aucun pli de son visage ne portait à la tristesse. Au contraire, il avait quelque chose d'un vieux clown aux traits fixés dans l'habitude du sourire.

Son œil vivant me perçait comme s'il voulait transvider son bonheur dans ma tristesse. Il rassembla ses forces et continua à remonter du fond des mers d'énigmatiques objets :

— Mon héritage est minuscule, trop vague. Je divague. Fille... écoute pas trop. Je manque de tout. Je vide la maison. J'ai raté beaucoup... Un échouement de plus... Où sont les capitaines ? Ils sont partis. On déménage tous avant l'âge de la sagesse. Et toi tu restes... Dieu ! Je t'aime trop. Qu'est-ce qui m'a passé à travers le corps ce jour-là ? Le fleuve au complet... Prêtez-moi, madame fille, votre visage... La vie continue. Les épaves sont visibles, les traversées sont invisibles... Ne pleure pas pour l'épave. Mon corps crève... Je veux mourir sur ton visage. Fais-moi un bon lit, j'ai tellement sommeil...

— Vous n'avez rien raté, père. Vos livres...

— Mes livres sont les échecs de mes inspirations...

Qui saura trouver dans ces pages le parfum que j'ai aimé ? Mais toi, ton parfum, il va son chemin... Avant moi, ma mère. Après moi, madame ma fille...

J'étais si fatiguée. Je m'abandonnai à la dérive.

— J'ai peur du miroir, papa. Il ne fallait pas me commander de vous aider à mourir. Être la fille de l'homme qui nous meurt dans les bras, c'est trop dur. Et puis, je ne sais pas mourir, alors je ne peux pas vous aider. Je ne suis plus capable, père. Mes enfants grandissent à même mon corps. Ils me dévorent. Propager la vie, savoir qu'on vient d'un autre et qu'on va vers un autre sans jamais avoir le temps de jeter l'ancre, glisser sur le fil de l'immortalité sans pouvoir l'agripper... vous trouvez que c'est juste ?

J'arrêtai net ma plainte. Je devais l'aider à mourir, pas l'embêter.

— J'aime tellement quand vous prenez de l'élan et du mordant, fille... arriva-t-il à souffleter.

Je m'abandonnai au courant qui m'emportait.

— Elle est si furieuse la vie qui passe dans les ondes, elle se fiche bien des ressacs et des morts, elle, elle continue sans fin. Je le sais, vous voulez que je plonge, que je fasse confiance, que j'attrape le fil. Mais la résurrection des vivants, c'est bien plus difficile que la résurrection des morts...

Il ne disait plus rien, ronflait doucement. Il voulait sans doute profiter d'une plongée pour tirer sur un des fils de mon âme et l'accrocher solidement aux nervures de la vie. J'étais épuisée. Je ne pouvais lutter. Moi qui avais, pour ainsi dire, la nature de l'obéissance, je m'abandonnai finalement à sa manœuvre.

Il y avait une lueur dans le fond de la mer. Je me laissai prendre. Être transportée sans être emportée, c'est tout ce que j'espérais, car sur la rive, j'avais cinq enfants dont il fallait que je sois le père, la mère et bientôt le grand-père. Être un fil entre ceux qui meurent et ceux qui vont mourir, c'est propager désespérément une espérance. Je le devais, mais le pouvais-je ?

Un grand silence enveloppa la maison. Un coup de vent brusquement fit vibrer la porte. Père émergea. Sa voix était à peine audible :

— Les marins cherchent Dieu dans les mers ; les oiseaux, dans les airs ; les savants, dans les choses ; les philosophes, dans la vie ; moi, dans la mort. J'évanouis mes désirs dans ton cœur... Fille, faites votre chemin.

Il me fixa un instant. J'approchai mon visage.

— T'es pas trop la même que moi, continua-t-il... Je reviens chez moi, mais ce n'est plus pareil... L'école de la mort... J'ai dit que c'est le premier chapitre du vrai commencement... Mais le préambule est long. On meurt dans ses origines. Pas tout à fait, moi je meurs dans ma fille... On meurt d'aventure sur le bord d'un enfant. Emporte-moi... Je suis accroché à ton visage. Faut-il qu'une fille participe à la naissance de son père ? Je t'aime, fille. Je t'aime à mourir.

Les ouvertures étaient de plus en plus grandes. Le tissu se défaisait. La fenêtre s'agrandissait et nos regards glissaient l'un dans l'autre jusqu'au fond de la mer. Le trou était béant et les bruits de la ville tombaient comme du grésil. Le toit surtout se crevait par la force du vent. Le chanvre partait, tout se défaisait. Le panier d'osier virevoltait dans la tempête. Bébé Moïse étirait les ailes. Je laissais faire. Mes pensées avaient déserté, les gardiens s'étaient endormis, la chandelle pleurait de la cire. Un tombeau ouvrait ses deux grands bras, me caressait...

Mais les douleurs de père revinrent comme des bourreaux, le secouant, le frappant, le brûlant, lui tranchant un autre morceau. Ernest s'est-il réveillé ? Je ne sais. J'espère que non. Son grand-père était devenu son père. C'était trop pour lui. Mais moi, j'étais aussi dans la tempête et ne voyais plus grand-chose. Lorsque la lueur du feu s'avança à nouveau sur le lit, le visage de père était redevenu paisible. Ernest habillait le feu de cendre. Je m'endormis.

Il y avait tant à faire en temps de douleur. Nous cherchions à le soulager. Son corps gelait malgré les briques chaudes que remplaçait sans cesse Ernest. Père ne prenait plus qu'une petite goutte d'eau de temps en temps et c'était un exploit de la faire glisser dans sa bouche sans qu'il ne s'étouffe.

— L'art d'aimer en ouvrant la main, c'est assez difficile, disait père lorsqu'il arrivait à souffler quelques mots... Desserrez vos douleurs, je cherche un chemin. Laissez-moi une fissure...

Une larme glissait de son œil pendant que la partie vivante de sa bouche esquissait tant bien que mal un sourire. Il me montra la signification de quelques signes, au cas où il perdrait l'usage complet de la parole.

— On pense le contraire, mais le malheur attache, le bonheur détache. Détachez-moi, soupira-t-il avant de s'endormir enfin.

Le cinquième jour, il y eut une longue accalmie. Un autre miracle, une autre vie, encore une. Il appela les enfants un à un en commençant par Orau. Père resta silencieux un moment. Il semblait contempler sa tignasse bouclée. Il voulut caresser ses cheveux, mais sa main ne put se rendre. Il lui demanda de fermer les yeux, sans doute pour lui éviter l'image difforme de son visage, et il prit sa main.

— Orau, mon aurore, mon petit allegro, mon beau petit... Chaque chose est une merveille. Quand tu es triste, espionne une merveille. Je te conseille les fourmis et les araignées, elles ne s'embêtent jamais.

Il le regarda un bon moment, et laissa échapper comme s'il s'adressait à nous tous :

— Il ne faut pas cesser d'avoir quatre ans sous prétexte qu'on en a cinq, ou sept, ou quarante-quatre, ou soixante et dix-huit. Orau, t'es l'aurore de ta maman. Va la trouver.

Il fit signe au petit Henk. L'enfant se précipita sur le lit. Il lui demanda d'approcher l'oreille et lui chuchota :

— T'aime bien coudre les boutons.

— Oui, grand-papa, répondit-il en s'efforçant de bien prononcer.

— Alors, je te donne mon chapeau de feutre. À chaque fois que tu feras une grande découverte, tu y ajouteras un bouton.

— C'est quoi une découverte ? demanda le petit.

— C'est la première fois que tu vois une chose assez pour savoir que tu ne l'avais pas vue auparavant. Aller de découverte en découverte, c'est le jeu du bonheur. Va mon petit. Ne t'habitue à rien.

Il appela Woute, mais un tremblement le saisit. Il montra la fenêtre du doigt comme s'il avait vu quelque chose d'étrange. Les enfants, sauf Ernest, coururent regarder. Il n'y avait évidemment rien. La tempête avait passé, il rappela l'enfant.

— Sept ans. T'es un grand bonhomme et t'es vraiment futé. Alors dis-moi un mot en russe.

— Bashmaki, surgit spontanément de la bouche de l'enfant.

— Tu parles des bottines de pèlerin que ton papa a achetées en Prusse et qu'il m'a données.

— Oui, grand-père.

— Elles sont à toi. Un jour, tu auras les pieds assez grands...

Une douleur le fit frémir. Il prit la main de l'enfant.

— Tu t'inquiètes, mon garçon... à cause du voyage en Prusse ?

— Est-ce qu'il faudra que j'apprenne le lituanien, tout le lituanien au complet ? demanda Woute.

— Non ! Il faut juste que tu apprennes deux mots par jour et c'est amusant. Tu prends une chose, tu demandes le mot à maman. Tu utilises la chose et tu apprends le verbe. En jouant, c'est facile. Avec cent mots, tu te feras des amis. Le reste viendra tout seul.

Le garçon resta assis au pied du lit. Magdalena s'approcha à son tour.

— Mon rayon de soleil, viens que je te voie...

Il voulut soulever la tête pour mieux la regarder, mais n'y arriva pas. La fillette comprit et approcha la figure à deux doigts de son nez en écarquillant les yeux comme si, de cette manière, elle allait lui redonner la vue.

— Le portrait de ta maman... Faut pas t'inquiéter, fille.

— Je veux pas que vous partiez, grand-père, commanda Magdalena, à qui père n'avait pas souvent dit non.

— Oui, mais moi j'ai un beau voyage à faire, répliqua doucement père en fronçant un peu les sourcils. Mademoiselle ma petite-fille, vous avez votre chemin, devenez votre capitaine.

Il fit un grand V sur son front et continua :

— C'est le V de la victoire. Tous les obstacles sont gros sous la loupe de la peur, continua-t-il, mais pour vrai, ce sont des tunnels de fourmis. Suis ton inspiration... dans l'obéissance de maman.

Une grosse larme tomba de la petite sur la joue de son grand-père.

— Ne pleure pas, fille. Je te donne mon compas d'astronomie et ma boussole. Tu as de si bons yeux. Regarde souvent l'étoile du Nord. J'y serai tous les soirs de la semaine, mais pas le dimanche. J'aurai beaucoup de travail parce que le commerce de la lumière, c'est pas très payant. Je regarderai de ton côté. Va maintenant, grand-papa n'a plus beaucoup de temps.

Il me fit signe de coucher les enfants, ferma un long moment les yeux. À peine un sifflement d'air indiquait qu'il restait avec nous. Mais son visage demeurait paisible. L'un après l'autre, les enfants s'endormirent. Ernest attendait son tour, assis sur le banc d'imprimerie. Père leva légèrement le doigt. Le garçon amena son banc près du lit.

— La chose la plus étonnante du monde, commença

père, c'est que tout cela finisse par nous apparaître naturel. À quelle force d'inertie succombons-nous pour qu'une telle variété dans le spectacle finisse par nous sembler banale ? Mon grand, il n'y a pas que le devoir. Le devoir peut rendre myope, l'amour est meilleur guide.

L'enfant ne pouvait dire un mot. Il semblait impassible, les yeux perdus. Père lui prit le poignet, resta un moment silencieux et continua.

— Mon garçon, même si un lapin meurt de faim, la carotte ne mûrit pas plus vite pour autant. Ta maman aura bien besoin de toi. Mais tu ne pourras devenir un homme en un seul jour. Fais-lui confiance. Les cachalots plongent, et très profondément, pourtant ils ne se noient pas. Ils vont simplement se nourrir dans les fonds. Ta maman est un peu cachalot. Mais elle remonte toujours... Mon capitaine, je te donne mes livres... Sauf mes manuscrits qui vont à Daniel... Ce sont des navires, pas des maisons... La question est de lier espoir et lucidité. L'espoir sans lucidité n'est qu'un rêve. La lucidité sans espoir n'est qu'une démission. Deux chemins faciles et sans fruit. Si tu les fais se féconder, alors naîtra la philosophie. Tu enseigneras la philosophie.

Il mit la main sur sa tête.

— Reçois ma bénédiction... Recevez ma bénédiction...

Une terrible douleur s'empara de lui. Son corps tressaillit. Ernest, apeuré, se leva brusquement, recula, restait hébété. J'étais moi-même incapable du moindre mouvement. Terribles étaient les tremblements. Il ne put retenir un gémissement. Trop épuisés, les enfants demeuraient plongés dans leurs rêves. La bourrasque enfin se retira. Cette fois tout le corps, sauf deux doigts de sa main gauche, était paralysé. « Ne t'inquiète », disaient ses deux doigts par mouvement de haut en bas. « Ne t'inquiète. »

La scène fut insupportable pour le garçon qui n'avait pas encore dix ans. Le silence qui s'ensuivit semblait tout glacé d'effroi. Je m'approchai de l'enfant, mis la main sur son épaule. Il se dégagea et alla se recroqueviller près du feu, tremblant, affolé. Je le rejoignis et le pris dans mes bras. Il éclata en sanglots. Je le berçai longuement. Il tomba finalement d'épuisement, la main si accrochée à mon châle de laine que je dus le lui abandonner. Je revins à côté de père, assommée moi-même de fatigue mais privée de sommeil.

Père sursauta. Il fit une petite croix sur ma main. Il n'y avait plus qu'un fil qui le retenait. C'est moi qui bloquais le fil entre mes doigts. Je ne voulais pas qu'il meure. Je ne voulais pas que la poulie se dévide. J'avais terriblement peur.

Toute ma vie, je l'avais passée chez lui, dans sa maison, dans son cœur, dans sa philosophie, dans son esprit. Il était mon contenant, ma sphère, mon école, ma terre. Que restera-t-il ? Ce n'était pas une mort, c'était un accouchement. C'était à moi de couper le cordon.

L'enfant allait-il survivre ? Que restera-t-il de moi ? « Il te restera ta nature féminine, m'avait répondu un jour père. J'empêtre ta nature féminine. Sors-moi un peu de toi. » Et il avait ri un bon coup. Mais moi je ne savais rien de ma nature.

Qu'est-ce que la nature féminine ? Tout est homme ici. Les maisons, les rues, les quais, les bateaux, les monuments, les politiques, les législations, les guerres, les traités, tout est masculin. Qu'est-ce qu'une femme, papa ? Que restera-t-il lorsque vous serez parti ? Ni mari, ni père, ni protecteur, ni pays, debout sur le pont d'un bateau en partance pour la Prusse, cinq enfants accrochés à la jupe... Papa, c'est pas un accouchement, c'est une tragédie...

Il fit une autre petite croix sur ma main. « Je pars pour que tu sois. Je libère ton chemin. » Je l'entendais sourire avec son doigt sur le dos de ma main. Mais je tenais le fil les deux poings fermés...

Toc ! Toc ! Toc ! On cognait à la porte. Par cette nuit, par ce froid ! J'approchai l'oreille.

— Qui est-ce ?

— C'est moi, Daniel, murmura une voix. Ouvre.

Ils entrèrent... Lui, Suzanna. Ludmila !

— Comment va-t-il ? demanda Daniel.

— C'est la fin, répondis-je.

Père avait entendu. Je le sus aux mouvements de ses deux doigts.

— Nous sommes ici, dirent ensemble Daniel et Suzanna.

— Je suis ici, lança Ludmila, en s'approchant du lit.

Tout le corps de père se mit à frémir. Des deux misérables doigts qu'il lui restait, il tentait d'avancer vers elle et le drap se chiffonnait dans sa main. Ludmila s'écrasa en sanglotant bruyamment au pied du lit.

— Chut ! intervins-je sèchement auprès d'elle, les enfants dorment.

Elle s'arrêta d'un seul coup.

— Pardon ma chère sœur ! s'exclama-t-elle en baissant le ton une syllabe après l'autre.

Je pris la main de Ludmila et la plaçai sous les deux doigts vivants de papa. Dès qu'il la toucha, tout son corps se mit à frémir de nouveau. Son râle se chargea de sang. Il étouffait. Je lui tournai la tête pour qu'il évacue le liquide. Je l'essuyai et il reprit son souffle. Ludmila avait détourné les yeux. Je dirigeai le visage de papa pour qu'il la voie. Enfin ! un peu. Son œil restait fixe. Ludmila se reprit et lui présenta sa figure. Une larme se forma dans l'œil de papa. Il cligna de l'œil et la goutte glissa doucement sur sa joue.

Il fit une petite croix sur le dos de la main de Ludmila. Elle ne comprenait pas. Je lui répétai textuellement ce que m'avait dit père : « La croix signifie : je t'aime ; le O : j'accepte ; l'immobilité : j'attends ; pas d'autres signes. Le non n'existe pas devant la mort. »

Alors elle dessina une petite croix sur la main de père. Mais lui laissa ses deux doigts immobiles et son œil redevint sec et perdu.

Le silence de plomb qui s'ensuivit réveilla Ernest. Il jeta un regard inquiet sur Ludmila, sa tante qu'il n'avait jamais vue. Il voulut s'approcher de père, mais longea plutôt le mur jusqu'à un petit tabouret sur lequel il monta et d'où il pouvait tout observer.

Père dessina une nouvelle petite croix sur la main de Ludmila. Elle répondit avec une autre croix, mais cette fois encore père resta immobile.

— Dis la vérité, chuchotai-je dans l'oreille de Ludmila, il ne sait rien.

Elle devint blanche, pantoise, le regard incapable de se fixer.

— De quoi parles-tu ? me demanda-t-elle.

Je me contentai de la regarder. Elle était plus belle que jamais : fardée, rosée, un peu en chair, mais la taille affinée par un bon corset. Elle portait une robe dentelée, colorée. Une parfaite catholique ! Elle regarda un instant les enfants endormis sur le paillasson, son neveu debout sur le tabouret...

— Daniel-Ernest, ah ! je ne t'imaginais pas autrement, t'es un vrai beau garçon, lui lança-t-elle en avançant dans sa direction.

L'enfant s'adossa au mur et croisa les bras devant lui. Elle ne se hasarda pas davantage et glissa son regard sur nous tous.

— Vous m'avez tellement manqué, prononça-t-elle d'une voix un peu tremblante.

Père laissa filtrer un gémissement, ses doigts se dressaient et s'abaissaient, son œil allait de droite à gauche, de haut en bas. Ludmila se jeta sur lui :

— Papa... Papa, pardonne-moi.

La main de père restait immobile. Elle se releva, nous regarda encore un moment.

— Mais quelle est ma faute ? Dieu ! Quelle est ma faute ? Dites-le-moi. Sans moi, vous ne seriez peut-être pas vivants aujourd'hui.

Père agita ses deux doigts. Je lui pris la main. Il la rejeta. Ludmila glissa sa main. Il dessina un rond bien net sur le dos de sa main, puis une grande croix et enfin il lui tapota la main de ses deux doigts et la pointe de son œil esquissa un sourire.

Elle ne comprenait pas. Moi, je croyais comprendre. Il lui pardonnait. Mais je ne comprenais rien du tout. Daniel, Suzanna et moi regardions Ludmila avec la compassion due à une enfant prodigue. Alors Père fit un grand V sur la main de Ludmila, puis un autre. Personne ne saisissait. Ernest frappa le talon sur le mur.

— Explique, lui demandai-je.

Il se jeta sur moi en pleurant. Le visage de père se couvrit de sueur, son œil s'agitait. Il fallut à nouveau le libérer du sang qui s'accumulait dans ses poumons. Je revins à la charge.

— Explique, mon garçon, explique-nous.

— Vous ne comprenez rien... (Et il se mit à pleurer.) Il a fait le signe à Magdalena. Grand-papa... balbutiait-il. Il veut... Il veut qu'on se détache du mât.

— Mais de quel mât parles-tu ? lui demandai-je.

— Ludmila, elle a fait ce qu'elle croyait le mieux... Nous autres, on tremble de peur. On ne fait pas confiance. On reste attachés au mât.

Père mourait et nous étions devant lui, incapables de saisir le premier écu de son héritage. On se disputait en complète contradiction avec l'a b c de son éducation : laisser à chacun sa sincérité et il sera dans la meilleure position pour trouver son chemin. Père n'avait pas besoin que Ludmila lui dise la vérité. Il n'avait pas besoin de ses aveux. Il n'avait jamais abandonné sa confiance ni pour Ludmila, ni pour chacun d'entre nous, même dans les pires moments. Il allait rendre son dernier souffle et nous restions désemparés par la peur.

Le garçon s'approcha de son grand-père.

— Grand-papa, cria-t-il, ne pars pas, capitaine n'est pas prêt.

Père dessina une petite croix, comme pour nous bénir. Ernest, debout, les épaules appuyés sur mon ventre, retrouva son calme. Le râle de père reprit un rythme régulier. Alors Ludmila s'agenouilla près de père et lui raconta tout. Sa peur de la pauvreté et des persécutions, sa jalousie vis-à-vis de Pavel, ses aventures, ses manigances... Elle étouffait ses larmes dans ses cheveux.

— Je ne peux pas supporter la pauvreté et la misère, papa, termina-t-elle en gémissant, je ne peux pas.

Les enfants se réveillèrent. Ils comprirent tout de suite que la dernière prière allait commencer, alors ils montèrent sur le lit en silence, s'assirent comme une couronne de fleurs sur le drap blanc.

Daniel entama un cantique :

Je Lui laisserais volontiers abattre la hache sur ma tête,
s'Il voulait seulement répondre à ma peine,
Lui, qu'on dit « Amour ».

Pourquoi me montre-Il sa boucle de cheveux
mais jamais Son visage ?
Pourquoi ouvre-Il mes entrailles
mais jamais ne les emplit ?
Pourquoi un jeu si cruel ?

Le silence se gonfla du souffle devenu presque imperceptible de papa. Il y avait de longues intermittences entre chaque respiration. Son visage peu à peu s'illumina. La paralysie semblait l'avoir quitté. Toute sa peau s'adoucissait autour des sourires qui se formaient aux pointes de ses yeux et de sa bouche. Jamais je ne vis autant de paix sur un visage. On aurait dit la Moravie au printemps, ses champs de blé, ses arbres solitaires, ses oiseaux et ses fleurs jaunes.

— Papa, soupirai-je involontairement, tu peux partir.

Ernest me serra la main.

— Capitaine est prêt, lança-t-il courageusement.

Le visage de papa s'immobilisa et son regard perdit sa dernière étincelle. Daniel se mit à genoux. Nous fîmes de même. Les enfants se donnaient la main. Le silence murmurait. Une rivière rigolait entre les pierres. Des mousses et des bulles se tiraillaient entre les fils blancs de l'onde. Une verdure épaisse, des cèdres, une ribambelle de muguets jouaient dans la lumière. Deux alouettes se poursuivaient. Entre les poljés d'herbages et de pâtures, des marais ouvraient leurs grands yeux noirs. Les mots, sur les choses, se desserraient et les couleurs s'élançaient comme des feux de Bengale.

Ernest me prit un doigt.

— Je prendrai soin de toi, maman.

— Non, mon petit, lui répondis-je. Je suis ta maman et tu as encore bien besoin de moi. Préparons le déjeuner...

Ludmila trouva une auberge à deux pas de Westerkerk. Elle resta jusqu'au jour de l'enterrement. Daniel et Suzanna préparèrent père à recevoir ses dernières visites. Le panneau funéraire fut cloué sur le cadre de la porte. Quelques pasteurs et leur épouse vinrent pour une brève prière.

Le corps fut enterré à Naarden en raison d'une entente entre la famille de Geer, qui ne voulait pas mettre trop de frais, et le pasteur de la communauté. Une petite annonce à la fin dans le *Hollandse Mercurius* stipulait : « Le célèbre Jan Amos Komenský, dit Comenius, est mort à Amsterdam et enterré à Naarden en ce 15 novembre. » Nous étions en l'an 1670 et la neige tardait à venir.

Il avait été dépouillé de tout, vraiment de tout. Jamais lumière ne fut si cruellement affranchie de toutes ses membranes et de tous ses filaments. Jamais lumière ne fut si gonflée de ténèbres et des couleurs du sang.

S'il fallait préparer un oisillon pour les ailleurs les plus vastes et les plus troubles de l'amour, s'il fallait le dépouiller jusqu'à la moelle, le rendre aussi transparent que la nuit la plus froide de l'hiver, s'il fallait durcir les os au feu, polir le cœur à la meule, assouplir les plumes au marteau et nettoyer l'esprit jusqu'à ce qu'il ne reste plus que le noyau d'une confiance nue, s'il fallait atteindre l'absolu de la pauvreté, alors la chose était faite. Partout où cette étincelle se fixera, elle brillera, elle réchauffera, elle fécondera, mais ce ne sera pas sans douleur.

Conclusion

Le printemps s'annonçait, mais le froid restait mordant. Bien que j'avais cousu pour les enfants des manteaux bien propres dans ceux de feu mon mari et de dame Johanna, l'hiver les avait usés et notre accoutrement devait paraître assez pitoyable. J'avais pincé les joues des enfants, mais nos mines demeuraient pâlottes. Heureusement, la femme du pasteur nous avait donné de fiers chapeaux.

Les quatre petits accrochés à ma jupe, mon Ernest à la main, je frappai pour la première fois à la porte de la grande maison de la famille de Geer. Le hall s'élevait aussi large et aussi haut que notre maison entière. Les poutres de plafond faisaient au moins une coudée et demie de largeur et elles étaient rabotées et décorées sur leurs trois côtés. D'immenses fenêtres habillées de velours et de mousseline de soie montraient le canal comme dans un brouillard de couleur.

Dans tout cet espace circulaient une odeur de pain et une chaleur d'été. Le serviteur ne voulut prendre ni nos chapeaux ni nos manteaux. Il nous entraîna dans une pièce attenante et se retira sans dire un mot. Je crus que la pièce était vide. Un feu crépitait dans la cheminée. J'allais m'approcher avec les enfants, mais d'un énorme fauteuil qui était dos à nous et face au feu, j'entendis tousser. Le siège se retourna comme par magie.

La très vieille femme, recroquevillée et tordue par l'arthrite, semblait si petite dans son étrange bergère à roues que j'eus le réflexe de mettre un genou par terre pour être à sa hauteur. Les enfants enlevèrent leur chapeau. Elle me présenta une énorme bague d'un seul diamant. Je n'osai y mettre la bouche. Elle secoua la main.

— Chère enfant, votre bateau part demain, m'annonça-t-elle, en insistant sur le mot « chère » mais en jetant un regard plutôt dédaigneux sur les enfants.

J'ouvris la bouche...

— Ne me remerciez pas. Il est de bonne famille de faire la charité. Vous n'aurez aucune dépense jusqu'à Memel. Vous serez reçus par votre communauté. J'ai fait avertir. Bon voilà...

— Je laisse donc le ciel vous remercier madame, lui répondis-je poliment.

J'allais me retirer sans plus. Mais, me retournant, je vis mon Ernest qui inclinait la tête et les plus petits regardaient leurs pieds en tripotant leur chapeau. Alors je me retournai :

— Il me ferait honte à moi et à ma famille, lui répondis-je, d'avoir profité de toutes vos bontés sans rien vous donner en échange.

J'arrachai la bague de maman de mon doigt. Glissant le regard sur toute la circonférence de la pièce, je cherchai... Je vis un petit crucifix de bronze avec un Christ en or sur un bureau. Je passai l'anneau au cou de Jésus.

— Regardez les enfants ! Maintenant, l'amour couronne la charité et madame de Geer pourra se réconforter lorsqu'elle pensera à nous. Il faut maintenant lui donner un souvenir plus précieux encore. Montrez votre visage et chantons, à madame, le cantique du merci.

Les enfants s'y appliquèrent comme pour un anniversaire. Suite à quoi, chacun alla embrasser madame de Geer bien courtoisement. Assurément, notre protectrice aura de beaux souvenirs pour ses moments de solitude.

C'est en sortant que je me suis rendu compte que quelque chose avait changé en moi. L'inquiétude m'avait quittée.

Quinze autres années furent nécessaires avant que je prenne la plume pour entreprendre ce récit. L'écriture n'était pas mon affaire et je n'en avais d'ailleurs pas le loisir. La communauté de Memel nous accueillit à bras ouverts. On y vivait en grandes maisons blotties sur le bord de la Baltique. Le poisson abondait et nous en avions tous les jours. De surcroît, la communauté disposait d'une enclave de bonne dimension qui produisait en abondance du grain et des légumes. La servitude de passage consistait à recevoir les enfants du propriétaire dans l'école de la communauté et c'est là qu'on espérait que je fasse réputation.

La chose ne fut pas facile, mais aucun obstacle ne fut insurmontable. Le premier atout venait de l'absence de guilde bourgeoise dominante. Depuis la disparition de Bogislaw, le « bienfaiteur » de Toscana, dont on était sans nouvelles, la règle du partage propre aux Frères était appliquée avec sérénité. Monsieur mon mari y avait mis beaucoup de soin. Les plus riches estimaient le bonheur social comme un bien personnel. Ils n'auraient pas troqué un fragment de la sécurité qu'ils en tiraient pour une milice de trente hommes armés jusqu'aux dents.

Le deuxième atout venait de l'importance que la communauté accordait à l'éducation. Il me fut facile de recruter un petit groupe de parents très doués, de compléter leur formation et de leur enseigner soigneusement la pratique de la pédagogie. Je tentai mille recherches pour retrouver ma fille adoptive, elle nous aurait tant aidés. Plusieurs croyaient qu'elle et son maître avaient péri dans une traversée vers l'Angleterre.

Les débuts de l'école furent assez lents. Je devais

consacrer beaucoup de temps à l'éducation de mes propres enfants. La dépense fut profitable. L'entreprise devint familiale. Henk excellait dans les sciences et les mathématiques. Woute avait une facilité étonnante dans les langues. Magdalena était plus lente de mémoire et de raisonnement, ce qui nous donna un grand avantage. Elle comprenait si bien certaines indispositions de l'esprit que les enfants les moins doués avançaient sans jamais ressentir d'opprobre. Elle nous guidait souvent en pédagogie. Ernest manifestait des talents remarquables d'organisateur et d'orateur. J'en fis en peu de temps mon adjoint.

Tous connaissaient le lituanien, le russe et le polonais en plus de leur langue, du latin et d'un rudiment de grec. Les sciences de la nature étaient à l'honneur et chacun pratiquait un métier d'art de son choix. Notre école devenait fameuse et certains de nos élèves venaient de Tilsit et même de Königsberg. La pension rapportait, ce qui permettait l'achat de livres et l'assistance à ceux qui éprouvaient le plus de difficulté.

Mais les chemins de montagne ne sont jamais sans crevasse. Durant le troisième hiver après notre arrivée, une épidémie de fièvre emporta un grand nombre d'enfants. Mon petit Orau dut prendre le chemin de la dernière école avant ses huit ans. Il le fit courageusement, nous assurant que son grand-père l'attendait, qu'il venait durant son sommeil et lui montrait toute sorte de merveilles qu'on ne voit que sur les étoiles.

Trois jours avant son départ, il repassait sa dernière leçon de mathématique, il ne voulait pas arriver ignorant devant le bon Dieu. Nous traversions un moment difficile de l'organisation de l'école et le bambin voulait nous aider.

— Maman, je vais enseigner la musique dans ton école, affirma-t-il à un moment où la fièvre avait diminué.

Je lui parlai de son papa qu'il avait à peine connu.

— Il t'apprendra, concluai-je.

Je ne pouvais aller plus loin, j'étouffais de douleur.

— Maman, regarde par la fenêtre...

Sa voix était à peine audible. Je me levai pour aller regarder et surtout pleurer. Au retour, il nous avait quittés.

Comme il n'y a pas de deuil possible pour la perte d'un enfant et qu'aucun pansement ne peut couvrir une telle blessure, Orau restait avec nous. Au début, c'était un couteau au cœur et puis ce fut un trou béant, une sorte de caverne qui donnait de la résonance au moindre mouvement de l'âme.

Je ne sais comment il s'y est pris, mais il finit par être effectivement le professeur de musique de l'école. Magdalena, qui n'avait pourtant aucun talent particulier de ce côté, se mit à exceller à l'orgue et au chant. En moins de deux années, elle apprit la plus grande partie du répertoire de son papa. Chaque matin, elle soulevait l'école d'une musique toujours gaie et d'un refrain de circonstance. L'air et le rythme nous restaient, facilitant la mémoire, éclaircissant l'intelligence.

Memel produisait des élèves si avancés qu'un nombre inhabituel recevaient des propositions de généreux donateurs pour leurs études supérieures, d'autres trouvaient des places d'apprentis dans les meilleurs ateliers d'Europe et de Russie. Beaucoup revenaient, enrichissaient la communauté d'esprit et de biens. La vie s'adoucissait.

Mais le plus grand bonheur du quartier consistait à préparer des groupes de familles pour essaimer un peu partout dans le monde en vue de répandre la paix par l'éducation à la justice et à la tolérance. Qui, pour la Slovaquie, qui, pour l'Angleterre ou pour la France ? De l'Angleterre, des groupes partaient pour les colonies britanniques d'Amérique.

Ernest devint prédicateur à la cour de Prusse. Il fut nommé *senior* et voyagea beaucoup en Russie avec son frère Woute. Il fonda une petite communauté à Kiev où la famille du tsar et les érudits des grands collèges connaissaient fort bien l'œuvre de révérend mon père. Il était même question de fonder une ville, au nord, sur le delta de la Neva, afin de garantir le commerce russe dans la Baltique. Ernest et Woute seraient de la première colonie avec mission d'inspirer la fondation des écoles.

Du côté de l'Allemagne, les choses n'allaient pas aussi bien. Huit mois après la mort de père, Nicolas Drabik se rétracta formellement de toutes les prophéties qu'il avait faites et se convertit au catholicisme. Nombre de familles des Frères suivirent son exemple. D'autres, par dépit, se firent calvinistes.

À Amsterdam, Daniel avait été chargé, avec l'aide d'un certain Christian Nigrin et d'un lettré du nom de Paul Hartmann, de préparer la *Consultation* pour l'impression. Mais rien ne put être achevé, faute de moyens. Daniel décida finalement de se rendre en Hongrie. Sous l'impulsion de Suzanna et la protection habile de Ludmila, la communauté de Leszno reprenait vie.

Malgré l'échec apparent du côté de l'ouest, dans toute l'Europe catholique et jusqu'au Pérou, les jésuites utilisaient, sans en faire l'étalage, les ouvrages scolaires de révérend mon père et empruntaient à sa pédagogie. Malheureusement, ils la tournaient souvent à des fins doctrinaires. Ils oubliaient l'essence même : l'éducation à la liberté.

Il faut dire que nombreux étaient les ennemis de père. Marhof écrivit : « La pansophie du Bohémien n'est qu'à demi terminée... Ses manuels sont pleins de barbarismes... Il a tenté de faire une physique en accord avec la Bible ! » Et on lisait dans l'encyclopédie de Bayle : « On ne saurait assez louer notre Desmarets de sa vigueur contre les enthousiastes et contre les annonciateurs de grandes révolutions. On a pu voir comment il poussa Comenius dans la fosse. Sa somme pédagogique in-folio divisée en quatre parties coûta beaucoup de veilles à son auteur, et beaucoup d'argent à d'autres. La République des lettres n'en a tiré aucun profit ; et je ne crois pas même qu'il y ait rien de praticable dans les idées de cet auteur. »

Néanmoins, Ernest m'envoie régulièrement des copies de sa correspondance avec un certain Leibniz, un philosophe allemand qui s'intéresse beaucoup à la pensée de père. Cependant, il me semble que l'essence de la philosophie de père n'a pas trouvé de terre propice. Aussi, j'ai pris sur moi de déposer une copie complète de sa *Consultation* dans une bibliothèque d'un orphelinat de Halle, en Allemagne, où je connais un archiviste sûr.

Rien n'a changé au royaume des guerres sinon que les canons sont de plus en plus gros. Peu importe, pour le moment, c'est sur cette terre que je vis, et je trouve grand bonheur à prendre chaque enfant comme un commencement et comme une utopie. J'ai fait école quinze années à Memel, sans repos ni trêve, mais dans un bonheur que je ne croyais pas possible en ce monde.

Et puis, un matin d'avril 1685, un messager venant d'Amsterdam m'apporta cette lettre datée de l'année précédente et venant de Philadelphie en Amérique :

« Très chère maman, je t'ai blessée droit au cœur, mais la flèche vient tout juste de me toucher, trois mois après la disparition de Juliana, ma fille unique. Je l'ai giflée en plein visage, je ne sais même plus pourquoi. Elle s'est enfuie, on ne l'a plus revue. Il a fallu que le drame aille au bout de lui-même pour que se fracasse enfin le cercle de cette violence. Alors pardonne-moi. Je t'écris parce que j'attends une lettre de ma fille. Je t'écris parce que je t'ai fait mal.

C'était au début de l'hiver, elle n'avait que treize ans. Aujourd'hui, le printemps arrache ses vêtements de neige et de glace et moi, je rapièce mon cœur... ce qu'il en reste. En regardant de près, je vois bien que c'est le tien, celui de maman Claire, celui de tant de mères, celui de toutes les mères, car les enfants ont pour mission d'essaimer le sang. Il n'est pas nécessaire de le faire si cruellement. C'est à cause du cercle. Si j'avais réparé mon cœur dès le départ, Juliana ne serait pas partie, je ne t'aurais pas quittée si tôt, je n'aurais pas poussé le fils du maïeur en bas de la falaise... Mais c'est dur de ravauder ses propres chairs. Alors les cercles roulent comme des tonneaux dans un torrent et se frappent les uns sur les autres.

Je ne t'écrivais pas parce que je ne pouvais pas m'imaginer te manquer. Toscana, manquer à quelqu'un ! C'était impossible. J'étais forcément en trop. J'étais un poids, mais j'étais surtout un danger, un baril de poudre. Je suis partie pour t'éviter l'explosion. Aujourd'hui, j'aimerais tellement que ma petite Juliana m'explose à la figure...

... Trois jours sont passés, je reprends la plume. Depuis le plus loin que je me souvienne, j'étais en colère, mais ne le savais pas. Je ressemblais à une bûche dévalant un torrent : je roulais dans les eaux, je sombrais dans les chutes, je me frappais sur les pierres. Tant que je me tenais dans la bûche, avec les larves qui l'habitent, j'obéissais aux flots, je transmettais la colère.

Il a suffi d'un geste de Bogislaw, le commerçant de Memel, et le barrage a cédé d'un coup. Ma main a saisi le tisonnier. J'ai frappé, frappé. Il avait le crâne ouvert et je frappais encore... pour ma mère, pour ses trois années de viol, pour les humiliations, les diffamations, la honte, pour toute la rage du monde. Toute la fureur du torrent passait à travers mon bras.

Il y avait un couteau sur la table et j'ai eu peur. Ma main voulait le saisir et le tourner contre moi. Je me suis enfuie. J'ai rejoint le bois, couru à travers la forêt. Je courais, mais j'étais toujours là, à deux doigts de moi. Mon chemin est devenu très difficile.

Je me suis retrouvée parmi les détrousseurs de chemin. J'y étais chez moi. En chemise et culotte, je fonçais comme une tigresse. J'avais la lame facile et la main prompte. Je livrais plus de butin qu'un garçon. Je tuais comme un soldat. J'étais un homme, j'étais un guerrier.

En fait, j'étais la dernière des rouées, menée au sifflet par le plus minable des paillards qui m'utilisait de toutes les façons que tu imagines. On se tenait gris toute la journée, ne craignant qu'une chose : manquer de vin. Finalement, je dois beaucoup à cette brute. Il était si dur au fouet, si dégoûtant au lit, si lâche au combat, qu'il finit par me réveiller.

Je fis un gros rouleau avec ma couverture et mon manteau, lui remis entre les mains, enfonçai une bonne bouteille d'eau-de-vie dans le rouleau, pris son pistolet et disparus dans l'obscurité. Mais lui, il s'était insinué dans mes entrailles. Je portais son enfant. Je portais sa vengeance.

Grâce aux leçons de grand-père, je pus survivre de longs mois dans les futaies et les taillis d'Angleterre, me faufiler jusqu'à Londres où un brave pasteur m'accueillit, moi et mon bébé. C'est dans la forêt, en luttant chaque jour contre la faim, les bêtes et le désespoir que j'ai finalement choisi la vie.

Mère chérie, tu te souviens sûrement du cachot de Sárospatak. En pointant la marionnette façonnée avec mes vêtements souillés, tu m'avais demandé : "Et elle, la petite pauvrette qui est là, tu veux la tuer aussi ?" Au cœur de ma misère, l'image m'est revenue. Oui ! je voulais la tuer, et combien ! Mais je ne le pouvais pas parce que c'était moi la marionnette et que les marionnettes, ça ne décide rien. Alors les chiens et les loups m'ont ballottée dans leur gueule pour le simple plaisir du jeu. Et moi, je regardais le spectacle, je savourais le spectacle : la petite Toscana avait ce qu'elle méritait.

Un matin particulièrement froid, à genoux sur deux grands arbres tombés au travers d'une rivière, je guettais le poisson. L'enfant que je portais me donnait des coups au ventre. J'avais faim. Je me suis souvenue... C'était à Amsterdam, quelques mois après la naissance d'Ernest, je m'étais réveillée avant l'aube, tu n'étais déjà plus dans ton lit. Grand-père s'était levé lui aussi et s'apprêtait à sortir. Voyant que je ne dormais pas, il me fit signe de venir avec lui.

Discrètement, nous t'avons suivie jusqu'au petit pont de Westerkerk. Derrière un parapet, nous te regardions. Grand-père m'expliqua que tu présentais ton petit Ernest au ciel. Tu inspirais la confiance et, lorsque tu as donné un bon coup de pied sur le panier d'osier, j'ai senti que tu t'étais décidée à dire ton mot dans toute cette histoire.

Grand-père me commenta en détails l'histoire de Moïse, les signes de sa naissance et pourquoi sa mère l'avait abandonné aux flots du Nil. "Il est vrai, dit-il, que Dieu nous a livrés aux forces périlleuses de la vie. Il est vrai que nous dérivons au gré des hasards et que nous n'avons qu'un misérable rameau en guise de gouvernail. Cependant, rien ne vaut le plaisir de donner de temps à autre un solide coup de pied au destin."

Ce souvenir m'a soutenue tout le long de l'accouchement. Dans la forêt, j'ai présenté moi aussi mon bébé au ciel et j'ai prononcé les paroles sacrées. Et le ciel m'a aidée...

Dans la tranquillité et la sécurité de mon petit domaine en Amérique, Juliana grandissait. L'amour engage la mère et l'enfant sur un chemin de séparation progressif et lorsque les parois s'éloignent, dans la plus grande des sérénités, un monstre lève la tête, il s'appelle la liberté. Rien n'est plus terrifiant que la géométrie en forme de gouffre de cette bête. Rien n'est plus effrayant qu'apprendre à coups de revers que nous sommes faits de cette si étrange substance.

Dieu ne nous a pas créés, il a simplement enfoui dans les bûches et les souches qui dévalent le torrent le pouvoir de leur propre création. De la marionnette de départ, il nous appartient de faire un affranchi. J'aurais voulu accompagner Juliana sur ce chemin, mais je ne l'avais pas traversé moi-même.

La souche qui dévale la chute se croit libre, cependant, elle obéit jusqu'aux moindres détails. Je l'avais empoisonnée à même le venin qui coulait dans mon lait. Je lui avait transmis ma colère. Parce que j'étais en retard sur ma liberté, je n'ai fait qu'aggraver son esclavage. Elle marche sur mes traces, menée par l'impératif de les éviter !

Maintenant qu'elle n'est plus là, le gouffre s'agrandit. Je t'écris pour appeler le souvenir de ton visage. J'ai besoin de ton regard comme d'un sang nécessaire...

... Je reprends ma plume. Toute la semaine, j'ai jonglé avec une corde. Je l'ai finalement jetée au feu. Je mourrai de toute façon. Je voudrais mourir en regardant la mort en face, je ne veux pas qu'elle me voie de dos. Je voudrais qu'elle sache que parmi les bûches et les souches qu'elle avale, l'une d'entre elles lui donnera mal au ventre.

Hier j'ai vu le visage terrifiant de ma liberté. Que je sois le résultat d'un viol, que mon visage et mes cheveux aient rappelé chaque jour à maman ce viol, que sa souffrance m'ait traversé le corps, je ne l'ai pas choisi. De puissantes forces mènent le drame. Mes mains avaient reçu le mandat de me tuer dès lors qu'elles seraient à cours de moyens de me faire souffrir.

Ce passé qui rampe dans ma mémoire, je n'en ai pas déterminé les matériaux, mais c'est moi qui en extrais le fiel. Malgré tout, je m'organise toujours pour que l'héroïne s'en sorte. Il faut en déduire que l'amour gagne... Maman ! Je suis là. J'ai peur...

... Une autre nuit sans dormir... Prenant conscience que j'ai écrit moi-même la plus grande part des pages de mon histoire, le paragraphe qui vient me fait trembler. Ce sera mon premier paragraphe rédigé en toute liberté. L'effroi est d'autant plus tragique qu'il est impossible de soulever la main ou de freiner le mouvement du temps. Le papier de la vie glisse comme un rouleau, la plume trace à l'encre indélébile son filet noir. On ne sait pas quand on arrivera au bout du rouleau. On ne maîtrise que le jeu du poignet. C'est l'énormité de la petitesse de la liberté.

... Un autre printemps est arrivé, je reprends pour une troisième fois la plume. Je crois que cette fois sera la bonne. Quelque chose s'est passé. On ne traverse pas en vain quatre saisons dans le silence, à écrire une lettre. Peu à peu, le vide et l'angoisse de son absence se sont transformés. Non pas que la douleur ait diminué, mais elle a engendré.

Tant pis pour Juliana, j'ai décidé ce matin d'être heureuse.

Un jour, un pasteur venant de Memel m'a parlé de toi. Il m'a dit que tu rayonnais de bonheur. Il ne savait pas que tu avais une fille adoptive, personne ne lui avait parlé de moi. J'étais blessée. Je m'attendais à ce que mon absence te fasse mal...

Nous avons la mémoire remplie de leçons dont nous ne dévorons que le fiel, laissant pour plus tard le suc. Aujourd'hui, cette dernière leçon, la plus importante que tu m'aies donnée, est arrivée à terme.

... Je reprends la plume en sachant que ce ne sera plus jamais la dernière fois. Écrire me rapproche de toi, mais surtout de moi. Je suis tombée en amour avec cette jeune femme au cheveux en broussaille toutes griffes devant.

En déposant mes deux sacs de plomb, j'ai réalisé que mes deux mamans m'avaient aimée bien plus que leur vie et que c'est pour cela que je voulais leur écorcher un peu le cœur. Comme j'avais déjà blessé la première, il me restait à me venger sur la deuxième. Mais là, tu t'es bien vengée. Ton amour est entré chez moi comme un ballon qui gonfle. Il est devenu si énorme. Il a distendu les parois de mon cœur, il a fait de ma chair une peau aussi tendue qu'un tympan. Je me mets à entendre les fleurs prier.

Un nouveau printemps se dégage de ses ladres de neige. L'herbe verte affleure par-dessus les pailles écrasées. Un lièvre encore tout blanc dresse les oreilles sur un tronc. Au loin le velours des bruyères scintille. Trois énormes hêtres ébranlent leurs bourgeons dans la pulpe du soleil levant. Une volée de merles s'affole dans une nuée de moucherons. Quelques cadavres de feuilles roulent dans le vent. Un garçon galope sur un cheval tacheté. Une mare d'eau brune, dans sa réflexion, digère les nuages du ciel. Mes yeux caressent les sédiments des saisons. Combien d'écorces se décomposent dans ce paysage qui monte vers le printemps ?

Le ciel brûle chaque soir son cœur devant la maison. Depuis le début, des femmes débarbouillent des bébés sous le visage sombre du firmament. Depuis toujours, des femmes et des hommes se dépêtrent de leur mémoire dans des rivières de montagne. Je plonge les racines dans le limon de ceux qui se sont délivrés. Je déguste sur leurs lèvres la poésie de leur présomption. Il ont fait preuve d'un pouvoir démesuré de fabulation, mais il en est sorti plus de vérité que dans tous les froids des culbuteurs de raisonnements.

Maman, je veux faire partie des saules pleureurs. Je veux tremper mes cheveux dans le bassin des cimetières. J'ai besoin, ce matin, de soutirer des coquilles de mes ancêtres, le musc de leur élan d'amour.

C'est dans les profondeurs que les racines ramènent à l'intelligence les mémoires furibondes des exilés. Je ferai partie des mères vives. J'affranchirai ma lignée de ma lie.

C'est au cimetière, là-bas, que j'irai demain déposer mes derniers sacs de plomb. C'est ici, devant la maison, que j'élèverai mes branches par goût des oiseaux. Je montrerai à Dieu ce qu'il obtient sous le pressoir. Je surmonterai son absence. Je m'enroulerai comme une liane à son bras. J'ai été trop longtemps sans lui envoyer de mes nouvelles. Je vais planter mon aiguille dans sa poitrine et je m'abreuverai aux larmes qu'il me doit.

Très chère maman, lorsque tu me reverras, je serai heureuse. Je te le jure.

Bientôt toutes les mamans du monde danseront une farandole. Elles tiendront, à droite la main de leur mère, à gauche la main de leur fille. Les guerriers se volatiliseront parce que les vengeances auront fondu dans le cœur des femmes.

Ta petite fille, ton enfant chéri. »

J'ai marché sur le bord de la mer, je ne sais pas combien de temps. C'était au début de l'été, l'air était tiède. Tout s'apaisa peu à peu et je me suis assise sur un tronc. Le silence était complet. Les mots avaient enfin abandonné les choses. L'annonciateur s'était tu. Le démon avait fui. Le paradis m'enveloppait. Il était tout le contraire de ce que j'aurais voulu.

Les vagues martelaient doucement la plage, ramenaient à chaque élan une rigolade de bulles. Quelques petits grains de sable dansaient ici et là sur un coussin de vent. Une fourmi transportait une chenille en titubant.

Dix orteils au bout de mes pieds dormaient les uns contre les autres. Je sentais mon ventre, l'épaisseur de mon utérus, la lourdeur de mes seins, la pression de mes coudes sur mes genoux. Le battement de mon cœur lançait de petites étoiles devant mes yeux. Mes poumons étaient chargés d'eau, ma respiration, sifflante. Nubile, je n'étais plus. La fatigue m'engourdissait.

J'avais donné cinq enfants, les avais nourris de mon lait et de tout ce qu'il y avait de sang en moi. J'en avais introduit une autre dans mon corps. Elle s'était arrachée à moi par une force impossible à maîtriser, une force qui venait de trop loin. Ce fut mon plus difficile accouchement. J'avais été une mère jusqu'au bout.

J'avais aimé deux hommes, celui qui m'avait donné la vie et celui qui m'avait donné l'amour de la vie. J'avais obéi sans réserve. Je les avais perdus. J'avais tenu le coup. J'avais été une mère jusqu'au bout.

Je venais de recevoir ma récompense. Une telle récompense dans un cœur si usé, c'est mortel. À mon tour de ramener les battants de mes fenêtres et de plonger. Tout est accompli.

Le premier titre de mes œuvres est prêt à être rangé sur sa tablette. Les dieux pâlissent de jalousie lorsqu'ils ouvrent un des livres du marais.

Mon cœur est encore gros du monde. Papa est derrière moi, je sens ses mains sur mes épaules. Il me tient à bout de bras sur le petit pont de bois en face de Westerkerk. Il me laissera tomber dans le vide, c'est pour cela qu'il est venu avec le panier d'osier.

On finit toujours par se retrouver dans un moïse sur une rivière qui ne dit rien de là où elle va. Mais mon moïse a des ailes maintenant et un terrible désir d'envol.

Voilà, je suis enfin prête pour la noce.

Notes biographiques

Ces notes biographiques sont principalement inspirées par les travaux d'Olivier Cauly (voir suggestions bibliographiques), un auteur que nous estimons beaucoup pour la signification qu'il donne à la vie et à l'œuvre de Comenius.

Jan Amos Komenský (Comenius) est né en 1592, d'une famille bourgeoise, à Nivnice aux environs de Uherský Brod en Moravie (est de la République Tchèque actuelle). La Moravie d'alors constituait un des ultimes remparts contre la menace turque. Par tradition, la Moravie restait attachée aux principes de la liberté.

En 1592, la Moravie disposait d'une autonomie garantie par la Constitution. Catholiques, luthériens, calvinistes, antitrinitaires, anabaptistes et l'Église de l'Unité des Frères (à laquelle appartenait la famille de Comenius) cohabitaient sans trop de tensions. Une telle libéralité ne plaisait pas à tous. Les Habsbourg (catholiques) s'en irritaient.

Malgré ces tensions, l'Église de l'Unité jouissait d'une pleine indépendance et disposait de ses propres institutions et écoles. Il ne faut pas confondre cette Église avec une secte luthérienne ou calviniste. Ses racines sont plus profondes. L'Église de l'Unité prolongeait l'aile modérée et pacifiste des disciples de Jean Hus (le Jeanne d'Arc tchèque).

L'Église de l'Unité, bien qu'alliée aux calvinistes, ne partageait pas, loin s'en faut, leur conception de la prédestination ni leur vision pessimiste de l'homme pécheur. Il ne s'agissait pas d'un mouvement bourgeois, mais paysan. Les Frères avaient développé une véritable théologie de l'égalité et de la liberté qui déboucha, sous l'impulsion de Comenius, sur un sens profond de la démocratie universelle.

En 1602, le père de Comenius meurt. Sa mère et ses deux sœurs le suivirent deux ans plus tard. Une tante à Straznice accueillit l'enfant. Mais une invasion hongroise incendia la ville. Comenius trouva refuge chez un oncle à Nivnice. Lorsque les troupes de Bohême et de Silésie vinrent en renfort, ils ne firent que piller ce qui restait à piller. La population, ruinée, terrée dans des caves, fut décimée par la peste.

Chez son oncle meunier, Comenius vécut une adolescence de paysan, fréquenta peu l'école et participa aux travaux des champs. Il ne reprendra sa scolarisation qu'à seize ans, à l'école latine de l'Église de l'Unité de Přerov.

Durant ce temps, la recatholisation allait bon train avec l'arrivée des écoles jésuites. L'éducation était devenue une arme. Comenius sera d'autant sensible à la pédagogie qu'il revint à l'école en pleine adolescence.

L'école de l'Unité fonctionnait sur le mode coopératif. En plus de la formation générale, la pratique d'un métier y était obligatoire. Comenius acquit l'art de l'imprimerie.

En 1611, sous la protection de Charles de Žerotín, il était choisi pour être futur pasteur et désigné pour faire ses études supérieures à l'université de Herborn (calviniste). À Herborn, le millénarisme faisait partie de la machine de guerre idéologique des protestants. L'Antéchrist (le pape) sera, croyait-on, délogé par le Christ lui-même. Ce millénarisme sera sans cesse reporté par un Comenius constamment déçu par les événements.

Comenius avance l'idée que le mal n'est pas dans la nature de l'homme. L'homme est pour ainsi dire inséminé de violence par une éducation qui se confond avec l'endoctrinement.

En 1613, après un bref voyage en Hollande, Comenius s'inscrit à Heidelberg. À la bibliothèque du château, Comenius fit la rencontre de l'œuvre de Copernic. Mais il s'opposa à l'exclusivité de la raison mathématique comme seul mode de compréhension de l'univers.

Comenius annonce qu'aucune langue n'est secondaire (pas plus le tchèque qu'une autre), qu'aucune langue vivante ne doit être dominée par une langue internationale (pas même le latin) et que le langage (plus précisément l'expression) est l'essence même du réel.

En 1614, il revient en Moravie, à Fulnek plus précisément. Il fut nommé professeur et recteur de l'école de Přerov. Confronté à la misère pédagogique (organisationnelle, matérielle et méthodologique), il était dans la nécessité d'inventer. Il rédigea les *Préceptes pour une grammaire plus facile*.

En 1616, il fut ordonné pasteur. La tension politique était palpable, les Habsbourg et la recatholicisation menaçaient. L'anti-roi calviniste, Frédéric, était élu en Bohême pour lutter contre l'empereur (Habsbourg).

Dans ses *Lettres au ciel* (1617-1619), Comenius plaida contre l'inégalité sociale et économique : les pauvres sont des victimes de discrimination et non des incapables. Il propose rien de moins que réaliser l'égalité de tous les hommes, par l'éducation.

En 1618, il se maria avec Magdalena Vizovská et il se rangea sous la bannière de l'anti-roi, donc du côté de la rébellion. La même année avait lieu la défenestration de Prague qui entraînera la guerre de Trente Ans.

À la même époque, les protestants établissaient un gouvernement provisoire. L'anti-roi Frédéric était couronné en 1619.

En 1620, c'était la défaite de la Montagne-Blanche. Frédéric, le roi d'un hiver, trouva refuge à La Haye. La répression fut terrible. Vingt-sept chefs tchèques furent décapités et leur tête mise dans des paniers suspendus en haut d'une des tours du pont Charles. On interdit la langue tchèque, on confisqua les terres, on ruina l'économie.

En 1621, la Moravie était occupée par les troupes espagnoles de l'armée des Flandres. Un mandat d'arrestation était lancé contre Comenius. Il quitta sa famille. Il erra de cache en cache. Son épouse qui venait d'accoucher d'un second enfant se terrait à Fulnek. La ville fut incendiée. L'épidémie qui s'ensuivit emporta sa femme et ses deux filles.

Les horreurs de la guerre avaient frappé : les batailles, les pillages, les incendies et les épidémies. À la fin de la guerre de Trente Ans, les pertes de population oscillaient de 40 à 70 pour cent.

Comenius trouva refuge chez Charles de Žerotín au château de Brandys nad Orlici. Il était dans un état d'abattement profond. Il se lança dans des travaux de poésie, de généalogie, de géographie dans le but de soutenir la résistance tchèque. Il cherchait un troisième chemin entre la vengeance et la soumission. C'est dans cette perspective qu'il rédigea son anti-utopie, chef-d'œuvre de littérature tchèque qui se répercutera jusque chez Kafka : *le Labyrinthe du monde et le paradis du cœur*.

En 1624, Comenius se maria avec Dorothea Cyrillova, la fille de Jan Cyrill, *senior* de l'Église de l'Unité. De leur union naîtront bientôt deux filles : Élisabeth (1624) et Ludmila (1626).

Poursuivi, il dut s'enfuir à nouveau, fit halte à Görlits (ville natale de Jakob Böhme décédé en 1624). C'est là qu'il entendit parler du prophète Kotter qui annonçait la défaite des catholiques. Il revint à ses risques en Moravie. Pourchassé, il se rendit à la « cour tchèque » de La Haye où il rencontra l'anti-roi Frédéric.

En 1627, l'expédition visant à la reconquête de la Tchécoslovaquie tourna au désastre. Comenius retourna en Moravie chercher sa famille. Trois membres s'y étaient ajoutés : une jeune réfugiée du nom de Christina Poniatowska (fille traumatisée par la guerre, visionnaire et prophétesse), son frère Pavel et Peter Figulus Jablonský qui deviendra son gendre (mari d'Élisabeth). Avec mille autres exilés, ils trouvèrent refuge à Leszno en Pologne. À Leszno, Comenius était professeur au gymnase de la ville, il connut à nouveau les misères de la pédagogie.

De 1627 à 1631 parurent *La Didactique tchèque*, *La Porte ouverte des langues*, *La Grande Didactique* suivie de *L'École de l'enfance*. « Tout se passe, nous dit Cauly, comme si Comenius avait reporté son espérance sur l'éducation comme moyen de resacraliser l'existence. »

La Porte des langues devient un « best-seller ». On en trouvera partout et dans toutes sortes de traduction, à Paris comme à Harvard, en Russie comme en Amérique du Sud.

Durant la même période, il rédigea des ouvrages plus polémiques tel *L'Abrégé de physique* (1633) où Comenius, pourtant fortement influencé par Francis Bacon et Campanella, prend position contre le « mathématisme » de Galilée, Descartes et Copernic. Il croit comme eux à la nécessité de nouveaux fondements. Cependant, pour lui, la nature est plus vie que machine.

De 1630 à 1632, la guerre de Trente Ans entra dans une phase qui donna à espérer pour l'avenir tchèque : la Suède s'engagea contre les Habsbourg, et la France, inquiète du pouvoir grandissant de la dynastie, finança les protestants. Les troupes suédoises libérèrent Prague, les cloches sonnèrent lorsqu'on descendit les têtes rongées des martyrs pour les inhumer solennellement. Cependant, la libération de Prague ne dura que le temps d'une illusion. La répression se fit, encore une fois, terrible.

Comenius pensa arriver à une science de la prophétie. La prophétie constitue, selon lui, un acte politique et non une « devinette ». Elle suppose le discernement et l'espérance. La théorie était intéressante, la réalité, autre chose. Le renforcement de l'armée impériale, la mort du *senior* de l'Église de l'Unité (le beau-père de Comenius), le retrait des Suédois après la mort de leur souverain, le démembrement définitif de l'ancien État tchèque allaient dans le sens d'une antiprophétie (un chemin contre l'espérance).

Encore une fois, plutôt que de succomber à la résignation ou à la révolte, Comenius éleva sa pensée vers une troisième voie. L'espoir dépend d'une réforme de l'éducation en vue d'une réforme de l'humanité. L'influence de Comenius s'étendait. Samuel Hartlib faisait la promotion de sa pensée en Angleterre. *La Grande didactique* était perçue par plusieurs comme le « discours de la méthode » en pédagogie.

À partir de 1630, Comenius cherchait à poser de nouveaux fondements à la connaissance par une démarche devant mener à la pansophie (sagesse universelle). Cependant, pas question de prendre une route historique de fragmentation de l'esprit tel que le faisait Descartes. Il s'agit de rassembler une vérité dispersée dans le temps et dans l'espace afin de produire une vision globale (sa conception de l'encyclopédie).

En 1637, il acheva le *Prélude de la pansophie*, en 1639, le *Précurseur de la pansophie* et en 1643, la *Présentation de la pansophie*.

Richelieu l'invita en France ; l'Angleterre et les États-Unis lui firent des propositions alléchantes, la Suède le voulait et la Pologne le réclamait.

À partir de 1641, Comenius voyagea. De 1628 à 1640, il résida à Leszno avec la communauté tchèque. De 1641 à 1642, Comenius logea en Angleterre.

En 1642, il répondit à l'invitation de Louis de Geer, magnat de l'acier, d'aller en Suède moyennant une aide aux réfugiés tchèques de Pologne. Il débarqua en Hollande en juin 1642. Il y rencontra Descartes. Il passa par Amsterdam et Hambourg avant d'atteindre la Suède. Le chancelier Axel Oxenstjerna, qui assurait la régence du royaume pendant la minorité de Christine de Suède, faisait partie des coméniens (ceux qui attendaient beaucoup d'une réforme de l'éducation).

En 1643 naquit une troisième fille, Suzanna, et en 1646 un premier fils, Daniel. Les conditions d'existence de la famille étaient pour le moins très modestes.

En 1645, Comenius annonça à son mécène (Louis de Geer) qu'il travaillait sur le projet d'une *Consultation universelle sur la réforme des affaires humaines*. Comenius perdit sa confiance et celle de plusieurs autres supporters.

En 1648, Comenius revint à Leszno. Son épouse mourut des suites d'une maladie. À nouveau accablé par le deuil, il tomba sérieusement malade alors que la guerre de Trente Ans se terminait sur les traités de Westphalie, catastrophiques pour son pays. L'Église de l'Unité donnait des signes de désespoir et de résignation.

En mai 1649, il convola pour ses troisièmes noces avec Johanna Gajusova. La même année, il fut élu *senior* de l'Église de l'Unité.

En 1650, à la conférence de Nuremberg, fut scellé le sort des pays tchèques et Comenius exprima ses sentiments dans *Le Testament de la mère mourante*. Rien n'y faisait, la recatholicisation signifiait, à toute fin pratique, la suppression de la liberté de penser. L'hérésie devint même un crime contre l'État. Toutes les manifestations culturelles des peuples tchèques devaient être censurées, expurgées ou brûlées. L'objectif était d'éliminer de la mémoire les fils spirituels de Jean Hus.

Demandé pour réformer l'éducation à Sárospatak (Hongrie), Comenius expérimenta sa méthode « agréable et attrayante ». Il opta pour le théâtre pédagogique.

En 1653, Comenius rédigea *Le Monde sensible en images*, et en 1654, il publia *L'École du jeu*. Il ouvrait les portes d'une pédagogie de l'image et du contact avec les choses.

En 1654, Comenius retourna à Leszno et, en 1656, la ville fut incendiée et pillée par les catholiques. Comenius, âgé de soixante et deux ans, fut à nouveau écrasé par la tragédie. Ironie particulièrement noire, on l'accusa d'avoir provoqué le drame ! Dans l'incendie, il perdit tous ses biens, ses archives de l'Église de l'Unité, sa bibliothèque, nombre de manuscrits dont certains, tel le *Trésor de la langue tchèque*, étaient le fruit de près de quarante années de travail. Il était condamné à un nouvel exil.

La grande coalition anti-habsbourgeoise se désintégra en 1657, la recatholicisation allait bon train. Après un séjour en Silésie, traversant le Brandebourg et la Poméranie, Comenius et sa famille se réfugièrent enfin à Amsterdam.

Sentant la vieillesse le talonner, l'homme travaillait sans arrêt. Ses conditions de vie touchaient la misère. Néanmoins il était tout entier à la reformulation et à la publication de ses œuvres, principalement la *Consultation universelle sur la réforme des affaires humaines*. Cette entreprise gigantesque devait comprendre une *Panergesie* (doctrine de l'éveil de l'intellect), une *Panaugie* (un chemin de lumière intellectuelle), une *Pansophie* (l'encyclopédie universelle), une *Panpédie* (une pédagogie universelle), une *Panglotie* (la création d'une langue universelle) et une *Panorthosie* (doctrine de la réforme universelle).

En 1662, son fils adoptif et gendre, Peter Jablonský, fut élu pour lui succéder à la tête de l'Église de l'Unité. La dissolution de la fraternité était pressentie. Comenius continuait à espérer une paix universelle.

Il mourut le 15 novembre 1670. Un journal hollandais en fit brièvement la nouvelle et c'est grâce à l'argent de la famille de Geer qu'il put être enterré dans la petite chapelle de Naarden.

Suggestions bibliographiques

Belina, P., Petr Cornej, Jiri Podorny (1995), *Histoire des Pays tchèques*, Paris, Seuil (Points).

Bogdan, H. (1997), *La guerre de Trente Ans*, France, Perrin.

Boulier, J. (1958), *Jean Hus*, Bruxelles, Éditions Complexe.

Cauly, O. (1995), *Comenius*, Paris, Éditions du Félin.

Cauly, O. (2000), Comenius, *L'utopie du paradis*, Paris, PUF.

Comenius, J. (1998), *The labyrinth of the world and the paradise of the heart* (Howard Louthan and Andrea Sterk, traducteurs), New Jersey, Paulist Press.

Comenius, J. (1996), *The Great Didactic*, Montana, Kessinger Publisher Company.

Comenius, J. (1992), *La Grande didactique ou l'art universel de tout enseigner à tous* (Marie-Françoise Bosquet-Frigout, Dominique Saget, Bernard Jolibert, traducteurs), Paris, Édition Klincksieck.

Comenius, J. (1986), *Pampaedia* (A.M.O. Dobbie, traducteur), Dover, Kent, Buckland Publications Ltd.

Comenius, J. (1995), *Panorthosia or Universal Reform* (A.M.O. Dobbie, traducteur), Sheffield, England, Sheffield Academic Press Ltd.

Comenius, J. (1989), *Panglottia or Universal Language*, Warwickshire, England, Peter I, Drinkwater.

Denis, M. (1992), *Un certain Comenius*, Paris, Publisud.

Denis, M. (1994), *Comenius*, PUF, Paris.

Hoensch, J.K. (1995), *Histoire de la Bohême*, Paris, Payot et Rivages.

Komenský, J.A. (1991), *Le Labyrinthe du monde et le paradis du cœur*, Paris, Desclée de Brouwer.

Krotky, É. (1996), *Former l'Homme, l'éducation selon Comenius*, Publications de la Sorbonne.

Patočka, Jan (1990), *Essais hérétiques sur la philosophie et l'histoire* (Erika Abrams, traducteur), France, Verdier.

Patočka, Jan (1990), *L'art et le temps* (Erika Abrams, traducteur), Paris, POL, Presse Pocket.

Patočka, Jan (1991), *L'Idée de l'Europe en Bohême* (Erika Abrams, traducteur), Grenoble, Jérôme Millon.

Prévot, J. (1981), *L'Utopie éducative, Comenius*, Paris, Belin.

Remerciements

Sincères remerciements à Jean-François Malherbe, Paul-Émile Roy, Yvon Rivard et Pierre Lussier, quatre grands éducateurs qui m'ont accompagné sur le chemin de ce roman.

On peut contacter l'auteur au
jbedard@globetrotter.net
ou au
www.jeanbedard.com